TAMANGO
MATEO FALCONE
ET AUTRES NOUVELLES

Ce volume comprend également un dossier de lectures
à l'usage des enseignants et des élèves de l'enseignement
secondaire.

PROSPER MÉRIMÉE

TAMANGO
MATEO FALCONE
et autres nouvelles

Introduction,
bibliographie et notes
par
Antonia FONYI
C.N.R.S.

Chronologie
par Pierre Salomon

GF
FLAMMARION

On trouvera en fin de volume une bibliographie et une chronologie.

Pour recevoir régulièrement, sans aucun engagement de votre part, l'Actualité Littéraire Flammarion, il vous suffit d'envoyer vos nom et adresse à :

Flammarion, Service ALF, 26, rue Racine, 75278 PARIS Cedex 06.

Pour le CANADA à : Flammarion Ltée, 4386 rue St-Denis, Montréal, Qué. H2J 2L1.

Vous y trouverez présentées toutes les nouveautés mises en vente chez votre libraire : romans, essais, sciences humaines, documents, mémoires, biographies, aventures vécues, livres d'art, livres pour la jeunesse, ouvrages d'utilité pratique...

INTRODUCTION

LA NOUVELLE SELON MÉRIMÉE

Excellence et différence de Prosper Mérimée, conteur.

La nouvelle de Mérimée est un modèle du genre.
Non qu'elle eût des imitateurs, mais parce qu'elle est
devenue mesure et base de référence. En même temps,
elle est une singularité historique : elle s'impose et
s'oppose à une époque qui veut des romans, et comble
ainsi un manque qu'on ne désire pas voir comblé.
Certes, d'autres publient aussi des nouvelles. Cependant, à quelques exceptions près — les *Chroniques ita-
liennes* dont l'auteur s'adresse à un lointain avenir, les
nouvelles de Nodier ou de Gautier, songes protéifor-
mes sans ressemblance aucune avec le récit simple et
énergique de Mérimée, ou celles de Balzac, qui, destinées pour la plupart à être enchâssées dans *La Comédie
humaine*, perdent leur statut d'œuvres indépendantes,
ou encore celles de Xavier de Maistre, de Philarète
Chasles, d'Édouard Ourliac, oubliées par la postérité
paresseuse —, la nouvelle française de la première
moitié du XIXe siècle ne semble pas prétendre s'élever
au-dessus de la médiocrité d'un récit vite écrit et vite
lu. Cette mauvaise modestie de la production incite les
contemporains à reléguer le genre lui-même à l'ombre
du roman : « Autour du roman se sont groupés une
foule de genres accessoires, nouvelles, contes, *contes
démocratiques, contes bleus, contes bruns, contes de toutes
les couleurs, contes vrais, contes bizarres, contes du bord,
contes drolatiques, contes philosophiques* », écrit en 1847
Charles Louandre dans sa « Statistique littéraire [1] ».

Être excellent parmi des médiocres, combler un manque sans répondre pour autant à une attente, c'est une
position impossible. Aussi, au faîte de sa carrière, peu
après son élection à l'Académie française (1844), Mérimée échangera-t-il sa plume de «faiseur de contes [2]»
contre celle du savant pour ne la reprendre que vingt
ans plus tard, lorsque le genre qu'il s'est choisi est près
de revenir à l'honneur grâce à Flaubert, à Gobineau, à
Barbey d'Aurevilly.

Au début de sa carrière, il n'apparaissait pas comme
un solitaire. Sa singularité était bienvenue à une époque où chacun tentait de se singulariser, et, comme il
ne montrait guère encore de refus pour partager les
enthousiasmes de ses contemporains, ceux-ci ne dou-
taient pas qu'il ne fût des leurs: l'anagramme
«M. Première Prose» est attribuée à Hugo, et le
25 janvier 1830, onze jours après la publication du
Vase étrusque, Mérimée est tenu de faire son «devoir»
d'ami à la première d'*Hernani* [3]. La conscience d'ap-
partenir à la communauté littéraire n'était certainement pas étrangère à l'intense production des années
1825-1830. En 1825, il publie le *Théâtre de Clara Gazul*, spectacles dans un fauteuil, en 1827 *La Guzla*,
«poésies illyriques» dont lui-même est l'auteur, en
1828 *La Jaquerie, scènes féodales* et *La Famille Carvajal, drame*, en 1829 la *Chronique du temps de Charles IX*,
roman historique, et cette même année enfin il trouve
le genre qui sera marqué de son nom et auquel il
restera fidèle : le 3 mai 1829 paraît *Mateo Falcone*, le
26 juillet la *Vision de Charles XI*, en septembre *L'Enlèvement de la redoute*, le 4 octobre *Tamango*, le 14 février 1830 *Le Vase étrusque*, le 13 juin *La Partie de
trictrac*. Ce choix n'est ni hasardé ni hasardeux, puisque, à ce moment, la nouvelle jouit encore du prestige
du chef-d'œuvre potentiel — la traduction des contes
d'Hoffmann par Loève-Veimars paraît de 1830 à 1833
— qu'elle perdra après 1836, lorsque, avec la fondation
du *Siècle* et de *La Presse*, commence la publication
dans des quotidiens de nouvelles dont l'existence est
définie désormais comme éphémère.

La nouvelle sera repoussée par le courant dominant de la littérature contemporaine ; Mérimée lui-même prendra ses distances. En 1831 déjà, lisant *Notre-Dame de Paris*, il écrit à Stendhal que, malgré «l'immense talent» qui s'y exprime, il serait «désespéré [...] que ce fût cela dont notre siècle voulût[4]». Et à mesure qu'avançait le siècle qui, en effet, voulait de «cela», les distances allaient s'accroissant : les remarques sur Hugo sont de plus en plus acerbes, Baudelaire a fait «des vers [...] qui n'avaient d'autre mérite que d'être contraires aux mœurs[5]», l'auteur de *Madame Bovary* «avait du talent qu'il gaspillait sous prétexte de réalisme[6]». Déterminer l'origine de cet éloignement est impossible, à moins de la dater de la naissance même de Mérimée, fils unique voué à la prospérité, dont le projet existentiel sera de s'affirmer comme unique, comme excellent et différent. Car, même à ses débuts, lorsqu'il appartient encore à la confrérie romantique, il est déjà un étranger dans son siècle. Pas de sentiment, pas d'emphase ; pas d'âme rêveuse qui fouille ses replis pour n'y trouver que des incertitudes, pas de moi qui exagère l'importance des choses pour agrandir la sienne propre. Pas de doute ontologique ou épistémologique, source des romantismes et des réalismes, mais des certitudes, jetées comme un défi insolent à un siècle timoré auquel répugnent les évidences. Une autre pensée, une autre visée, une autre écriture. Un autre choix dont le support sera un autre genre.

Un écrivain qui mise en cette première moitié du XIXe siècle sur la nouvelle, pourquoi ne peut-il faire preuve d'excellence qu'en s'appuyant sur sa différence ? Ou, en inversant les termes, quelle est cette différence que Mérimée exprime dans sa nouvelle, et qui dote celle-ci de l'excellence d'un modèle ?

La nouvelle de Mérimée comme volonté de maîtrise et d'unité : épistémologie, esthétique, choix du genre.

«Un des caractères du siècle de la Révolution (1789-1832), c'est qu'il n'y a point de grand succès sans un

certain degré d'impudeur et même de charlatanisme
décidé. [...] M. Fauriel [...] est, avec M. Mérimée et
moi, le seul exemple à moi connu de non-charlatanisme
parmi les gens qui se mêlent d'écrire. Aussi M. Fauriel
n'a-t-il aucune réputation[7].» Stendhal, l'auteur impla-
cable de ce jugement, n'espérait qu'un succès post-
hume. Mérimée, en revanche, a su réussir dès qu'il l'a
voulu, parce qu'il l'a voulu. Mais la réussite n'est pas le
succès.

«Je dois réussir ou mourir», déclare le condottière
dont Gobineau s'oblige à porter l'armure[8]. Mérimée
ignore les alternatives. Réussir, pour lui, c'est se montrer capable de mener à bien tout ce qu'il entreprend.
Se montrer, et ne se montrer que capable. César, son
héros idéal, «ce prodige effrayant» dont il aurait tant
aimé écrire la biographie, «conçut dès l'enfance le
projet de devenir [...] le maître du monde[9]». Comme
lui, son admirateur tardif fut aussi «toujours favorisé
par la fortune[10]» — voyez son prénom —, mais, vivant dans un siècle «amolli [...] par la civilisation[11]»,
il dut concevoir un projet plus humain : maîtriser son
monde. Le sien : celui qu'on appelle «le monde» dans
les capitales européennes et où il sut se faire recher-
cher, et celui, plus vaste, infini si l'on veut, qu'explore
la connaissance, et qu'il sut limiter de façon à avoir
prise sur un univers entier, sur l'espace par le voyage et
l'étude des langues — peu de ses contemporains français connaissaient autant de langues que lui — et sur le
temps par les recherches historiques et archéologiques.
Ceux qui veulent le succès ignorent les limites. Réussir, en revanche, sans charlatanisme ni impudeur, c'est
maîtriser ce qu'on peut : Mérimée, écrit Sainte-Beuve,
«toujours, en tout sujet, [...] se retranchait, pour ainsi
dire, au début ; il mettait une portion de sa vigueur à ne
pas sortir du cercle tracé ; [...] c'est ainsi qu'au sein de
chaque sujet, de chaque situation donnée, il a opéré
avec une sorte de détermination certaine et suivie, qui
ne perdait aucun de ses coups. Son audace inexorable
poussait droit devant elle, et n'avait pas l'air de se
douter d'elle-même[12].»

Cette importance des limites implique que la volonté de maîtrise n'est pas, chez Mérimée, une volonté de puissance. Il ne veut ni conquérir ni acquérir, mais rester unique en sauvegardant son indépendance et son intégrité. C'est pourquoi son principal moyen de maîtrise sera une connaissance fondatrice elle-même de ces limites sans lesquelles le monde, le sien, ne serait qu'un empyrée chaotique où il risquerait de se perdre. Je connais les limites, les miennes et les leurs, donc je suis. Pour comprendre la volonté de maîtrise qui détermine la création de Mérimée, s'impose l'analyse de sa position épistémologique.

Conquérir, c'est envahir : le sujet connaissant se projette sur l'objet qu'il prive ainsi de son statut objectif. Acquérir, c'est s'approprier : le sujet introjecte l'objet, autre manière de le priver de son objectivité. Dans les deux cas, l'intégrité du sujet lui-même est gravement compromise : César «fut fait mourir [13]» — il ne mourut ni ne fut tué : en tant que sujet, il fut anéanti par une force adverse qu'il ne sut discerner — parce qu'il a conquis et acquis. Avertissement au sujet mériméen qui, vigilant, s'appliquera à tracer une frontière entre lui-même et l'objet. Cette frontière n'est pas, cependant, identique au clivage entre le sujet et l'objet, qui, imposant au premier un isolement dont il souffre comme d'une mutilation, sera le symptôme majeur de la crise épistémologique que traverse le siècle. A cette crise, les contemporains essaient de remédier tantôt en instaurant le moi comme principe organisateur du connaissable, tantôt en le faisant abdiquer en faveur d'un sujet empirique qu'absorberont les choses ; et cela sans se rendre compte, ou, au contraire, en découvrant, et avec quelle douleur, que changer de symptôme n'est pas guérir. Mérimée, en revanche, trace une frontière qui pourra être franchie sans qu'elle soit violée ou effacée, parce que sa fonction sera d'assurer à l'objet sa réalité et au sujet l'objectivité de sa connaissance. Là est la différence fondamentale entre Mérimée et ses contemporains, différence qui marque son écriture et suggère à de nombreux critiques d'y

déceler un héritage classique. Mais, héritée ou non
— et de qui? du XVIIIe qu'on a coutume d'appeler
rationaliste ou raisonneur? du XVIIe qu'on aime résu-
mer par l'épithète «cartésien»? de l'Antiquité par définition «classique»? —, cette position épistémologique est la seule qui permette de réaliser le projet de
Mérimée: la connaissance n'est maîtrise que si elle est
objective. Pas d'illusion, pas de rêve, pas d'interpréta-
tion; accès à un réel franc, dépouillé de son double
masque d'en-soi et de pour-nous. Ce n'est pas un héritage, c'est un anachronisme, une absurdité au XIXe siècle. Mais Mérimée a ses raisons de l'assumer.

Affirmer que le réel est identique au connaissable,
c'est aussi affirmer l'unité du monde. En effet, Mérimée parvient à éviter les doutes ontologiques grâce à
une miraculante pétition de principe: seul le réel
existe. L'irréel ne serait donc que le résultat de fausses
connaissances, de mensonges — Nodier, cet «infâme
menteur[14]», au lieu de fonder sa pensée sur les «impressions extérieures», a vécu «parmi les créations de
sa fantaisie comme au milieu des réalités[15]» — ou
d'erreurs logiques — «Il n'y a rien de plus terrible
qu'un homme convaincu quand il est logicien et part
d'une donnée fausse[16]» —, mensonges et erreurs étant
toujours possibles à corriger si l'on tient compte de
«l'exactitude rigoureuse des faits[17]», ou si l'on rectifie
les défauts d'argumentation. Quant à l'irrationnel, auquel l'auteur des contes fantastiques et des contes de
fatalité fait une part vaste et terrible, il appartient aussi
au réel, la preuve en est qu'il est mortifère et qu'il n'y a
pas de réalité plus irrationnelle que la mort.

C'est cette foi en l'objectivité de la connaissance
— *credo quia absurdum est* — qui détermine les choix
esthétiques de Mérimée. Pas de mur ni de précipice
entre le sujet et l'objet, donc pas de recours aux remè-
des par lesquels les contemporains s'efforcent d'apaiser
leur mal. Pas d'amplification romantique de la subjectivité. La «préoccupation presque exclusive» de Byron
«pour les idées qui lui étaient personnelles et l'habitude qu'il avait de s'y complaire et de les suivre dans

tous leurs développements, l'empêchaient de les coor-
donner [...]. Parlant toujours de lui-même, il était incapable de faire un récit dont l'action fût suivie, qui eût
un commencement et une fin [18].» Pas d'écriture réa-
liste (empiriste) non plus : pas d'objet qui, ne se laissant approcher que sous son aspect phénoménal, s'ef-
frite de manière à induire une prolifération qui abolit
toute différence entre l'important et l'insignifiant.
Tourguéniev, «s'il est question d'une chaumière,
[...] en compte les bancs et ne fait pas grâce du moindre ustensile. Il décrit les habits de ses personnages, et
n'en oubliera pas un bouton ; [...] Ce goût, ce talent
pour décrire est une qualité, ou si l'on veut, un défaut [...] [19].» Qualité, s'il va de pair avec «la faculté de
condenser», comme c'est le cas chez Tourguéniev [20],
défaut s'il va au détriment de la «composition générale», comme chez Gogol [21], ou s'il conduit, comme
chez Flaubert, à la description réitérée d'un «petit
paysage, très minutieusement étudié, et toujours choisi
parmi ceux qui n'en valent pas la peine [22]». Parce que
«l'art de choisir parmi les innombrables traits que nous
offre la nature est, après tout, bien plus difficile que
celui de les observer avec attention et de les rendre avec
exactitude [23]». Ou parce que, après tout — argument
ultime : il a trait au plaisir — «les yeux se fatiguent à
observer des animalcules au microscope [24]».

C'est une esthétique négative qui se dessine à travers
ces propos critiques : la différence de Mérimée tient à
ses refus. Refus du romantisme et du réalisme, et, dans
les deux cas, refus du trop. A cela s'oppose — et c'est
ici qu'apparaît l'esthétique positive, fondement de
l'excellence de l'écrivain singulier — le désir de la
limite, solidaire du désir de la maîtrise. Ces mêmes
désirs hanteront plus tard les naturalistes qui, effrayés
devant le déferlement des choses, découperont des
«tranches de vie», imposant ainsi des limites arbitrai-
res à l'objet à représenter. Chez Mérimée, en revanche,
la limitation n'est pas un découpage, mais une sélection
qui rend compte des éléments essentiels de l'objet, et
qui, de ce fait, n'apparaît pas comme une déformation

subjective du réel. «L'imagination de Mérimée», dit
Émile Faguet, «consiste [...] à trouver le trait[...] qui
sera le *signe* éclatant et pittoresque de tout un ensemble
d'idées [...] [25]». Autrement dit, à la base de l'esthétique de la paucité se trouve un système de renvois à des
richesses sous-jacentes. «Il a dessiné sèchement, presque pauvrement, les attitudes de ses personnages, et
raconté très vite ce qu'ils ont fait [...] si bien qu'il nous
arrive de collaborer avec l'auteur, d'inventer çà et là un
détail. Mais en relisant (et le Mérimée se relit)» — c'est
Valery Larbaud qui parle — «nous voyons que ce
détail était indiqué, inclus, dans un membre de phrase,
dans un mot, et qu'il nous a été suggéré à notre
insu [26].»

Vu ces prises de position épistémologiques et esthétiques, le choix du genre de la nouvelle, «pari contre
l'histoire» selon Eric Gans [27], s'impose. Les pièces de
Clara Gazul sont plus proches de la nouvelle que du
théâtre, les ballades de *La Guzla* tiennent aussi de la
nouvelle. *La Jaquerie* et la *Chronique du temps de
Charles IX*, seules œuvres où l'objet historique et social est représenté dans la multiplicité de ses facettes,
sont des séries de scènes ou de tableaux dont l'unité
n'est assurée que par des rapports de conjonction ; mais
il semble qu'il fallait passer par ces semi-échecs — la
Chronique avait du succès, un grand succès, mais ce
n'était pas une réussite dans le sens que prend ce mot
lorsqu'il s'agit de Mérimée — pour trouver dans la
nouvelle le parfait instrument de la maîtrise et un cadre
où se réalise la volonté d'unité.

Et où s'exprime aussi cette volonté de réussir qui
n'est pas convoitise du succès : bien qu'elle soit une
épreuve de force, la nouvelle n'assure pas à son auteur
la réputation dont jouit un romancier. Plus tard, quelques-uns reconnaîtront la valeur — la difficulté —
propre à ce genre. «[...] toute la finesse d'observation
possible, toute la philosophie, toute la raison du monde
ne sauraient suffire à produire une bonne nouvelle.
Prenez plutôt un sujet absurde, comme a fait Boccace,
et que le développement soit savamment combiné, que

la forme arrête à chaque instant l'esprit amusé et séduit, que pas un tour de phrase, pas un mot ne
s'échappe de la plume de l'écrivain sans être aussitôt
assujetti et comme enchâssé à la place qui lui convient ;
dans une nouvelle traitez de la prose comme vous feriez
pour des vers : car rien n'est trop bon, ni trop soigné
pour ce petit cadre où tout doit se voir de si près. Il
existe aujourd'hui un grand maître en fait de nouvelles ; difficilement on ferait mieux que *Colomba* ou la
Double Méprise [...] [28].» Mais qui entend cet éloge de
la nouvelle fait en 1844 par l'inconnu qu'est Arthur de
Gobineau ? Mérimée lui-même est près de renoncer à
écrire, et en 1857, lorsque Baudelaire parle d'«une
supériorité tout à fait particulière» de la nouvelle, due
à l'«unité d'impression» et à «la *totalité* d'effet [29]» — à
la maîtrise par la paucité —, l'auteur de *Mateo Falcone*
s'est condamné au silence depuis plus de dix ans.

Mais Baudelaire reprend ici les idées de Poe, sans
penser à Mérimée, et Gobineau a une culture allemande. En France, le genre ne jouira jamais d'une
estime qui puisse le consacrer en objet de réflexion.
C'est dans les pays germaniques qu'il s'impose en tant
que genre représentatif du romantisme et qu'il trouve
sa place dans les esthétiques. Définir, cependant, ce
qu'est la nouvelle, ou, au moins, ce qu'elle fut à cette
époque, reste une tâche ardue, puisque aucune des
définitions proposées par les philosophes, les critiques
et les écrivains ne résiste à qui veut en démontrer le
manque de pertinence. Insistons plutôt sur une parti-
cularité structurale commune à la plupart des théories,
et qui coïncide avec une structure que nous considé-
rons comme caractéristique du genre : lorsque Friedrich Schlegel dit que «l'aptitude particulière de la nouvelle à exprimer [une] subjectivité indirecte et dissi-
mulée [tient] justement à ce qu'elle a, par ailleurs, un
fort penchant à l'objectivité [30]», lorsque Schelling
compare la nouvelle à l'élégie pour conclure qu'elle est
un «roman lyrique» possédant une «objectivité relative [31]», lorsque Schleiermacher voit son originalité
dans le fait qu'elle présente un cas particulier qui véhi-

cule une idée générale [32], lorsque Goethe la définit
comme «un événement inouï qui s'est réellement produit [33]», et Tieck comme un récit construit autour
d'un «tournant», moment de la rencontre du quotidien
et du merveilleux [34] — et nous en passons —, ils rendent compte, chacun à sa manière, d'une structure
binaire qui est, à notre avis, la structure fondamentale
ou, mieux, fondatrice de la nouvelle. Quels qu'en
soient les termes (objectif/subjectif, général/particu-
lier, rationnel/irrationnel, réel/irréel, etc.), cette
structure binaire qui apparaît dans la théorie est alors
liée à la crise de la connaissance que depuis Kant,
même si on n'a pas lu Kant, il est impossible d'ignorer.
Quant à la nouvelle, binaire par nature — nous y re-
viendrons —, elle convient à ceux qui cherchent à
présenter cette crise à un de ses moments de cristalli-
sation où les oppositions apparaissent avec netteté,
tandis que le roman sera choisi par ceux qui veulent
analyser la crise dans son déploiement. Ajoutons encore que la nouvelle, en saisissant les opposés lors de
leur affrontement, les réunit, ne serait-ce que d'une
manière formelle, mais qui suffit pour créer l'image
— l'illusion ? — d'une unité, contrairement au roman
qui, récit sans limites, donc prêt à embrasser tout ce
qui est hétérogène, multiple, divergent, évoque, par sa
forme elle-même, l'image d'un univers désuni.

Et voici le moment de revenir à Mérimée. En
France, c'est l'époque des grandes constructions ro-
manesques, l'époque où un Hugo, un Stendhal, un
Balzac ont renoncé à toute autre unité que celle, mou-
vante et indéterminée, d'un devenir et d'une totalité
supposée. Ceux qui écrivent des nouvelles — songeons
à Nodier ou au Balzac du *Chef-d'œuvre inconnu,* si
différents — tentent de saisir le même moment de
déchirure entre le réel et sa connaissance que leurs
confrères allemands : la vogue d'Hoffmann, virtuose
du déchirement, est une nécessité dans la France romantique. Mais Mérimée, avons-nous dit, n'avait cure
de pareilles complications parce que, pour lui, ni
l'unité du monde ni l'objectivité de la connaissance ne

faisaient doute. Cependant, il a écrit des nouvelles. Ou, mieux : par conséquent il a écrit des nouvelles. Parce que sa volonté d'unité qui allait nécessairement de pair avec une volonté d'ignorer les clivages, s'est saisie de la nouvelle qui offrait une unité formelle et promettait ainsi d'occulter les désunions indésirables. C'est pourquoi il usera du genre à sa façon singulière : sous sa plume, la nouvelle deviendra l'emblème d'une unité conquise par l'amour de la limite, de la logique — le «raisonnement», dit Baudelaire, est «le meilleur outil pour la construction d'une nouvelle parfaite [35]» — et de la finalité. Car, lorsque les critiques insistent sur «la convergence savante des détails» — la formule est de Taine [36] —, ils mettent en évidence la finalité que le genre a héritée de lointains *exempla*, fabliaux et contes moraux. Mérimée se dit, il est vrai, persuadé que «plus une chose est dépourvue de conclusion utile, plus elle est amusante [37]», mais c'est l'utile qui lui répugne et non la conclusion ; celle-ci ne sera prise en haine que bien plus tard, par la conscience chargée de toutes les incertitudes épistémologiques de Gustave Flaubert. Mérimée conclut. Sa nouvelle est gouvernée par une finalité sévère, expression formelle de la fatalité qui est le principe unificateur de son univers. Conclusions abruptes, amorales — inutiles : contraire à la morale qui prêche l'utile —, atroces. Et c'est là qu'apparaît la preuve ultime de l'existence d'un réel unique et même pour tous : la mort. L'amour de la finalité, si importante dans la nouvelle de Mérimée, est l'amour terrifiant de la mort. La certitude de la mort — de l'accomplissement de la finalité-fatalité unificatrice — est le fondement des certitudes et, qui plus est, de la sécurité épistémologique de Mérimée. Conclure par la mort, c'est conclure à un réel connaissable.

Ou inconnaissable. Car qui connaît la mort ? Qui sait pourquoi tout ce qui vit est voué à la mort ? Et d'où viennent-elles, cette vie et sa fin brutale ? Brutale comme la fin d'une nouvelle : pour Mérimée, la mort est meurtre. «Or, je me demande pourquoi, dans nos éléments constitutifs, on a mis l'instinct de destruc-

tion [...] [38] ?» «On» : la «divinité» que «toutes les reli-
gions» s'accordent «pour laisser [...] dans le *back
ground* et lui donner des intermédiaires à moitié ou tout
à fait humains [39]»; «les causes premières» que les
«mythologies antiques», «hors d'état d'interpréter les
mystères au-dessus de l'intelligence humaine», laissent
«dans une obscurité peut-être recherchée à dessein,
pour mettre en évidence quelques-uns de leurs effets [40]». Causes premières, causes finales; ultimes. Interroger les origines, c'est s'interroger sur les fins et sur
la fin. Mais on ne connaît que des «intermédiaires» et
des «effets» : le meurtrier n'est qu'un émissaire de
celui qui fut l'auteur de l'instinct de destruction, et la
mort, effet elle-même de la cause finale, ne se laisse
appréhender que par ses effets.

C'est ici que surgit, enfin, la contradiction fondamentale de la pensée de Mérimée : la mort relève du
réel, par conséquent les origines — ses origines : la
divinité meurtrière — aussi; mais elles sont impossi-
bles à connaître, alors que Mérimée va jusqu'à prendre
des positions épistémologiques absurdes pour maintenir sa conviction de l'identité du réel et du connaissable. Conviction nécessaire, nous le savons, à qui veut
que la connaissance soit prise sur le monde. Mais la
contradiction qui risque de mettre à l'échec le projet de
maîtrise, est bienvenue : elle est la source féconde de
l'œuvre littéraire.

Tout aussi bien que la plupart des conteurs contemporains, Mérimée a eu recours au fantastique, moyen
d'expression privilégié de la crise épistémologique.
Selon Tzvetan Todorov, *La Vénus d'Ille* est «un exemple parfait de [l']ambiguïté de l'hésitation entre le ra-
tionnel et l'irrationnel» — de l'opposition entre le
connaissable et l'inconnaissable, dirions-nous — qui
caractérise ce type de récit [41], et l'auteur lui-même
déclare que cette «histoire de revenants» est son
«chef-d'œuvre [42]». Prudent, Pierre-Georges Castex dit
que Mérimée n'est pas «crédule», seulement
«complaisant» «aux fictions surnaturelles» qui tradui-
sent ses inquiétudes [43], et son avis est corroboré par

l'aveu de Mérimée : « Je me ferais dresser les cheveux sur la tête en me racontant à moi-même des histoires de revenants, mais malgré l'impression toute matérielle que j'éprouve, cela ne m'empêche pas de ne pas croire aux revenants [...] [44]. » Certes, il ne croit pas au surnaturel, ni en Dieu. Mais le mot « diable » revient avec une fréquence étonnante sous sa plume. Le diable, l'Autre, la divinité meurtrière inconnaissable, mais réelle, puisque c'est sa volonté qu'exécutent ses émissaires en semant la mort par toute la terre. Cette omniprésence de la mort permet d'affirmer aussi que, pour invoquer le diable, il n'est pas nécessaire de faire du fantastique. Celui-ci est l'expression la plus manifeste, mais aussi la plus artificielle du dualisme qui apparaît dans toutes les nouvelles de Mérimée, malgré la volonté d'unité de leur auteur. Dualisme réprimé — c'est pourquoi les critiques, les meilleurs, n'en parlent qu'avec prudence (les autres n'en parlent pas du tout) —, renié, car effrayant et sans remède, c'està-dire sans idéalisme et sans illusion : nous ne répéterons jamais assez que cet inconnaissable diabolique fait partie du réel. C'est pourquoi, répétons cela aussi, le fantastique n'est pas nécessaire. La nouvelle suffit.

La nouvelle, avec sa structure binaire, devient l'expression parfaite de ce dualisme. Sa dynamique sera déterminée par un trajet épistémologique : du connaissable vers l'inconnaissable, du mortel vers l'instance qui a voulu la mort. Trajet inachevé qui abouti au meurtre perpétré par un meurtrier qui n'est que l'intermédiaire entre la victime et la divinité. Voyage — à rebours — dans le temps aussi : du présent connaissable vers les origines inconnaissables. Du *logos* vers l'*arché*, a dit Claude Bremond en définissant la quête de l'archéologue que fut Mérimée [45]. *Arché* : le commencement biblique, l'origine du monde créé. Pour Mérimée, ce ne fut pas le verbe, mais son contraire : un acte accompli dans le silence archaïque qui appelle les mots à naître ; dans le silence qui se reproduit à chaque meurtre — les victimes ne crient pas et les bourreaux n'ont pas besoin de paroles pour se donner du courage chez Mérimée —, et qui appelle à naître le récit sur la mort.

Structures et construction de la nouvelle de Mérimée.

La nouvelle se distingue du roman — n'ayant pas trouvé de définition, nous proposons ici une distinction [46] — comme l'un du multiple. Mais cette unité ne tient pas à la brièveté, ni à la présence d'un centre. Elle est assurée par des structures à la fois analogiques et binaires dont les termes se répondent comme ceux d'une paire de rimes qui diffèrent tout en se ressemblant, et dont le premier n'est entendu qu'une fois rappelé par le second. (L'unité du roman se fonde aussi sur des répétitions, mais celles-ci constituent des séries souvent divergentes.) Ces deux termes en rapport d'analogie imparfaite déterminent l'unité de la forme de la composition, mais, bien entendu, ils s'enracinent dans les matériaux qui, le plus souvent, se constituent d'éléments opposés.

Voici donc, tout d'abord, les matériaux anecdotiques de la nouvelle de Mérimée.

Mateo Falcone : Fortunato, le fils unique de Mateo Falcone, cache un bandit corse persécuté par les soldats de l'armée française ; il se laisse suborner par ceux-ci et donne le fugitif contre une montre ; son père le tue ; personne ne portera plus le nom de Falcone.

Tamango : un guerrier noir qui livre ses frères aux marchands de bois d'ébène en échange de cotonnades, de fusils, de poudre et d'eau-de-vie, s'emporte, ivre, contre sa femme favorite, et la donne au capitaine d'un négrier ; dégrisé, il se rend au bateau pour la reprendre, mais il sera retenu lui-même comme marchandise, et, bien qu'il réussisse à ameuter les Noirs qui massacrent tout l'équipage blanc, il ne peut pas regagner sa terre natale, ne sachant pas gouverner le navire ; les Noirs meurent, les uns noyés, les autres de faim ; la dernière victime est la femme de Tamango ; celui-ci ne survit que pour mourir sur la terre des Blancs.

Le Vase étrusque : Auguste Saint-Clair aime Mathilde de Coursy et veut l'épouser; on lui raconte qu'elle aimait avant lui un homme indigne, la preuve en est son attachement à un vase étrusque, présent de celui-ci; pour se libérer de son engagement, Saint-Clair souhaite mourir et provoque en duel un fâcheux; il apprend qu'il s'est mépris sur le passé de sa maîtresse qui, pour démontrer la vérité, casse le vase précieux; le duel a lieu tout de même et Saint-Clair est tué; Mathilde de Coursy meurt de chagrin.

On prend un engagement, on le rompt ou on veut le rompre, on meurt, et l'autre, à l'égard de qui l'engagement était pris, sera anéanti aussi — voilà le schéma de la fable, dans sa simplicité brutale. Il existe, certes, de nombreuses variantes, mais cette série d'incidents est la base narrative de toutes les nouvelles de Mérimée. C'est ce schéma qui apparaît dans la *Vision de Charles XI* et dans *L'Enlèvement de la redoute* dans un état tronqué — seuls les morts (la mort) sont montrés — parce que le récit qui enchâsse l'anecdote prend une telle importance qu'il éclipse celle-ci. Dans le présent volume *La Double Méprise* semble être la seule exception — Julie meurt, Darcy survit et sera heureux —, mais il y eut méprise dans cette histoire (nous l'expliquerons). Ajoutons que les exceptions se laissent presque toujours réduire à la règle : tout écrivain s'obstine, à son insu, bien sûr, à répéter la même histoire, celle de sa blessure, dans l'espoir obscur d'une guérison; s'il change d'histoire, c'est qu'il découvre une autre blessure au-dessous de celle qu'il voulait guérir. Mais nous traitons ici de la nouvelle de Mérimée et non de son mal, aussi n'étudierons-nous la fable qu'en tant que matière de nouvelle.

Dans la maison de son père, à une demi-lieue du maquis, Fortunato songe avec plaisir que dimanche prochain il ira dîner chez son oncle à Porto-Vecchio : ses préférences l'attirent à la ville. Sa rêverie est interrompue par l'arrivée du bandit, Gianetto Sanpiero, tireur excellent et Corse de la Corse profonde, comme le père du jeune garçon. (Son nom évoque Sampiero

Corso, le chef légendaire de la lutte des Corses contre le
pouvoir génois, qui fut assassiné par un traître [47].) «Tu
es le fils de Mateo Falcone?» (p. 43). Sur la réponse
affirmative, le bandit demande asile à Fortunato, et,
voyant que celui-ci hésite, il l'insulte : «Tu n'es pas le
fils de Mateo Falcone!» (p. 44). «Touché» (p. 44),
l'enfant le cache. Surviennent des «hommes en uniforme» (p. 44), les soldats qui traquent le bandit.
L'adjudant qui les commande menace Fortunato de
coups, de cachot et même de guillotine, mais l'enfant
refuse de livrer le fugitif, en ricanant toujours : «Mon
père est Mateo Falcone!» (p. 46). Alors l'adjudant lui
offre une montre : «Fripon! tu voudrais bien une
montre comme celle-ci suspendue à ton col, et tu te
promènerais dans les rues de Porto-Vecchio, fier
comme un paon [...] le fils de ton oncle [qui habite
Porto-Vecchio] en a déjà une...» (p. 47). L'enfant trahit le bandit. «Fils de...!», lui crie celui-ci (p. 48).
Les parents arrivent, apprennent ce qui vient de se
passer. «Femme, dit [Mateo], cet enfant est-il de
moi?» La mère, offensée, répond : «Que dis-tu, Mateo? et sais-tu bien à qui tu parles? / — Eh bien! cet
enfant est le premier de sa race qui ait fait une trahison.» (p. 51). «C'est ton fils», ajoute-t-elle, inquiète.
«Laisse-moi, [...] je suis son père.» (p. 52). Il l'emmène dans le maquis et le tue d'un coup de fusil. Ce
sont ses paroles qui terminent la nouvelle : «Qu'on dise
à mon gendre Tiodoro Bianchi de venir habiter avec
nous.» (p. 52).

Trois lieux : Porto-Vecchio, le maquis et, entre les
deux, mais plus proche du dernier, la maison de Falcone. Deux sociétés : la citadine d'où viennent les fusils, les munitions, la montre, les soldats qui portent
l'uniforme français et parlent de cachot et de guillotine ; celle du maquis, «patrie des bergers corses et de
quiconque s'est brouillé avec la justice» (p. 41), patrie des nomades — non seulement les bergers sont
«une espèce de nomades» (p. 42), les agriculteurs
aussi : «le laboureur corse, pour s'épargner la peine de
fumer son champ, met le feu à une certaine étendue de

bois», «sûr d'avoir une bonne récolte sur cette terre
fertilisée par les cendres» (p. 41), et le printemps
suivant il n'a qu'à recommencer à un autre endroit —,
patrie des hommes dont peu ne se trouvent pas coupa-
bles de «quelque peccadille, telle que coups de fusil,
coups de stylet et autres bagatelles» (p. 49). D'un
côté les civilisés, de l'autre les sauvages. Deux catégories, deux morales : les civilisés possèdent, ils accu-
mulent des richesses et vendent le superflu de leur
production pour s'enrichir encore ; les sauvages
consomment, détruisent et jouissent : ils prennent ce
dont ils ont besoin là où ils le trouvent, le volent s'ils ne
le trouvent pas, comme Gianetto la chèvre laitière de
Mateo («Pauvre diable ! dit Mateo, il avait faim»
(p. 50), et tuent s'ils ne peuvent pas l'acquérir autrement, comme Mateo a tué l'homme qui courtisait la
jeune fille qu'il voulait épouser. Deux lois, l'une écrite
et exécutée par un appareil de justice, l'autre conservée
par la tradition et exécutée par des hommes qui se font
justice. Deux races ennemies : les sauvages ont le teint
foncé — la peau de Mateo est de «couleur de revers de
botte» (p. 42), sa femme a des «joues brunes»
(p. 51) — ou, parfois, ils sont pâles, comme Mathilde
de Coursy ou Colomba, tandis que les civilisés, s'il
arrive à Mérimée de les décrire, sont blancs et roses,
comme Ioulka Iwinska (*Lokis*) dont les fraîches couleurs appellent la morsure mortelle de son mari assoiffé
de sang. Car ces sauvages sont de vrais sauvages, des
bêtes féroces ; Gianetto est «lion» (p. 50), Falcone
faucon, Tamango «sanglier» (p. 88), «panthère»
(p. 94), la Vénus d'Ille «tigresse [48]», Carmen «croco-
dile [49]», Mathilde de Coursy montre ses dents, la comédienne de *La Partie de trictrac* donne des coups dont
on porte «les marques sur la figure pendant plus de
huit jours» (p. 150).

Fortunato «ressemblait à un chat» (p. 47) ; félin
domestique : sauvage par ses origines, civilisé selon ses
convoitises. Tous les protagonistes de Mérimée auront
cette double nature. Tamango, sauvage par définition,
vend ses frères pour se procurer des produits de l'in-

dustrie des Blancs, Saint-Clair, le lieutenant Roger,
Julie de Chaverny, enfants de la civilisation, diffèrent
de leur entourage par leur nature sauvage — Saint-
Clair garde farouchement ses secrets, Roger est prêt à
provoquer en duel tous les officiers d'un régiment,
Julie s'abandonne imprudemment à son désir —, par le
refus des normes qui ont force de loi dans la société
civilisée; dans *Lokis,* le dernier grand récit, cette nature hybride est explicitée: le héros est l'enfant d'un
ours et d'une comtesse lituanienne. La fable s'annonce
donc comme organisée par des structures binaires dès
le début, dès l'entrée en scène du protagoniste dont le
destin sera marqué par son appartenance à deux catégories opposées.

Cette contradiction s'exprime sous la forme d'une
alternative: «Tu es le fils de Mateo Falcone?» «Tu
n'es pas le fils de Mateo Falcone!» Obligé de trancher,
Fortunato affirme, non sans avoir hésité, son côté sauvage: «Mon père est Mateo Falcone!» Tous les autres
feront de même: ivre, Tamango donne sa femme noire
aux Blancs, mais il se hâte de racheter cette faute au
risque de sa vie et de sa liberté; le lieutenant Roger,
après avoir essayé d'acheter l'actrice qui méprise l'argent, corrige cette erreur que lui a fait commettre sa
nature civilisée, en bravant le règlement militaire et la
fierté de tout un régiment dans l'espoir d'obtenir
l'amour de «la colérique Gabrielle» (p. 150); Saint-
Clair, bien qu'il observe les règles du jeu social, ne
peut aimer qu'une femme qui les transgresse en deve-
nant sa maîtresse avant le mariage. Mais ce premier
choix sera annulé par un second qui réaffirme l'appartenance à la civilisation: Fortunato trahit le bandit
pour posséder une montre («Fils de...!», lui crie Gianetto); Tamango, lorsqu'il prend le gouvernail qu'il ne
saura que casser, revendique un savoir égal à celui des
Blancs, revendication dont la conséquence sera la mort
de tous les Noirs; Roger triche au jeu par cupidité, acte
qui correspond à une infidélité à l'honneur sauvage que
représente Gabrielle («Non! ... non! je ne pensais pas
à elle... je n'étais pas amoureux dans ce moment...

[...] J'ai volé de l'argent pour l'avoir à moi...»
(p. 160); Saint-Clair, le plus méfiant de tous à l'égard
des mœurs civilisées qu'il ne connaît que trop bien,
trahit pourtant sa foi engagée à Mme de Coursy en
prêtant crédit aux bruits qui courent sur elle dans les
salons parisiens.

Une nature contradictoire qui se révèle dans l'intrigue par deux choix opposés : l'organisation des matériaux anecdotiques est rigoureusement binaire. Cependant, le bon sens artistique de Mérimée rejette la symétrie parfaite, configuration statique s'il en fût, et
investit la sauvagerie d'un pouvoir meurtrier qui met
en déséquilibre les rapports de forces entre les deux
catégories : l'adjudant de l'armée française ne fait que
menacer Fortunato de guillotine, tandis que son père,
le chef de famille corse, n'hésite pas à le tuer. Il en est
partout de même : quelques jours d'arrêt pour le lieutenant Roger parce qu'il a contrevenu au règlement
militaire pour l'amour de Gabrielle, quelques propos
méchants à l'adresse de Saint-Clair parce qu'il refuse
les conventions mondaines qui veulent qu'on fasse des
confidences sur sa maîtresse, mais tous deux mourront
pour avoir trahi l'amante sauvage. Lorsque le héros
adhère à la sauvagerie, l'autorité civilisée n'y voit — ne
veut y voir ? ou est-elle aveugle ? — qu'une peccadille,
mais quand il veut retourner à ses pénates civilisés, la
sauvagerie le punit pour haute trahison.

Expliquer cette inégalité par des raisons réelles est
impossible. Même replacée dans l'univers imaginaire
de Mérimée, elle est illogique, parce que la civilisation
devrait être plus forte que la sauvagerie qui, au
XIXe siècle, époque où se déroule l'action de la plupart
des nouvelles, se trouve presque complètement dépos-
sédée de ses terres. Elle ne subsiste plus que protégée
par des forêts impénétrables, ou, cas plus fréquent,
disséminée sur les terres labourées, cadastrées, couvertes d'édifices et divisées par des murs, devenues, en
somme, propriétés des civilisés où les nomades qui ne
reconnaissent pas le droit à la propriété ne peuvent être
que des intrus dangereux, traqués et faciles à capturer,

puisqu'ils n'ont d'autres défenses que leurs dents,
griffes, stylets, escopettes, que leur corps robuste et
quelques armes que deux mains suffisent à manier. Et
pourtant, cette force individuelle parvient à punir le
traître qui veut se mettre sous la protection de la communauté civilisée. Il y a à cela, bien sûr, des raisons
rigoureusement déterminées dans chaque cas. Il
convient de rappeler ici le relativisme objectif de Mérimée : Mateo est corse, Tamango africain, et leur
mode de vie ou leurs mœurs suffisent à expliquer cette
vigueur physique et morale qui les distingue des Français que la civilisation a aliénés de la nature. Mais
Gabrielle ? Mais Mme de Coursy ? Elles ne tuent pas,
c'est vrai ; au contraire, elles pardonnent. Cependant,
le traître n'échappe pas à la punition : Roger se jette
devant les canons ennemis, Saint-Clair meurt dans un
duel qui ne devrait pas avoir une issue mortelle.
Quelqu'un les a condamnés et veille à l'exécution de la
sanction. Quelqu'un : l'esprit de la sauvagerie ? Une
cour suprême qui siège au fond des bois ? Pensons à ces
animaux de *Lokis* qui «ont une police très sévère, et
[qui,] quand ils trouvent quelque bête vicieuse, [...] la
jugent et l'exilent. Elle tombe alors de fièvre en chaud
mal. [...] Peu en réchappent [50].» Ou rappelons les
propos de Mateo : «[...] cet enfant est-il de moi ? [...]
Eh bien ! cet enfant est le premier de sa race qui ait fait
une trahison.» Et il le tue parce qu'il est son père, au
nom de la race. Au-dessus des causes déterminées par
les usages locaux, au-delà du hasard des balles folles, il
y a une loi propre aux sauvages qui doit expliquer leur
supériorité meurtrière. Mais où la chercher ?

Où, sinon dans leur origine ? Mais celle-ci, où la
trouver ? «Les Bohémiens eux-mêmes n'ont conservé
aucune tradition sur leur origine», note l'auteur de
Carmen. Mais «leur regard» ne se laisse comparer
qu'«à celui d'une bête fauve», et leur teint est «toujours plus foncé que celui des populations parmi lesquelles ils vivent [51].» Oubliée, inconnue, l'origine de la
race est donc une réalité, attestée par les traits
communs aux individus. L'origine d'une race noire

(les Bohémiens se désignent par « le nom de *Calé*, les Noirs [52] ») et dangereuse. « Ces diables d'Espagnols » font peur au résident français de l'île de Fionie ; « leur peau est si noire, à ces moricauds », se dit-il, « qu'on ne peut voir leur cœur au travers [53]. » Race diabolique — le diable est noir —, race qui porte écrit sur sa peau son secret illisible. Le secret qui en fait une race : celui de ses origines inconnaissables.

Et voilà que réapparaît la faille épistémologique, devenue principe organisateur des matériaux de la nouvelle : la civilisation correspond au connu, la sauvagerie indique l'inconnaissable ; les deux relèvent, souvenons-nous, du réel. Et c'est parce qu'ils relèvent du réel que le système logique de la nouvelle, si important chez Mérimée, dont ils sont le fondement, est inébranlable.

La logique causale, d'abord. Fortunato trahit, c'est une cause individuelle. Il en sera puni par la mort parce qu'ainsi le veut l'honneur corse : c'est une cause générale, donc suffisante. Mais Saint-Clair, pardonné par sa bien-aimée sauvage, sera tué tout de même dans un duel anodin : ce n'est qu'une cause accidentelle. C'est que, nous l'avons vu, derrière ces causes se trouve une autre, nécessaire, la loi meurtrière des sauvages, enracinée dans leur origine. Une cause nécessaire, mais inconnaissable. Il importe peu, cependant, de la connaître parce qu'elle se justifie par une loi connue de la nature : nous sommes tous mortels. C'est ainsi que s'explique la mort des sauvages, des émissaires de la divinité diabolique, qui n'ont fait qu'exécuter une vengeance juste. (« Qu'as-tu fait ? » demande la mère de Fortunato au père infanticide. « Justice », répond-il (p. 52). Saint-Clair meurt de la balle d'un lion parisien nommé Thémines ; serait-il téméraire de penser à Thémis ?) Nous sommes tous égaux devant la mort : nous mourrons tous assassinés. Grimer l'inconnaissable en loi naturelle, cela s'appelle, certes, tricher avec la logique. Mais c'est grâce à cette tricherie que s'impose la réalité du mystère et que la finalité despotique de la nouvelle de Mérimée prend la forme d'une causalité dont l'innocence convainc les plus sceptiques. (Dont l'auteur lui-même...)

La logique morale, ensuite. Parce que la nouvelle, descendante lointaine de l'*exemplum,* se fonde toujours sur une argumentation morale, même quand elle est immorale. Voici la prémisse majeure du syllogisme mériméen : celui qui trahit la sauvagerie, sera puni par la mort ; et la mineure : Fortunato trahit la sauvagerie. Donc Fortunato doit mourir. Mais ce n'est pas la logique didactique du conte moral — rappelons le mépris de Mérimée pour les conclusions utiles — puisque la puissance sauvage justicière sera anéantie à son tour : «Qu'on dise à mon gendre Tiodoro Bianchi de venir habiter avec nous», ordonne Mateo Falcone à la fin de l'histoire ; Tiodoro, comme Tiodoro Gamba qui commande les soldats, gardiens de la civilisation ; Bianchi, les Blancs, ennemis de la race noire. Il faut donc faire appel à un autre syllogisme dont la majeure serait la fatalité biologique : nous sommes tous mortels. Force majeure de la nature amorale, car indifférente ; de l'inconnaissable réel.

Ou faudrait-il conclure à la victoire de la civilisation lorsqu'une famille sauvage disparaît jusqu'à son dernier rejeton ? Une réponse négative émane des répétitions à deux termes qui étayent la composition de la nouvelle et véhiculent les sens forts.

«Tu es le fils de Mateo Falcone ?» «Tu n'es pas le fils de Mateo Falcone !» «Mon père est Mateo Falcone !» Puis il trahit. «Femme, dit [Mateo], cet enfant est-il de moi ?» «C'est ton fils.» «Laisse-moi, [...] je suis son père.» Dans *La Partie de trictrac*, la répétition est tout aussi évidente : Roger veut acheter les faveurs de Gabrielle avec vingt-cinq napoléons, puis expie sa faute en provoquant en duel tous les officiers d'un régiment ; il trahira Gabrielle pour vingt-cinq napoléons, et expiera en s'exposant aux canons d'un navire ennemi. «Enfin, je l'ai rencontré ce cœur qui comprend le mien !... — Oui, c'est mon idéal que j'ai trouvé !... [...] Non, elle n'a jamais aimé avant moi... [...] C'est la plus belle femme de Paris» (p. 122), se dit

Saint-Clair au faîte de son bonheur. Puis, lorsqu'il trahit : « L'idée qu'il caressait le plus amoureusement, c'était que sa maîtresse n'était pas une femme comme une autre, qu'elle n'avait aimé et ne pourrait jamais aimer que lui. Maintenant ce beau rêve disparaissait [...] Je possède une belle femme, et voilà tout. [...] Il n'y avait pas de sympathie entre nos cœurs. » (p. 131). Dans ce dernier cas, la ressemblance formelle des deux termes est moins frappante — il en est souvent ainsi lorsqu'une écriture analytique se mêle à l'écriture qui se veut le compte rendu objectif des faits —, mais le sens de la répétition n'en est que plus explicite : elle scande l'anecdote en marquant les deux choix contra- dictoires du protagoniste, et provoque ainsi la confrontation des deux catégories dont l'opposition détermine la dynamique de l'histoire. En même temps, c'est le problème de l'identité que ces répétitions met- tent en lumière, problème fondamental chez l'auteur du *Théâtre de Clara Gazul*, qui signe « Joseph L'Es- trange » pour la traduction, et dont un double portrait, masculin et féminin, orne quelques exemplaires de ce premier livre. De plus : problème de l'identité, pro- blème des origines ; le grand thème obsédant réappa- raît partout.

Mais ces répétitions sont symétriques, alors que le bon sens artistique de Mérimée, avons-nous dit, refuse la symétrie et exige le déséquilibre. Cette intention est réalisée, sur le plan formel, par l'introduction d'un autre type de répétition, moins sensible, puisque le second terme se trouve dans une position beaucoup plus forte que le premier. Mais c'est justement cette différence de valeur qui assure aux nouvelles de Méri- mée leur dynamisme entraînant. Si les critiques insis- tent souvent sur leur saisissant effet final, c'est qu'elles sont composées de manière que l'accent soit placé sur le signe de la mort. Mais, pour ressentir le coup dans toute sa force, il faut être sensibilisé à l'avance : dès le titre. Enigmatiques en eux-mêmes, les titres de Méri- mée se rapportent au meurtre, en nommant, dans la plupart des cas, le meurtrier sauvage. (Deux exceptions apparentes : *La Partie de trictrac* et *La Double Méprise*. Mais, avant de devenir le nom d'un jeu, le mot «trictrac» était une onomatopée imitant le bruit des choses qui se heurtent : «Un bruit, un triquetrac insupportable», dit Molière [54] ; le coup de dé du destin et son bruit insupportable — Mérimée connaît son Molière. Quant à la double méprise, elle est l'instrument du meurtre : Darcy croit que Julie de Chaverny est une femme facile, une femme comme une autre, et Julie croit se donner à un homme qui marche sur les sentiers des nomades et dont le front balafré garde la mémoire des combats périlleux ; c'est à cause de ces erreurs que cette histoire ne se termine pas comme les autres : Julie meurt parce que, découvrant sa méprise, elle cherche, en vain, le retour à la norme civilisée, tandis que Darcy survit pour épouser une dot, puisque, malgré ses allures sauvages, il n'a jamais été qu'un civilisé.) Dès le titre donc, le lecteur attend l'explication d'une énigme — l'explication d'un sens caché — et c'est cette attente qui donne sa forte résonance à l'effet final.

Attente d'une explication : prédominance de la finalité dans la composition, et, comme l'a démontré Bernhard Bruch [55] dans une belle étude sur la nouvelle, prédominance d'une finalité qui provoque une tension sur le plan de la connaissance. Car il y a plus que le titre. Il y a, au début de la nouvelle de Mérimée, une séquence qui interroge le lecteur, bien qu'elle soit anodine en apparence. *Mateo Falcone* commence par la présentation du maquis et de Falcone, tireur excellent, *La Partie de trictrac* par celle du «calme désespérant» (p. 147) de la mer et de l'ennui de la vie à bord, *Le Vase étrusque* par l'analyse du caractère de Saint-Clair qui, bien qu'il respecte les usages mondains — il écoute les confidences amoureuses des autres et ne refuse pas de leur servir de second dans ces duels du XIXe siècle qui sont des formalités sociales — n'est «point aimé dans ce qu'on appelle le monde» (p. 119) parce qu'il garde les secrets de son cœur. Des débuts anodins — quel récit ne commence pas par une présentation à l'époque? —, un ton banal : celui qui récite est un narrateur impersonnel, porte-parole de la connaissance des civilisés, d'une connaissance objective par définition. Mais ce qui est perçu éveille la curiosité : on — nous tous et lui, l'observateur impersonnel — voudrait en savoir plus. D'où une tension intellectuelle qui ne cesse de croître jusqu'au moment inconnaissable de la mort. On — «le monde», les civilisés — veut savoir le secret de Saint-Clair ; pour le faire parler, on n'hésite pas à «mettre en pièces» (p. 127) la réputation de Mme de Coursy («*Frailty, thy name is woman!*») (p. 127), et on contraint le malheureux de se rappeler «certain vase étrusque» (p. 127) qui détient le secret de sa maîtresse ; dans sa rage de voir son bonheur détruit et de ne pouvoir «s'en prendre qu'à un mort et à un vase étrusque» (p. 127), Saint-Clair provoque un fâcheux en duel ; pour réparer sa réputation, Mme de Coursy brise «en mille pièces» le vase (p. 159) (c'est un casseur formidable, comme tous les sauvages : elle a cassé la montre de Saint-Clair aussi) ; le duel qui suit ne devrait pas avoir plus d'importance que ceux où Saint-Clair était tant de fois témoin ; il sera mortel ; un témoin raconte : «[...] j'ai vu Saint-Clair tourner une fois sur lui-même, et il est tombé raide mort. J'ai déjà remarqué dans bien des soldats frappés de coups de feu ce tournoiement étrange qui précède la mort» (p. 140). La femme est fragile comme un vase étrusque, mais cette fragilité est le signe inversé de leur secret : de leur pouvoir destructeur ; Saint-Clair sera tué à cause d'eux, par eux ; le témoin civilisé ne perçoit que le tournoiement étrange et la chute : on — lui, nous — ne connaît de la mort que ses étranges signes extérieurs. Le père prend le chemin du maquis — «Ce n'est que la hache à la main que l'homme s'y ouvrirait un passage, et l'on voit des maquis si épais et si touffus que les mouflons eux-mêmes ne peuvent y pénétrer» (p. 41), dit le narrateur impersonnel au début du récit — son fils le suit ; «Mateo fit feu, et Fortunato tomba raide mort». «Où est-il?» demande la mère. «Dans le ravin. Je vais

l'enterrer», répond le père (p. 52). Un corps mort
tombe, c'est tout ce qu'on sait. Mais n'est-ce pas suffisant? Pour rompre l'ennui d'un voyage sur une mer
d'un «calme désespérant», le passager écoute le récit
du capitaine sur le lieutenant Roger qui a voulu que
son corps fût jeté — qu'il tombât — dans la mer.
«"Capitaine, une baleine à bâbord!" interrompit un
enseigne accourant à nous. [...] Je ne pus savoir comment mourut le pauvre lieutenant Roger.» (p. 162).

    Faut-il, peut-on le savoir? On sait qu'il y eut mort
violente: coup de pistolet pour Saint-Clair, coup de
fusil pour Fortunato, coup de canon pour Roger. On
connaît l'arme du meurtre et aussi sa cause suffisante.
Mais la cause première? La lecture achevée, le sens
indéterminé du symbole répété continue à résonner
encore: le vase étrusque avec l'image d'un Lapithe et
d'un Centaure, le maquis où cherchent à pénétrer
l'homme et le mouflon, la mer qui porte un vaisseau et
abrite une baleine. Il est là, le mystère de la mort, dans
ces récipients immenses et éternels où pénètrent et
d'où sortent les hommes et les bêtes. «La grande ma-
trice», dira l'auteur de *Lokis* [56]. La chose archaïque
vers laquelle le narrateur civilisé a été guidé d'abord
par le protagoniste mi-civilisé mi-sauvage, puis par le
meurtrier sauvage, émissaire de la divinité des origines. Vers le but, jamais au but. Le sens du symbole
reste indéterminé, l'*arché* garde son secret. Elle est
victorieuse: le savoir des civilisés n'a pas de prise sur
elle.

    Le déséquilibre qui fait cesser l'immobilité propre
aux répétitions symétriques est donc inhérent au trajet
épistémologique: du connu vers l'inconnaissable. Plus
tard, dans *La Vénus d'Ille*, dans *Carmen*, dans *Lokis*, ce
trajet sera explicité. Le narrateur y deviendra personnage, ce sera un archéologue, un historien, un lin-
guiste, qui, à la recherche de choses anciennes, sera
conduit à l'orée du récipient archaïque. Parmi les premières nouvelles, deux seulement retracent ce trajet
avec netteté, *La Vision de Charles XI* et *L'Enlèvement
de la redoute*.

Charles XI, «un homme éclairé, [...] froid, positif, entièrement dépourvu d'imagination» (p. 59), assiste à une scène qui se déroulera cinq règnes après le sien : à l'exécution d'un régicide, présidée par un homme «revêtu du manteau de cérémonie que portaient les anciens Administrateurs de la Suède, avant que Wasa n'en eût fait un royaume» (p. 63). C'est à ce personnage proche des choses anciennes que le roi demande d'être renseigné sur ce qu'il voit sans comprendre : «*Si tu es de Dieu, parle; si tu es de l'Autre, laisse-nous en paix.*» (p. 64). Le fantôme répond, mais, à mesure qu'il parle, sa voix devient «moins distincte» (p. 64), puis tout disparaît. Fût-il de Dieu ou de l'Autre ? L'ambiguïté, à peine perceptible, est celle, mystérieuse, de la divinité diabolique des commencements. Comme elle, le fantôme règne sur l'avenir et la mort. Ce fut une vision : inconnaissable ; ce fut une réalité : «la pantoufle de Charles conserva une tache rouge» (p. 64), trace du sang versé. La nouvelle a jailli de la faille épistémologique.

Un officier sorti de Saint-Cyr — narrateur civilisé — aura sa première bataille : il verra la première fois la mort. L'enjeu du combat est la redoute de Cheverino qui «se détacha en noir» et «ressemblait au cône d'un volcan au moment de l'éruption» (p. 71). Qu'est-ce qu'il contient, quelle chose terrible, le grandiose récipient noir ? Après le massacre de centaines de soldats, le regard du narrateur s'arrête sur un individu : le colonel, officier qui s'est distingué dans de nombreuses campagnes, mais qui appartient au «monde» parisien — il est mi-sauvage mi-civilisé, comme tous les protagonistes de Mérimée — «était renversé tout sanglant» (p. 75). «Colonel, lui dis-je, vous êtes grièvement blessé ?» — «*F...*, mon cher, mais la redoute est prise.» (p. 76). Conduit par le colonel, le jeune officier parvient à pénétrer dans la redoute. Le colonel meurt, à cause de la redoute, tué par la redoute. Mais le pouvoir hostile de celle-ci est anéanti aussi. Double meurtre : les adversaires s'entretuent, l'un est «*F...*», l'autre «prise». Double meurtre désigné par des mots

qui désignent aussi l'acte sexuel. La mort est-elle la
face inconnaissable de l'amour ? Le récipient terrible,
représentant spatial de la divinité, est-ce le lieu où
advient l'amour mortifère ? Nous naissons de l'amour,
et, de par la naissance, nous sommes condamnés à
mort. Divinité monstrueuse à double visage : Eros et
Thanatos. Présence fatale de la vie et de la mort dans le
corps, dans le sien et le nôtre — est-ce cela, le mystère
ultime ? L'inconnaissable serait-il le corps, non tel qu'il
apparaît à nos yeux, mais dans son autonomie biologique qui échappe à nos tentatives de maîtrise ? La nouvelle de Mérimée, expression de sa volonté de maîtrise,
se termine par l'image des corps sanglants, renversés,
tombés : par ce qu'on connaît de la mort. Mais elle n'a
pas le pouvoir d'empêcher les corps de choir : il est
impossible de maîtriser les forces de la mort. Où cesse
la maîtrise, commence l'inconnaissable.

Nous résumons. L'unité formelle propre à la nouvelle de Mérimée est garantie par deux types de répétition à deux termes, qui déterminent la composition.
L'une est symétrique et scande l'anecdote, l'autre
asymétrique et marque le début et la fin d'un récit sur
la connaissance, rarement explicite dans les premières
nouvelles, qui enchâsse l'anecdote. La symétrie est
l'expression d'une alternative — dois-je être sauvage
ou civilisé ? —, l'asymétrie correspond à la suppression
de l'alternative : quel que fût mon choix, je suis la proie
de la divinité inconnaissable qui donne la vie et la
mort. Asymétrie de la fatalité : elle se fait appréhender
au début ; elle se révèle à la fin dans sa réalité monstrueuse. Fatalité-finalité : la composition de l'œuvre est
déterminée par l'intention de mettre en pleine lumière
le dernier terme répété, le moment où prennent fin la
vie et le trajet épistémologique. Les défaillances de
l'unité du monde et de la connaissance sont éclipsées
par l'unité sans faille de la nouvelle classique.

Le classicisme de Mérimée.

Classique, disaient ses contemporains qui s'obligeaient à le lire ; classique, disent nos contemporains qui l'honorent et se dispensent de le lire. Qu'est-ce qu'un auteur classique ?

Le classicisme est la perfection, répondent la plupart des critiques. La perfection tout court, selon Sainte-Beuve : « Lorsqu'une œuvre puissante, marquée de beautés fortes, poétiques, chargée aussi de bizarreries et d'excès, se pose devant [le lecteur], il peut la méconnaître ; mais dès qu'une production parfaite se présente [il s'agit de *Colomba*], il dit du premier coup : *C'est cela* [57] ! » La perfection du style, selon d'autres. D'un style modèle : Mérimée « ne s'est jamais permis d'écrire comme il lui eût plu ; il écrivait comme il considérait qu'un artiste devait écrire », déclare Arthur Symons [58]. D'un style objectif : celui de Mérimée a « la perfection du style de personne », écrit Walter Pater [59].

Le classicisme est aussi unité et équilibre. « Plus "classique" en cela que les vrais classiques eux-mêmes, Mérimée ne va même pas jusqu'à suggérer que l'exacte correspondance entre réalité et apparence puisse être mise en question », dit Eric Gans, en situant l'unité sur le plan de la vision du monde [60]. Ayant analysé dans la présente étude l'unité de la construction, nous présumons que la réputation de classique qu'a Mérimée tient à cette unité, à l'équilibre qu'assurent les répétitions symétriques, et à la finalité qui veut que sa nouvelle coure à la mort.

Classique : excellent ; sûr de lui, capable de maîtriser ; modèle. Aux yeux de Mérimée lui-même, cependant, les étiquettes importaient peu : il se voulait différent. S'il dit « classique », il se réfère, d'habitude, aux anciens. Il aime la prose d'Agrippa d'Aubigné parce qu'elle « porte l'empreinte de fortes études classiques et témoigne d'une communication habituelle avec le "peuple", "le maître de la langue par excellence" ». C'est à ces deux sources qu'ont puisé tous nos grands

écrivains [61]. » Les classiques et le peuple : les origines ;
le beau idéal est celui qui est le plus proche de l'*arché*.

Classique : auteur d'une œuvre vivante. « Il se fait un
travail étrange sous nos crânes. On se donne beaucoup
de peine pour arranger un sujet qu'on ne peut mener à
bien. On l'abandonne, puis un beau matin on se ré-
veille et on trouve que l'ouvrage est fait. Vous faites un
enfant, mais il faut neuf mois pour qu'il sorte du trou
où vous l'avez colloqué [62]. » César « voulait remonter le
Nil avec [Cléopâtre] dans une cange, pour chercher la
source du fleuve, mystérieuse dès cette époque. [...] de
cette liaison était né un joli garçon qu'on appelait Césa-
rion [...] [63] ». Mérimée était aussi hanté du désir d'approcher la source mystérieuse de la vie. Il n'a pas eu
d'enfant, il eut des œuvres. Classiques : vivantes.

Antonia FONYI.

NOTES

1. Charles Louandre: «Statistique littéraire», *Revue des Deux Mondes*, 1847/4, p. 684.

2. *Chronique du règne de Charles IX*, édition de Jean Mallion et de Pierre Salomon. Paris, Gallimard (Pléiade), 1978, p. 253.

3. Lettre à Victor Hugo [20 février 1830]. *Corr. gén.*, t. XVI, p. 10.

4. Lettre à Henri Beyle, 31 mars [1831]. *Corr. gén.*, t. XVI, p. 19.

5. Lettre à Jenny Dacquin, 29 juin 1869. *Corr. gén.*, t. XIV, p. 531.

6. Lettre à Jenny Dacquin, 5 décembre 1862. *Corr. gén.*, t. XI, p. 250.

7. Stendhal: *Souvenirs d'égotisme. Œuvres intimes*, édition de Henri Martineau. Paris, Gallimard (Pléiade), 1955, pp. 1428-1429.

8. Lettre de Gobineau à sa sœur, 5 juin 1836. Citée par Jean Boissel en épigraphe à la première partie de son livre *Gobineau (1816-1822). Un Don Quichotte tragique*. Paris, Hachette [1981], p. 21.

9. *Études sur l'histoire romaine*. II. *Conjuration de Catilina*. Paris, Victor Magen, 1844, pp. 67-68.

10. *Ibid.*, p. 251.

11. Lettre à Mme de Montijo, 6 juin 1846. *Corr. gén.*, t. IV, p. 459.

12. Sainte-Beuve: «M. Prosper Mérimée, 1841. (*Essai sur la guerre sociale. — Colomba.*)», *Portraits contemporains*. Paris, Michel Lévy Frères, 1870, t. III, p. 471.

13. Lettre à Requien, 25 octobre [1838]. *Corr. gén.*, t. II, p. 188.

14. Lettre à Albert Stapfer, 16 octobre 1844. *Corr. gén.*, t. IV, p. 202.

15. «Charles Nodier. Discours de réception à l'Académie fran-

çaise», *Portraits historiques et littéraires*, édition de Pierre Jourda. Paris, Champion, 1928, p. 113.

16. Lettre à Mme de La Rochejaquelein, septembre 1859. *Corr. gén.*, t. IX, p. 271.

17. «Charles Nodier», *id.*, p. 113.

18. «Mémoires de Lord Byron» (1830), *Études anglo-américaines*, édition de Georges Connes. Paris, Champion, 1930, p. 12.

19. «La littérature et le servage en Russie. *Mémoires d'un chasseur russe*, par M. Ivan Tourghenief» (1854), *Études de littérature russe*, édition d'Henri Mongault. Paris, Champion, 1932, t. II, pp. 229-230.

20. «Ivan Tourguénef» (1868), *ibid.*, p. 241.

21. «Nicolas Gogol» (1851), *ibid.*, p. 5.

22. Lettre à Tourguéniev, 23 décembre [1869]. *Corr. gén.*, t. XIV, p. 686.

23. «Nicolas Gogol», *id.*, p. 5.

24. *Ibid.*, p. 4.

25. Émile Faguet: «Prosper Mérimée», *Dix-neuvième siècle. Études littéraires*. Paris, Lacène, Oudin et Cie, s.d., pp. 336-337.

26. Valery Larbaud: «Remarques sur Prosper Mérimée», dans *Mérimée: Carmen et quelques autres nouvelles*. Paris, Payot, 1927, pp. V-VI.

27. Eric Gans: *Un pari contre l'histoire. Les premières nouvelles de Mérimée (Mosaïque)*. Paris, Minard, 1972.

28. Gobineau: «Œuvres d'Alfred de Musset. — Prose», *Le Commerce*, 1er octobre 1844.

29. Baudelaire: «Notes nouvelles sur Edgar Poe», *Œuvres complètes*, édition de Claude Pichois. Paris, Gallimard (Pléiade), 1976. t. II, p. 329.

30. Friedrich Schlegel: «Nachricht von den poetischen Werken des Johannes Boccaccio», *Kritische Friedrich-Schlegel-Ausgabe*, t. II, édition de Hans Eichner. München, Padeborn, Wien, F. Schöningh, 1967, pp. 393-394.

31. Schelling: *Philosophie der Kunst. Schellings Werke*, t. 9, édition de M. Schröter. München, C. H. Beck, 1959, pp. 329 et 309.

32. Schleiermacher: *Ästhetik*. Nachschrift Bindemann, édition Odebrecht-Petersen. Berlin, Leipzig, W. de Gruyter, 1931, pp. 275-278.

33. Eckermann: *Gespräche mit Goethe in den letzten Jahren seines Lebens* (29 janvier 1827), édition de H. H. Houben. Wiesbaden, F. A. Brockhaus, 1959, p. 171.

34. Tieck: *Schriften*. «Vorbericht» du t. 11. Berlin, G. Reimer, 1829.

35. Baudelaire, *id.*, p. 330.

36. Taine: «Prosper Mérimée» (Décembre 1873), dans Mérimée: *Lettres à une Inconnue*. Paris, Michel Lévy Frères, 1874, p. XXX.

37. Lettre à Jenny Dacquin, décembre 1842 [?]. *Corr. gén.*, t. III, p. 265.

38. Lettre à Mme de La Rochejaquelein, 18 juillet [1859]. *Corr. gén.*, t. IX, pp. 170-171.

39. Lettre à Mme de La Rochejaquelein [juin 1858]. *Corr. gén.*, t. VIII, p. 545.

40. «Des mythes primitifs», *Revue contemporaine*, 1855, p. 13.

41. Tzvetan Todorov: *Introduction à la littérature fantastique*. Paris, Seuil, 1970, p. 49.

42. Lettre à Mme de La Rochejaquelein, 18 février 1857. *Corr. gén.*, t. VIII, p. 244.

43. Pierre-Georges Castex: *Le Conte fantastique en France de Nodier à Maupassant*. Paris, Corti, 1951, pp. 249-250.

44. Lettre à Mme de La Rochejaquelein, 28 novembre 1856. *Corr. gén.*, t. VIII, p. 182.

45. Cours sur la nouvelle à l'Université Paris VIII, 1971-1972.

46. Cette distinction se trouve explicitée dans notre article «Nouvelle, subjectivité, structure», paru dans la *Revue de Littérature comparée*, 1976/4. Notons ici que nous ne faisons aucune différence entre «conte» et «nouvelle», étant donné que ces dénominations ont maintes fois changé, ne serait-ce qu'au cours du XIXe siècle.

47. Il est question de Sampiero Corso dans *Colomba*, édition de Pierre Salomon. Paris, GF-Flammarion, 1964, p. 38.

48. *La Vénus d'Ille et autres nouvelles*, notre édition. Paris, Garnier-Flammarion, 1982, p. 46.

49. *Les Ames du purgatoire. Carmen*, édition de Jean Decottignies. Paris, Garnier-Flammarion, 1973, p. 153.

50. *La Vénus d'Ille et autres nouvelles*, *id.*, p. 199.

51. *Les Ames du purgatoire. Carmen*, *id.*, pp. 167, 164 et 163.

52. *Ibid.*, p. 163.

53. *Les Espagnols en Danemarck. Théâtre de Clara Gazul*, édition de Pierre Salomon. Paris, GF-Flammarion, 1968, pp. 65 et 66.

54. Molière: *L'Étourdi ou les Contretemps*, IV, IV.

55. Bernhard Bruch: «Novelle und Tragödie: Zwei Kunstformen und Weltanschauungen. Ein Problem aus der Geistesgeschichte des 19. und 20. Jahrhunderts», *Zeitschrift für Ästhetik und allgemeine Kunstwissenschaft*, 1928, pp. 292-330.

56. *La Vénus d'Ille et autres nouvelles*, *id.*, p. 199.

57. Sainte-Beuve : «M. Prosper Mérimée», *id.*, p. 487.

58. Arthur Symons : «Prosper Mérimée» (1901), *Studies in Prose and Verse*. Londres, J. M. Dent and Co., s.d., p. 38.

59. Walter Pater : «Prosper Mérimée» (November 17, 1890.), *Studies in European Literature beeing the Taylorian Lectures 1889-1899*. Oxford, Clarendon Press, 1900, p. 52.

60. Eric Gans : *Un pari contre l'Histoire*, *id.*, p. 8.

61. «Agrippa d'Aubigné», *Portraits historiques et littéraires*, *id.*, p. 34.

62. Lettre à Tourguéniev, 10 février [1869]. *Corr. gén.*, t. XIV, p. 388.

63. Lettre à Mme de La Rochejaquelein, 21 juin [1860]. *Corr. gén.*, t. IX, p. 509.

MATEO FALCONE

Notice

Mateo Falcone est terminé le 14 février 1829, et publié, avec le sous-titre « Mœurs de la Corse », le 3 mai dans la *Revue de Paris*, fondée au mois d'avril de la même année. La couleur locale, si fortement marquée dans cette nouvelle, est puisée dans des sources livresques, puisque Mérimée ne visitera la Corse qu'en 1839. L'anecdote est empruntée aussi : fort répandue en Corse, elle a été plus d'une fois consignée par écrit. Les principales sources que Mérimée devait utiliser sont les suivantes : l'abbé de Germanes : *Histoire des révolutions de la Corse*, 1771-1776; l'abbé Gaudin : *Voyage en Corse et vues politiques sur l'amélioration de cette île*, 1787; Gabriel Feydel : *Mœurs et coutumes des Corses*, an VII; Robert Benson : *Sketches of Corsica, or a Journal Written during a Visit to that Island in 1823*, 1825; une série de six articles sur la Corse, parus dans *Le Globe* du 25 mai 1826 au 6 mars 1827; Renucci : *Novelle storiche corse*, 1827; « Des devoirs de la France envers la Corse », article paru en juillet 1828 dans la *Revue trimestrielle*.

Aucune de ces œuvres ne peut être considérée comme la source sûre de *Mateo Falcone*. Mérimée fait, de toute évidence, une compilation et, qui est plus important, il arrange et modifie les données à sa manière. Relevons seulement quelques éléments qui sont de son invention. Dans aucune des versions connues le héros n'est enfant, et s'il a le statut de fils, son père ne jouit pas d'une réputation particulière; en introduisant ces changements, Mérimée individualise le cas (notons que dès la première publication en volume, il supprime le sous-titre « Mœurs de la Corse »), et renforce l'effet dramatique de l'anecdote. Dans la plupart des versions, le persécuté est un déserteur, tandis que Mérimée parle de « proscrit »,

terme auquel il substituera « bandit » en 1842 : ce que
ses sources présentent comme une affaire entre militaires,
se transforme sous sa plume en un conflit entre soldats
et habitants du maquis. La montre est aussi, bien
entendu, de son invention ; les autres ne parlent que de
sommes d'argent.

Le manuscrit existe, mais son propriétaire actuel est
inconnu. Il a été reproduit dans *Mateo Falcone, publié
d'après le manuscrit autographe de l'auteur* (Paris, Charpentier, 1876), par les soins du marquis de Queux de
Saint-Hilaire qui était son propriétaire à cette époque.
La nouvelle parut la première fois en volume dans
Mosaïque (Paris, H. Fournier, 1833), puis elle a été
intégrée dans *Colomba suivi de la Mosaïque et autres
Contes et Nouvelles,* recueil édité par Charpentier la
première fois en 1842. C'est dans cette édition que
Mérimée a introduit certaines modifications qui s'imposaient à la suite de son voyage en Corse en 1839. Ce
recueil avait eu plusieurs réimpressions corrigées. Le
texte a été fixé en 1850 ; c'est celui de notre édition. La
date placée sous le titre manque dans l'édition de la *Revue
de Paris* et dans l'édition de 1833. Les notes appelées par
des astérisques sont de l'auteur.

MATEO FALCONE [1]

1829

En sortant de Porto-Vecchio et se dirigeant au N.-O.,
vers l'intérieur [2] de l'île, on voit le terrain s'élever assez
rapidement, et, après trois heures de marche par des sentiers tortueux, obstrués par de gros quartiers de rocs, et
quelquefois coupés par des ravins, on se trouve sur le
bord d'un *maquis* très étendu. Le maquis est la patrie [3]
des bergers corses et de quiconque s'est brouillé avec la
justice [4]. Il faut savoir que le laboureur corse, pour
s'épargner la peine de fumer son champ, met le feu à
une certaine étendue de bois : tant [5] pis si la flamme se
répand plus loin que besoin n'est; arrive que pourra, on
est sûr d'avoir une bonne récolte en semant sur cette
terre fertilisée par les cendres des arbres qu'elle portait.
Les épis enlevés, car on laisse la paille, qui donnerait de
la peine à recueillir, les racines qui sont restées en terre
sans se consumer poussent au printemps suivant des [6]
cépées très épaisses qui, en peu d'années, parviennent à
une hauteur de sept ou huit pieds [7]. C'est cette manière
de taillis fourré que l'on nomme maquis. Différentes [8]
espèces d'arbres et d'arbrisseaux le composent, mêlés et
confondus comme il plaît à Dieu. Ce n'est que la hache
à la main que l'homme s'y ouvrirait un [9] passage et l'on
voit des maquis si épais et si touffus que [10] les mouflons
eux-mêmes ne peuvent y pénétrer.

Si vous avez tué un homme, allez dans le maquis de
Porto-Vecchio, et vous y vivrez en sûreté, avec un bon
fusil, de la poudre et des balles; n'oubliez pas un manteau brun garni d'un capuchon *, qui [12] sert de couverture et de matelas. Les bergers vous donnent du lait, du
fromage et des châtaignes, et vous n'aurez [13] rien à

* *Pilone* [11]

craindre de la justice ou des parents du mort, si ce n'est quand il vous faudra descendre à la ville pour y renouveler vos munitions.

Mateo Falcone, quand j'étais en Corse, en 18—, avait [14] sa maison à une demi-lieue de ce maquis. C'était un homme assez riche pour le pays; vivant [15] noblement, c'est-à-dire sans rien faire, du produit de ses troupeaux que des bergers, espèce de [16] nomades, menaient paître çà et là sur les montagnes. Lorsque je le vis, deux années après l'événement que je vais raconter, il me parut âgé de cinquante ans tout au plus. Figurez-vous un homme petit mais robuste, avec [17] des cheveux crépus, noirs comme le jais, un nez aquilin, les lèvres minces, les yeux grands et vifs, et un teint couleur de revers de bottes. Son habileté au tir du fusil passait pour extraordinaire, même dans son pays, où il y a tant de bons tireurs. Par exemple, Mateo n'aurait jamais tiré sur un mouflon avec des chevrotines, mais à cent vingt pas il l'abattait d'une balle dans la tête ou dans l'épaule, à son choix. La nuit, il se servait de ses armes aussi facilement que le jour, et l'on m'a cité de lui ce trait d'adresse qui paraîtra peut-être incroyable à qui n'a pas voyagé en Corse. A quatre-vingts pas on plaçait une chandelle allumée derrière un transparent de papier, large comme une assiette. Il mettait en joue, puis on éteignait la chandelle, et, au bout d'une minute, dans l'obscurité la plus complète, il tirait et perçait le transparent trois fois sur quatre.

Avec un mérite aussi transcendant, Mateo Falcone s'était attiré une grande réputation. On le disait aussi bon ami [18] que dangereux ennemi : d'ailleurs serviable et faisant l'aumône, il [19] vivait en paix avec tout le monde dans le district de Porto-Vecchio. Mais on contait de lui qu'à [20] Corte, où il avait pris femme, il s'était débarrassé fort vigoureusement d'un rival qui passait pour aussi redoutable en guerre qu'en amour : du moins on attribuait à Mateo certain coup de fusil qui surprit ce rival comme il était à se raser devant un petit miroir pendu à sa fenêtre. L'affaire assoupie, Mateo se maria. Sa femme Giuseppa lui avait donné d'abord trois filles (dont il enrageait), et enfin un fils, qu'il nomma Fortunato : c'était l'espoir de sa famille, l'héritier du nom. Les filles étaient bien mariées : leur père pouvait compter au besoin sur les poignards et les escopettes de ses gendres. Le fils n'avait que dix ans, mais il annonçait déjà d'heureuses dispositions.

Un certain jour d'automne, Mateo sortit de bonne heure avec sa femme pour aller visiter un de ses troupeaux dans une clairière du maquis. Le petit Fortunato voulait l'accompagner, mais la clairière était trop loin; d'ailleurs il fallait bien que quelqu'un restât pour garder la maison; le père refusa donc : on verra s'il n'eut pas lieu de s'en repentir.

Il était absent depuis quelques heures [21], et le petit Fortunato était tranquillement étendu au soleil, regardant les montagnes bleues, et pensant que le dimanche prochain il irait dîner à la ville, chez son oncle le *caporal* *, quand [22] il fut soudainement interrompu dans ses méditations par l'explosion d'une arme à feu. Il se leva et se tourna du côté de la plaine d'où partait ce bruit. D'autres coups de fusil se succédèrent [26] tirés à intervalles inégaux, et toujours de plus en plus rapprochés; enfin, dans le sentier qui menait de la plaine à la maison de Mateo parut un homme, coiffé d'un bonnet pointu comme en portent les montagnards, barbu, couvert de haillons, et se traînant avec peine en s'appuyant sur son fusil. Il venait de recevoir un coup de feu dans la cuisse.

Cet homme était un *bandit* **, qui [27], étant parti de nuit pour aller acheter de la poudre à la ville, était tombé en route dans une embuscade de voltigeurs corses ***. Après une vigoureuse défense, il était parvenu à faire sa retraite, vivement poursuivi et tiraillant de rocher en rocher. Mais il avait peu d'avance sur les soldats, et sa blessure le mettait hors d'état de gagner le maquis avant d'être rejoint.

Il s'approcha de Fortunato et lui dit :

« Tu es le fils de Mateo Falcone ?

— Oui.

— Moi je suis Gianetto Sanpiero. Je suis poursuivi

---

* Les caporaux furent autrefois les chefs que se donnèrent les communes corses quand elles s'insurgèrent contre les seigneurs féodaux. Aujourd'hui on donne encore quelquefois ce nom à un homme [23] qui, par ses propriétés, ses alliances et sa clientèle, exerce une influence et une sorte de magistrature effective sur une *pieve* ou [24] un canton. Les Corses se divisent, par une ancienne habitude, en cinq castes : les *gentilshommes* [25] (dont les uns sont *magnifiques*, les autres *signori*), les *caporali*, les *citoyens*, les *plébéiens* et les *étrangers*.

** Ce mot est ici synonyme de proscrit [28].

*** C'est un corps levé depuis peu d'années par le gouvernement, et qui sert concurremment avec la gendarmerie au maintien de la police [29].

par les collets jaunes *. Cache-moi, car je ne puis
aller plus loin.

— Et que dira mon père si je te cache sans sa permission ?

— Il dira que tu as bien fait.

— Qui sait ?

— Cache-moi vite; ils viennent.

— Attends que mon père soit revenu.

— Que j'attende! malédiction! Ils seront ici dans
cinq minutes. Allons, cache-moi, ou je te tue. »

Fortunato lui répondit avec le plus grand sang-froid :
« Ton fusil est déchargé, et il n'y a plus de cartouches
dans ta carchera ** [32].

— J'ai mon stylet.

— Mais courras-tu aussi vite que moi ? » Il fit un
saut, et se mit hors d'atteinte.

« Tu n'es pas le fils de Mateo Falcone! Me laisseras-
tu donc arrêter devant ta maison ? »

L'enfant parut touché.

« Que me donneras-tu si je te cache ? » dit-il en se
rapprochant.

Le bandit fouilla [34] dans une poche de cuir qui pendait
à sa ceinture, et il en tira une pièce de cinq francs qu'il
avait réservée sans doute pour acheter de la poudre.
Fortunato sourit à la vue de la pièce d'argent; il s'en
saisit, et dit à Gianetto : « Ne crains rien. »

Aussitôt il fit un grand trou dans un tas de foin placé
auprès de la maison [35]. Gianetto s'y blottit, et l'enfant le
recouvrit de manière à lui laisser un peu d'air pour respirer, sans qu'il fût possible cependant de soupçonner
que ce foin cachât un homme. Il s'avisa, de plus, d'une
finesse de sauvage assez ingénieuse. Il alla prendre une
chatte et ses petits, et les établit sur le tas de foin pour
faire croire qu'il n'avait pas été remué depuis peu.
Ensuite, remarquant [36] des traces de sang sur le sentier
près de la maison, il les couvrit de poussière avec soin,
et, cela fait, il se recoucha au soleil avec la plus grande
tranquillité.

Quelques minutes après, six hommes en uniforme
brun à collet jaune, et [37] commandés par un adjudant,
étaient devant la porte de Mateo. Cet adjudant était

_____

* L'uniforme des voltigeurs était alors un habit [30] brun avec un
collet jaune [31].
** Ceinture de cuir qui sert de giberne et de portefeuille [33].

quelque peu parent de Falcone. (On sait qu'en Corse on suit les degrés de parenté beaucoup plus loin qu'ailleurs.) Il se nommait Tiodoro Gamba : c'était un homme actif, fort redouté des bandits dont [38] il avait déjà traqué plusieurs.

« Bonjour, petit cousin, dit-il à Fortunato en l'abordant; comme te voilà grandi! As-tu vu passer un homme tout à l'heure ?

— Oh! je ne suis pas encore si grand que vous, mon cousin, répondit l'enfant d'un air niais.

— Cela viendra. Mais n'as-tu pas vu passer un homme, dis-moi ?

— Si j'ai vu passer un homme ?

— Oui, un homme avec un bonnet pointu en velours noir, et [39] une veste brodée de rouge et de jaune ?

— Un homme avec un bonnet pointu, et une veste brodée de rouge et de jaune ?

— Oui, réponds vite, et ne répète pas mes questions.

— Ce matin, M. le curé est passé devant notre porte, sur son cheval Piero. Il m'a demandé comment papa se portait, et je lui ai répondu...

— Ah! petit drôle, tu fais le malin! Dis-moi vite par où est passé Gianetto, car c'est lui que nous cherchons; et, j'en suis certain, il a pris par ce sentier.

— Qui sait ?

— Qui sait ? C'est moi qui sais que tu l'as vu.

— Est-ce qu'on voit les passants quand on dort ?

— Tu ne dormais pas, vaurien; les coups de fusil t'ont réveillé.

— Vous croyez donc, mon cousin, que vos fusils font tant de bruit. L'escopette de mon père en fait bien davantage.

— Que le diable te confonde! maudit garnement! Je suis bien sûr que tu as vu le Gianetto [40]. Peut-être même l'as-tu caché. Allons, camarades, entrez dans cette maison, et voyez si notre homme n'y est pas. Il n'allait plus que d'une patte, et il a trop de bon sens, le coquin, pour avoir cherché à gagner le maquis en clopinant. D'ailleurs les traces de sang s'arrêtent ici.

— Et que dira papa ? demanda Fortunato en ricanant; que dira-t-il s'il sait qu'on est entré dans sa maison pendant qu'il était sorti ?

— Vaurien! dit l'adjudant Gamba en le prenant par l'oreille, sais-tu qu'il ne tient qu'à moi de te faire chan-

ger de note ? Peut-être qu'en te donnant une vingtaine
de coups de plat de sabre tu parleras enfin. »

Et Fortunato ricanait toujours.

« Mon père est Mateo Falcone ! » dit-il avec emphase.

« Sais-tu bien, petit drôle, que je puis t'emmener à
Corte ou à Bastia. Je te ferai coucher dans un cachot,
sur la paille, les fers aux pieds, et je te ferai guillotiner
si tu ne dis où est Gianetto Sanpiero. »

L'enfant éclata de rire à cette ridicule menace. Il
répéta : « Mon père est Mateo Falcone !

— Adjudant, dit tout bas un des voltigeurs, ne nous
brouillons pas avec Mateo. »

Gamba paraissait évidemment embarrassé. Il causait
à voix basse avec ses soldats qui avaient déjà visité toute
la maison. Ce n'était pas une opération fort longue, car
la cabane d'un Corse ne consiste qu'en une seule pièce
carrée. L'ameublement se compose d'une table, de
bancs [41], de coffres et d'ustensiles de chasse [42] ou de
ménage [43]. Cependant le petit Fortunato caressait sa
chatte, et semblait jouir malignement de la confusion
des voltigeurs et de son cousin.

Un soldat s'approcha du tas de foin. Il vit la chatte,
et donna un coup de baïonnette [44] dans le foin avec
négligence, et haussant les épaules comme s'il sentait
que sa précaution était ridicule. Rien ne remua ; et le
visage de l'enfant ne trahit pas la plus légère émotion.

L'adjudant et sa troupe se donnaient au diable ; déjà
ils regardaient sérieusement du côté de la plaine comme
disposés à s'en retourner [45] par où ils étaient venus,
quand leur chef, convaincu que les menaces ne produi-
raient aucune [46] impression sur le fils de Falcone, voulut faire un dernier effort et tenter le pouvoir des caresses
et des présents.

« Petit cousin, dit-il, tu me parais un gaillard bien
éveillé ! Tu iras loin. Mais tu joues un vilain jeu avec
moi ; et si je ne craignais de faire de la peine à mon cousin Mateo, le diable m'emporte ! je t'emmènerais avec
moi [47].

— Bah !

— Mais quand mon cousin sera revenu, je lui conte-
rai l'affaire, et pour ta peine d'avoir menti il te donnera
le fouet jusqu'au sang.

— Savoir ?

— Tu verras... mais, tiens... sois brave garçon, et je
te donnerai quelque chose.

— Moi, mon cousin, je vous donnerai un avis, c'est que si vous tardez davantage, le Gianetto sera dans le maquis, et alors il faudra plus d'un luron comme vous pour l'y chercher. »

L'adjudant tira de sa poche une montre d'argent qui valait bien dix écus [48] ; et, remarquant que les yeux du petit Fortunato étincelaient en la regardant, il lui dit en tenant la montre suspendue au bout de sa chaîne d'acier.

« Fripon ! tu voudrais bien avoir une montre comme celle-ci [49] suspendue à ton col, et tu te promènerais dans les rues de Porto-Vecchio, fier comme un paon ; et les gens te demanderaient : Quelle heure est-il ? et tu leur dirais : Regardez à ma montre.

— Quand je serai grand, mon oncle le caporal me [50] donnera une montre.

— Oui, mais le fils de ton oncle en a déjà une... pas aussi belle que celle-ci, à la vérité... Cependant il est plus jeune que toi. »

L'enfant soupira.

« Eh bien [51], la veux-tu, cette montre, petit cousin ? »

Fortunato, lorgnant la montre du coin de l'œil, ressemblait à un chat à qui l'on présente un poulet tout entier. Comme il sent qu'on se moque de lui, il n'ose y porter la griffe, et de temps en temps il détourne les yeux pour ne pas s'exposer à succomber à la tentation ; mais il se lèche les babines à tout moment, et il a l'air de dire à son maître : Que votre plaisanterie est cruelle !

Cependant l'adjudant Gamba semblait de bonne foi en présentant sa montre. Fortunato n'avança pas la main ; mais il lui dit avec un sourire amer : « Pourquoi vous moquez-vous de moi * ?

— Par Dieu ! je ne me moque pas. Dis-moi seulement où est Gianetto [53], et cette montre est à toi. »

Fortunato laissa échapper un sourire d'incrédulité ; et fixant ses yeux noirs sur ceux de l'adjudant, il s'efforçait d'y lire la foi qu'il devait avoir en ses paroles.

« Que je perde mon épaulette, s'écria l'adjudant, si je ne te donne pas la montre [54] à cette condition ! Les camarades sont témoins ; et je ne puis m'en dédire. »

En parlant ainsi il approchait toujours la montre, tant qu'elle touchait presque la joue pâle de l'enfant. Celui-ci montrait bien sur sa figure le combat que se livraient en son âme la convoitise et le respect dû à l'hospitalité. Sa

_____
* _Perchè me c... ?_ [52].

poitrine nue se soulevait avec force, et il semblait près
d'étouffer. Cependant la montre oscillait, tournait, et
quelquefois lui heurtait le bout [55] du nez. Enfin, peu à
peu sa main droite s'éleva vers la montre : le bout de
ses doigts la toucha; et elle pesait tout entière dans sa
main sans que l'adjudant lâchât pourtant le bout de la
chaîne... Le cadran était azuré... la boîte nouvellement
fourbie... au soleil elle paraissait toute de feu... La tentation était trop forte.

Fortunato éleva aussi sa main gauche, et indiqua du
pouce, par-dessus son épaule, le tas de foin auquel il
était adossé. L'adjudant le comprit aussitôt. Il abandonna
l'extrémité de la chaîne; Fortunato se sentit seul posses-
seur de la montre. Il se leva avec l'agilité d'un daim, et
s'éloigna de dix pas du tas de foin, que les voltigeurs se
mirent aussitôt à culbuter.

On ne tarda pas à voir le foin s'agiter; et un homme
sanglant, le poignard [56] à la main, en sortit : mais,
comme il essayait de se lever en pieds, sa blessure refroi-
die ne lui permit plus de se tenir debout. Il tomba.
L'adjudant se jeta sur lui et lui arracha son stylet. Aussitôt on le garrotta fortement, malgré sa résistance.

Gianetto, couché par terre et lié comme un fagot,
tourna la tête vers Fortunato, qui s'était rapproché.
« Fils de...! » lui dit-il avec plus de mépris que de colère.
L'enfant lui jeta la pièce d'argent qu'il en avait reçue,
sentant qu'il avait cessé de la mériter; mais le proscrit
n'eut pas l'air de faire attention à ce mouvement. Il dit
avec beaucoup de sang-froid à l'adjudant : « Mon cher
Gamba, je ne puis marcher; vous allez être obligé de [57]
me porter à la ville.

— Tu courais tout à l'heure plus vite qu'un chevreuil,
repartit le cruel vainqueur; mais sois tranquille : je suis si
content de te tenir, que je te porterais une lieue sur mon
dos sans être fatigué [58]. Au reste, mon camarade, nous
allons te faire une litière avec des branches et ta capote;
et à la ferme de Crespoli nous trouverons des chevaux.

— Bien, dit le prisonnier; vous mettrez aussi un peu
de paille sur votre litière, pour que je sois plus commodément. »

Pendant que les voltigeurs s'occupaient, les uns à
faire une espèce de brancard avec des branches de châ-
taignier, les autres à panser la blessure de Gianetto,
Mateo Falcone et sa femme parurent tout d'un coup au
détour d'un sentier [59] qui conduisait au maquis. La

femme s'avançait courbée péniblement sous le poids d'un
énorme sac de châtaignes, tandis que son mari se pré-
lassait, ne portant qu'un fusil à la main et un autre en
bandoulière ; car il est indigne d'un homme de porter
d'autre fardeau [60] que ses armes [61].

A la vue des soldats, la première pensée de Mateo fut
qu'ils venaient pour l'arrêter. Mais pourquoi cette idée ?
Mateo avait-il donc quelques démêlés avec la justice ?
Non. Il jouissait d'une bonne réputation. C'était, comme
on dit [62], *un particulier bien famé ;* mais il était Corse et
montagnard, et il y a peu de Corses montagnards qui [63],
en scrutant bien leur mémoire, n'y trouvent quelque [64]
peccadille, telle que coups de fusil, coups de stylet et
autres bagatelles. Mateo, plus qu'un autre, avait la
conscience nette ; car depuis plus de dix ans il n'avait
dirigé son fusil contre un homme ; mais toutefois il était
prudent, et il se mit en posture de faire une belle défense,
s'il en était besoin.

« Femme, dit-il, à Giuseppa, mets bas ton sac et
tiens-toi prête. » Elle obéit sur-le-champ. Il lui donna le
fusil qu'il avait en bandoulière et qui aurait pu le gêner.
Il arma celui qu'il avait à la main, et il s'avança lentement vers sa maison, longeant les arbres qui bordaient
le chemin, et prêt, à la moindre démonstration hostile,
à se jeter derrière le plus gros tronc, d'où il aurait pu
faire feu à couvert. Sa femme marchait sur ses talons,
tenant son fusil de rechange et sa giberne. L'emploi
d'une bonne ménagère, en cas de combat, est de charger
les armes de son mari.

D'un autre côté, l'adjudant était fort en peine en
voyant Mateo s'avancer ainsi, à pas comptés, le fusil en
avant et le doigt sur la détente. Si par hasard, pensa-t-il,
Mateo se trouvait parent de Gianetto, ou s'il était son
ami, et qu'il voulût le défendre [65], les bourres [a] de ses deux
fusils arriveraient à deux d'entre nous, aussi sûr qu'une
lettre à la poste, et s'il me visait, nonobstant la parenté !...

Dans cette perplexité, il prit un parti fort courageux,
ce fut de s'avancer seul vers Mateo pour lui conter
l'affaire, en l'abordant comme une vieille connaissance ;
mais le court intervalle qui le séparait de Mateo lui
parut terriblement long.

« Holà ! eh ! mon vieux camarade, criait-il, comment

a. La bourre sert à maintenir en place la charge d'une arme à
feu ; ici le mot désigne la charge elle-même.

cela va-t-il, mon brave ? C'est moi, je suis Gamba [66],
ton cousin. »

Mateo, sans répondre un mot, s'était arrêté, et à
mesure que l'autre parlait il relevait doucement le canon
de son fusil, de sorte qu'il était dirigé vers le ciel au
moment où l'adjudant [67] le joignit.

« Bonjour, frère *, dit l'adjudant en lui tendant la
main. Il y a bien longtemps que je ne t'ai vu.

— Bonjour, frère.

— J'étais venu pour te dire bonjour en passant, et à
ma cousine Pepa. Nous avons fait une longue traite
aujourd'hui; mais il ne faut pas plaindre notre fatigue,
car nous avons fait une fameuse prise. Nous venons
d'empoigner Gianetto Sanpiero.

— Dieu soit loué! s'écria Giuseppa. Il nous a volé
une chèvre laitière la semaine passée. »

Ces mots réjouirent Gamba.

« Pauvre diable! dit Mateo, il avait faim.

— Le drôle s'est défendu comme un lion, poursuivit
l'adjudant un peu mortifié; il m'a tué un de mes voltigeurs, et non content de cela, il a cassé le bras au caporal
Chardon; mais il n'y a pas grand mal, ce n'était qu'un
Français... Ensuite il s'était si bien caché que le diable
ne l'aurait pu découvrir. Sans mon petit cousin Fortunato, je ne l'aurais jamais pu trouver.

— Fortunato! s'écria Mateo.

— Fortunato! répéta Giuseppa.

— Oui, le Gianetto s'était caché [68] sous ce tas de foin
là-bas; mais mon petit cousin m'a montré la malice.
Aussi je le dirai à son oncle le caporal, afin [69] qu'il lui
envoie un beau cadeau pour sa peine. Et son nom et le
tien seront dans le rapport que j'enverrai à M. l'avocat
général.

— Malédiction! » dit tout bas Mateo.

Ils avaient rejoint le détachement. Gianetto était déjà
couché sur la litière et prêt à partir. Quand il vit Mateo
en la compagnie de Gamba, il sourit d'un sourire
étrange; puis, se tournant vers la porte de la maison, il
cracha sur le seuil en disant : « Maison d'un traître! »

Il n'y avait qu'un homme décidé à mourir qui eût osé
prononcer le mot de traître en l'appliquant à Falcone.
Un bon coup de stylet, qui n'aurait pas eu besoin d'être
répété, aurait immédiatement payé l'insulte. Cependant

---

* *Buon giorno, fratello*, salut ordinaire des Corses.

Mateo ne fit pas d'autre geste que celui de porter sa main à son front comme un homme accablé.

Fortunato était entré dans la maison en voyant arriver son père. Il reparut bientôt avec une jatte de lait, qu'il présenta les yeux baissés à Gianetto. « Loin de moi [70] ! » lui cria le proscrit d'une voix foudroyante. Puis se tournant vers un des voltigeurs : « Camarade, donne-moi à boire », dit-il. Le soldat remit sa gourde entre ses mains, et le bandit but l'eau que lui donnait un homme avec lequel il venait d'échanger des coups de fusil. Ensuite il demanda qu'on lui attachât les mains de manière qu'il les eût croisées sur sa poitrine, au lieu de les avoir liées derrière le dos. « J'aime, disait-il, à être couché à mon aise. » On s'empressa de le satisfaire; puis l'adjudant donna le signal du départ, dit adieu à Mateo, qui ne lui répondit pas, et descendit au pas accéléré vers [71] la plaine.

Il se passa près de dix minutes avant que Mateo ouvrît la bouche. L'enfant regardait d'un œil inquiet tantôt sa mère et tantôt son père, qui, s'appuyant sur son fusil, le considérait avec une expression de colère concentrée.

« Tu commences bien! dit enfin Mateo d'une voix calme, mais effrayante pour qui connaissait l'homme.

— Mon père! » s'écria l'enfant en s'avançant les larmes aux yeux comme pour se jeter à ses genoux. Mais Mateo lui cria : « Arrière de moi! » Et l'enfant s'arrêta et sanglota, immobile à quelques pas de son père.

Giuseppa s'approcha. Elle venait d'apercevoir la chaîne de la montre, dont un bout sortait de la chemise de Fortunato.

« Qui t'a donné cette montre ? » demanda-t-elle d'un ton sévère.

« Mon cousin l'adjudant. »

Falcone saisit la montre, et, la jetant avec force contre une pierre, il la mit en mille pièces.

« Femme, dit-il, cet enfant est-il de moi ? »

Les joues brunes de Giuseppa devinrent d'un rouge de brique.

« Que dis-tu, Mateo ? et sais-tu bien à qui tu parles ?

— Eh bien! cet enfant est le premier de sa race qui ait fait une trahison. »

Les sanglots et les hoquets de Fortunato redoublèrent, et Falcone tenait ses yeux de lynx toujours attachés [72] sur lui. Enfin il frappa la terre de la crosse de son fusil, puis le rejeta sur [73] son épaule et reprit le chemin du maquis en criant à Fortunato de le suivre. L'enfant obéit.

Giuseppa courut après Mateo et lui saisit le bras. « C'est ton fils, lui dit-elle d'une voix tremblante en attachant ses yeux noirs sur ceux de son mari, comme pour lire ce qui se passait dans son âme.

— Laisse-moi, répondit Mateo ; je suis son père. »

Giuseppa embrassa son fils et rentra en pleurant dans sa cabane. Elle se jeta à genoux devant une image de la Vierge et pria avec ferveur. Cependant Falcone marcha quelque deux cents pas dans le sentier et ne s'arrêta que dans un petit ravin où il descendit. Il sonda la terre avec la crosse de son fusil et la trouva molle et facile à creuser. L'endroit lui parut convenable pour son dessein.

« Fortunato, va auprès de cette grosse pierre. »

L'enfant fit ce qu'il lui commandait, puis il s'agenouilla.

« Dis tes prières.

— Mon père, mon père, ne me tuez pas !

— Dis tes prières ! » répéta Mateo d'une voix terrible.

L'enfant, tout en balbutiant et en sanglotant, récita le *Pater* et le *Credo*. Le père, d'une voix forte, répondait *Amen !* à la fin de chaque prière.

« Sont-ce là toutes les prières que tu sais ?

— Mon père, je sais encore l'*Ave Maria* et la litanie que ma tante m'a apprise.

— Elle est bien longue, n'importe. »

L'enfant acheva la litanie d'une voix éteinte.

« As-tu fini ?

— Oh ! mon père, grâce ! pardonnez-moi ! Je ne le ferai plus ! Je prierai tant mon cousin le caporal qu'on [74] fera grâce au Gianetto [75] ! »

Il parlait encore ; Mateo avait armé son fusil et le couchait en joue en lui disant : « Que Dieu te pardonne [76] ! » L'enfant fit un effort désespéré pour se relever et embrasser les genoux de son père ; mais il n'en eut pas le temps. Mateo fit feu, et Fortunato tomba roide mort.

Sans jeter un coup d'œil sur le cadavre, Mateo reprit le chemin de sa maison pour aller chercher une bêche afin d'enterrer son fils. Il avait fait à peine quelques pas qu'il rencontra Giuseppa, qui accourait alarmée du coup de feu.

« Qu'as-tu fait ? s'écria-t-elle.

— Justice.

— Où est-il ?

— Dans le ravin. Je vais l'enterrer. Il est mort en chrétien ; je lui ferai chanter une messe. Qu'on dise [77] à mon gendre Tiodoro Bianchi de venir demeurer [78] avec nous [79]. »

Notes

Abréviations : *Ms* : manuscrit ; *RP* : *Revue de Paris; 1833 : Mosaïque; 1842 : Colomba; 1845* : réimpression de *Colomba.*

1. *Ms* et *RP* portent le sous-titre « Mœurs de la Corse ».

2. *Ms, RP, 1833, 1842, 1845* : se dirigeant vers l'intérieur

3. *Ms, RP, 1833* : étendu. C'est la patrie

4. Cf. *Le Globe*, 4 juillet 1826, p. 442 : « Ces makis [...] servent de refuge aux accusés contumaces *(banditi)*, ou aux conscrits réfractaires que la certitude de l'impunité a souvent jetés dans le crime. »

5. *Ms* : étendue de forêt : tant

6. *Ms* : poussent l'année suivante des

7. Soit de 2,25 à 2,50 m.

8. *Ms* : nomme le *Mâquis.* Différentes
RP, 1833 : nomme le *mâquis.* Différentes
Le mot est nouveau dans la langue française, c'est pourquoi Mérimée le met en italique. Cf. l'article de la *Revue trimestrielle* (voir *Notice,* p. 39) : « Le mot *macchia* signifie *broussailles, bruyères, buisson, hallier;* les écrivains français du siècle dernier disaient *mâches* par imitation de l'orthographe; on imite aujourd'hui la prononciation, et l'on dit *makis* » (p. 159, en note). Dans toutes les éditions de *Mateo Falcone* parues du vivant de Mérimée, le mot est écrit avec circonflexe; nous le corrigeons.

9. *Ms* : s'y ferait un
RP : s'y ouvrait un

10. *Ms, RP* : maquis si touffus et si épais que

11. *Ms, RP, 1833* : Ruppa.
Mérimée s'est trompé, en effet, en écrivant « *ruppa* » qui est une sorte de redingote.

12. *Ms* : capuchon, et qui

13. *Ms, RP, 1833* : Les bergers vous vendront du lait et du fromage et vous n'aurez

14. *Ms* : en 181-, avait

15. *Ms* : pour le canton; vivant

16. *Ms* : bergers, espèces de

17. *Ms* : un homme robuste, mais petit, avec

18. *Ms, RP :* réputation. Il passait pour aussi bon

19. *Ms, RP :* et aumônier, il

20. *Ms :* on contait qu'à

21. *Ms, RP, 1833, 1842 :* depuis plusieurs heures,

22. *Ms, RP :* le Caporale, quand
    1833, 1842 : le caporale, quand

23. *Ms, RP, 1833 : Début de la note :* On appelle ainsi un homme

24. *Ms, RP :* une Pieva ou
    1833 : une pieva ou

25. *Ms, RP, 1833 :* castes, à savoir : les *gentilshommes*

26. *Ms, RP, 1833 :* coups de fusil succédèrent

27. *Ms, RP, 1833 :* un proscrit, qui,

28. *La note est ajoutée en 1842.*

Cf. *Le Globe*, 25 mai 1826 (p. 350) : « *banditi* » : « bannis et non bandits ». « On appelle ainsi en Corse tout homme sous le poids d'une condamnation judiciaire. »

29. *Ms :* gendarmerie pour maintenir la police.

30. *Ms, RP, 1833 :* voltigeurs est un habit

31. Erreur de Mérimée : le collet était vert.

32. *Ms, RP, 1833 :* ta giberne.

33. *La note est ajoutée en 1842.*

34. *Ms, RP, 1833 :* Le proscrit fouilla

35. Le fourrage n'existe guère dans le maquis, donc il n'y a pas non plus de tas de foin auprès des maisons.

36. *Ms :* peu. Puis remarquant

37. *Ms, RP :* en uniformes bruns à collets jaunes, et
    1833 : en uniforme brun à collets jaunes, et

38. *Ms, RP, 1833 :* des proscrits dont

39. *Ms, RP, 1833 :* pointu de peau de chèvre, et

40. *Ms :* vu Gianetto.

41. *RP, 1833 :* d'une table qui sert de lit, de bancs,

42. *Ms :* d'une table qui sert de lit, des bancs, des coffres et des ustensiles de chasse

43. *1842 :* ou du ménage.

44. G. Courtillier (« L'Inspiration de *Mateo Falcone* », *Revue d'Histoire littéraire de la France*, avril-juin 1920) remarque que les voltigeurs étaient armés de carabines, de pistolets et de sabres, et ne portaient pas de baïonnettes.

45. *Ms :* disposés à retourner

46. *Ms :* ne feraient aucune

47. *Ms, RP, 1833 :* m'emporte si je ne t'emmenais pas avec moi!

48. *Ms, RP, 1833 :* bien six écus;

49. *Ms, RP, 1833, 1842 :* celle-là

50. *Ms, RP, 1833, 1845 :* le caporale me

51. *Ms, RP, 1833* : « Hé bien,

52. *Perchè mi coglioni ?*

53. *RP* : est le Gianetto,

54. *Ms* : pas cette montre

55. *Ms, RP* : lui battait le bout

56. *Ms* : sanglant et le poignard

57. *Ms* : être obligés de

58. *RP* : sans en être fatigué.

59. *Ms, RP, 1833, 1842, 1845* : détour du sentier

60. *Ms, RP* : porter un autre fardeau

61. Cf. *Le Globe*, 25 mai 1826 (p. 349) : Les femmes corses marchent « pieds nus, un énorme fardeau sur la tête, à côté du mari indolent et hautain qui chevauche tranquillement le fusil sur l'épaule ».

62. *Ms* : comme l'on dit,

63. *Ms, RP, 1833* : il n'y a point de Corse montagnard qui,

64. *Ms, RP, 1833* : bien sa mémoire n'y trouve quelque

65. *Ms, RP, 1833, 1842, 1845* : et s'il voulait le défendre,

66. *Ms* : C'est moi, c'est Gamba,

67. *Ms* : au moment que l'adjudant

68. *Ms* : — Oui, Gianetto était caché

69. *Ms* : le Caporale, afin
   RP, 1833, 1842, 1845 : le caporale, afin

70. *Ms* : Gianetto. « Arrière de moi! »

71. *Ms, RP* : au pas redoublé vers

72. *Ms* : ses yeux de lynx attachés

73. *Ms* : le jeta sur

74. *Ms, RP, 1833, 1842, 1845* : le caporale qu'on

75. *Ms* : grâce à Gianetto! »

76. *Ms* : « Dieu te pardonne! »

77. *Ms, RP, 1833, 1842, 1845* : Que l'on dise

78. *Ms, RP, 1833, 1842, 1845* : qu'il vienne demeurer

79. Le manuscrit se termine ainsi : Στῆν 14 τοῦφεϐ. 1829 Μετὰ ναὶ ἐφ[ίλησα] τὴν Καλ[ήν]μοῦ τρεῖς φορ[άς]. (« Terminé le 14 février 1829. Là-dessus oui j'ai baisé ma bonne amie trois fois. ») Cette fin est supprimée dans l'édition du marquis de Saint-Hilaire, mais elle est reproduite dans celle de Maurice Levaillant qui pouvait encore la copier sur le manuscrit.

VISION DE CHARLES XI

Notice

La *Vision de Charles XI* se fonde sur un document : le procès-verbal de la vision avait été publié dans un article paru le 16 juin 1810 dans le *Vaterlandisches Museum*, et Mérimée a pu prendre connaissance de la traduction française de cet article par l'intermédiaire d'un de ses amis en rapport avec le ministère des Affaires étrangères. (Une traduction a été retrouvée dans les archives de ce ministère par Roger Peyre qui la publia dans la *Revue d'Histoire littéraire de la France*, janvier-mars 1914.)

La nouvelle avait paru le 29 juillet 1829 dans la *Revue de Paris*, mais ce ne fut qu'en juin 1833 que l'ambassadeur de Suède, le comte de Lowenhielme, publia sa protestation dans la même revue sous le titre « Démenti donné à un fantôme ». Cet article contient une minutieuse réfutation des faits relatés par Mérimée, et affirme que le procès-verbal en question est une supercherie, fabriquée probablement en 1742, à des fins politiques. Notons que sa publication dans un journal allemand en 1810 est motivée également par des intentions politiques : c'est l'année où Charles XIII adopte Bernadotte.

Plus tard, dans ses ouvrages historiques, Mérimée montrera un vif intérêt pour des souverains qui n'ont pas simplement hérité la couronne, mais devaient la conquérir. Ici nous trouvons un roi assassiné, un autre qui sera obligé d'abdiquer (l'enfant royal dans la nouvelle), un troisième qui accédera au trône par proclamation (le duc de Sudermanie, futur Charles XIII) et, en perspective, un quatrième, Bernadotte, roi par adoption.

La nouvelle est intégrée dans *Mosaïque* (Paris, H. Fournier, 1833), puis dans *Colomba suivi de la Mosaïque et*

autres Contes et Nouvelles (Paris, Charpentier, 1842). Ce
recueil aura plusieurs réimpressions. Le texte est fixé en
1850, état qu'adopte notre édition. La date placée sous le
titre manque dans l'édition de la *Revue de Paris* et dans
l'édition de 1833. Les notes appelées par des astérisques
sont de l'auteur.

VISION DE CHARLES XI

1829

There are more things in heav'n and earth, Horatio,
Than are dreamt of in your philosophy.
SHAKESPEARE, *Hamlet* [a].

On se moque des visions et des apparitions surnaturelles ; quelques-unes, cependant, sont si bien attestées,
que, si l'on refusait d'y croire, on serait obligé, pour être
conséquent, de rejeter en masse tous les témoignages
historiques [1].

Un procès-verbal en bonne forme, revêtu des signa-
tures de quatre témoins [2] dignes de foi, voilà ce qui
garantit l'authenticité du fait que je vais raconter. J'ajou-
terai que la prédiction contenue dans ce procès-verbal
était connue et citée bien longtemps avant que des événements arrivés de nos jours aient paru l'accomplir.

Charles XI [3], père du fameux Charles XII, était un
des [4] monarques les plus despotiques, mais un des [5] plus
sages qu'ait eus la Suède. Il restreignit les privilèges
monstrueux de la noblesse, abolit la puissance du sénat,
et fit des lois de sa propre autorité ; en un mot il changea
la constitution du pays, qui était oligarchique avant lui,
et força les états à lui confier l'autorité absolue. C'était
d'ailleurs un homme éclairé, brave, fort attaché à la religion luthérienne, d'un caractère inflexible, froid, positif,
entièrement dépourvu d'imagination.

Il venait de perdre sa femme Ulrique Eléonore [6].
Quoique sa dureté pour cette princesse eût, dit-on, hâté
sa fin, il l'estimait, et parut plus touché de sa mort qu'on
ne l'aurait attendu d'un cœur aussi sec que le sien. Depuis
cet événement il devint encore plus sombre et taciturne
qu'auparavant, et se livra au travail avec une application

a. *Hamlet*, I, v. « Il y a plus de choses au ciel et sur la terre,
Horatio, que n'en rêve votre philosophie. »

qui prouvait un besoin impérieux d'écarter des idées
pénibles.

A la fin d'une soirée d'automne il était assis en robe
de chambre et en pantoufles devant un grand feu allumé
dans son cabinet au palais de Stockholm. Il avait auprès
de lui son chambellan, le comte Brahé [7], qu'il honorait de
ses bonnes grâces, et le médecin Baumgarten [8], qui, soit
dit en passant, tranchait de l'esprit fort, et voulait que
l'on doutât de tout, excepté de la médecine. Ce soir-là il
l'avait fait venir pour le consulter sur je ne sais quelle
indisposition.

La soirée se prolongeait, et le roi, contre sa coutume,
ne leur faisait pas sentir, en leur donnant le bonsoir, qu'il
était temps de se retirer. La tête baissée et les yeux fixés
sur les tisons, il gardait un profond silence, ennuyé de sa
compagnie, mais craignant, sans savoir pourquoi, de rester
seul. Le comte Brahé s'apercevait bien que sa présence
n'était pas fort agréable, et déjà plusieurs fois il avait
exprimé la crainte que Sa Majesté n'eût besoin de repos :
un geste du roi l'avait retenu à sa place. A son tour le
médecin parla du tort que les veilles font à la santé; mais
Charles lui répondit entre ses dents : « Restez, je n'ai pas
encore envie de dormir. »

Alors on essaya différents sujets de conversation qui
s'épuisaient tous à la seconde ou troisième phrase. Il
paraissait évident que Sa Majesté était dans une de ses
humeurs noires, et, en pareille circonstance, la position
d'un courtisan est bien délicate. Le comte Brahé, soup-
çonnant que la tristesse du roi provenait de ses regrets
pour la perte de son épouse, regarda quelque temps le
portrait de la reine suspendu dans le cabinet, puis il
s'écria avec un grand soupir : « Que ce portrait est ressemblant! Voilà bien cette expression à la fois si majes-
tueuse et si douce!...

— Bah! » répondit brusquement le roi, qui croyait
entendre un reproche toutes les fois qu'on prononçait
devant lui le nom de la reine. « Ce portrait est trop flatté!
La reine était laide. » Puis, fâché intérieurement de sa
dureté, il se leva et fit un tour dans la chambre pour
cacher une émotion [9] dont il rougissait. Il s'arrêta devant
la fenêtre qui donnait sur la cour. La nuit était sombre et
la lune à son premier quartier.

Le [10] palais où résident aujourd'hui les rois de Suède
n'était pas encore achevé, et Charles XI, qui l'avait commencé, habitait alors l'ancien palais situé à la pointe du

Ritterholm qui regarde le lac Mœler [11]. C'est un grand
bâtiment en forme de fer à cheval. Le cabinet du roi était
à l'une des extrémités, et à peu près en face se trouvait la
grande salle où s'assemblaient les états quand ils devaient
recevoir quelque communication de la couronne.

Les fenêtres de cette salle semblaient en ce moment
éclairées d'une vive lumière. Cela parut étrange au roi.
Il supposa d'abord que cette lueur était produite par le
flambeau de quelque valet. Mais qu'allait-on faire à cette
heure dans une salle [12] qui depuis longtemps n'avait pas
été ouverte ? D'ailleurs la lumière était trop éclatante
pour provenir d'un seul flambeau. On aurait pu l'attribuer
à un incendie ; mais on ne voyait point de fumée, les
vitres n'étaient pas brisées, nul bruit ne se faisait entendre ;
tout annonçait plutôt une illumination.

Charles [13] regarda ces fenêtres quelque temps sans parler. Cependant le comte Brahé, étendant la main vers le
cordon d'une sonnette, se disposait à sonner un page
pour l'envoyer reconnaître la cause de cette singulière
clarté ; mais le roi l'arrêta. « Je veux aller moi-même dans
cette salle », dit-il. En achevant ces mots, on le vit pâlir,
et sa physionomie exprimait une espèce de terreur reli-
gieuse. Pourtant il sortit d'un pas ferme ; le chambellan et
le médecin le suivirent tenant chacun une bougie allumée.

Le concierge, qui avait la charge des clefs, était déjà
couché. Baumgarten alla le réveiller et lui ordonna, de
la part du roi, d'ouvrir sur-le-champ les portes de la salle
des états. La surprise de cet homme fut grande à cet
ordre inattendu ; il s'habilla à la hâte et joignit le roi avec
son trousseau de clefs. D'abord il ouvrit la porte d'une
galerie qui servait d'antichambre ou de dégagement à la
salle des états. Le roi entra ; mais quel fut son étonnement en voyant les murs entièrement tendus de noir !

« Qui a donné l'ordre de faire tendre ainsi cette
salle ? » demanda-t-il d'un ton de colère [14]. « Sire, personne que je sache », répondit le concierge tout troublé.
« Et la dernière fois que j'ai fait balayer la galerie elle était
lambrissée de chêne comme elle l'a toujours été... Certainement ces tentures-là ne viennent pas du garde-meuble
de Votre Majesté. » Et le roi, marchant d'un pas rapide,
était déjà parvenu à plus des deux tiers de la galerie. Le
comte et le concierge le suivaient de près ; le médecin
Baumgarten était un peu en arrière, partagé entre la
crainte de rester seul et celle de s'exposer aux suites
d'une aventure qui s'annonçait d'une façon assez étrange.

« N'allez pas plus loin, sire! s'écria le concierge. Sur
mon âme, il y a de la sorcellerie là-dedans. À cette
heure... et depuis la mort de la reine, votre gracieuse
épouse..., on dit qu'elle se promène dans cette galerie...
Que Dieu nous protège!

— Arrêtez, sire! s'écriait le comte de son côté. N'en-
tendez-vous pas ce bruit qui [15] part de la salle des états?
Qui sait à quels dangers Votre Majesté s'expose!

— Sire, disait Baumgarten, dont une bouffée de vent
venait d'éteindre la bougie, permettez du moins que j'aille
chercher une vingtaine de vos trabans [a].

— Entrons, dit le roi d'une voix ferme en s'arrêtant
devant la porte de la grande salle; et toi, concierge, ouvre
vite cette porte. » Il la poussa du pied, et le bruit, répété
par l'écho des voûtes, retentit dans la galerie comme un
coup de canon.

Le concierge tremblait tellement, que sa clef battait
la serrure sans qu'il pût parvenir à la faire entrer. « Un
vieux soldat qui tremble! dit Charles en haussant les
épaules. Allons, comte, ouvrez-nous cette porte.

— Sire, répondit le comte en reculant d'un pas, que
Votre Majesté me commande de marcher à la bouche
d'un canon danois ou allemand, j'obéirai sans hésiter;
mais c'est l'enfer que vous voulez que je défie [16]. »

Le roi arracha la clef des mains du concierge. « Je
vois bien, dit-il d'un ton de mépris, que ceci me regarde
seul »; et avant que sa suite eût pu l'en empêcher, il avait
ouvert l'épaisse porte de chêne, et était entré dans la
grande salle en prononçant ces mots : « Avec l'aide de
Dieu. » Ses trois acolytes, poussés par la curiosité, plus
forte que la peur, et peut-être honteux d'abandonner leur
roi, entrèrent avec lui.

La grande salle était éclairée par une infinité de flambeaux. Une tenture noire avait remplacé l'antique tapis-
serie à personnages. Le long des murailles paraissaient
disposés en ordre, comme à l'ordinaire, des drapeaux
allemands, danois ou moscovites, trophées des soldats
de Gustave-Adolphe [17]. On distinguait au milieu des
bannières suédoises, couvertes de crêpes funèbres.

Une assemblée immense couvrait les bancs. Les quatre
ordres de l'Etat * siégeaient chacun à son rang. Tous
étaient habillés de noir, et cette multitude de faces

---

a. Hallebardier de la garde royale.

* La noblesse, le clergé, les bourgeois et les paysans.

humaines, qui paraissaient lumineuses sur un fond
sombre, éblouissaient tellement les yeux, que des quatre
témoins de cette scène extraordinaire aucun ne put trouver dans cette foule une figure connue. Ainsi un acteur
vis-à-vis d'un public nombreux ne voit qu'une masse
confuse, où ses yeux ne peuvent distinguer un seul individu.

Sur le trône élevé d'où le roi avait coutume de haran-
guer l'assemblée, ils virent un cadavre sanglant, revêtu
des insignes de la royauté. A sa droite, un enfant, debout
et la couronne en tête, tenait un sceptre à la main; à sa
gauche, un homme âgé, ou plutôt un autre fantôme,
s'appuyait sur le trône. Il était revêtu du manteau de
cérémonie que portaient les anciens Administrateurs de
la Suède, avant que Wasa n'en eût fait un royaume [18]. En
face du trône, plusieurs personnages d'un maintien grave
et austère, revêtus de longues robes noires, et qui paraissaient être des juges, étaient assis devant une table sur
laquelle on voyait de grands in-folios et quelques parchemins [19]. Entre le trône et les bancs de l'assemblée, il
y avait [20] un billot couvert d'un crêpe noir, et une hache
reposait auprès.

Personne, dans cette assemblée surhumaine, n'eut l'air
de s'apercevoir de la présence de Charles et des trois personnes qui l'accompagnaient. A leur entrée, ils n'entendirent d'abord qu'un murmure confus, au milieu duquel
l'oreille ne pouvait saisir des mots [21] articulés; puis le plus
âgé des juges en robes noires, celui qui paraissait remplir
les fonctions de président, se leva, et frappa trois fois de
la main sur un in-folio ouvert devant lui. Aussitôt il se fit
un profond silence. Quelques jeunes gens de bonne mine,
habillés richement, et les mains liées derrière le dos,
entrèrent dans la salle par une porte opposée à celle que
venait d'ouvrir Charles XI. Ils marchaient la tête haute
et le regard assuré. Derrière eux, un homme robuste,
revêtu d'un justaucorps de cuir brun, tenait le bout des
cordes qui leur liaient les mains. Celui qui marchait le
premier, et qui semblait être le plus important des prisonniers, s'arrêta au milieu de la salle, devant le billot,
qu'il regarda avec un dédain superbe. En même temps,
le cadavre parut trembler d'un mouvement convulsif, et
un sang frais et vermeil coula de sa blessure. Le jeune
homme s'agenouilla, tendit la tête; la hache brilla dans
l'air, et retomba aussitôt avec bruit. Un ruisseau de sang
jaillit sur l'estrade [22], et se confondit avec celui du

cadavre ; et la tête, bondissant plusieurs fois sur le pavé rougi, roula jusqu'aux pieds de Charles, qu'elle teignit de sang.

Jusqu'à ce moment la surprise l'avait rendu muet ; mais à ce spectacle horrible, « sa langue se délia » ; il fit quelques pas vers l'estrade, et, s'adressant à cette figure revêtue du manteau d'Administrateur, il prononça hardiment la formule bien connue : « *Si tu es de Dieu, parle ; si tu es de l'Autre, laisse-nous en paix.* »

Le fantôme lui répondit lentement et d'un ton solennel : « CHARLES ROI ! ce sang ne coulera pas sous ton règne,... (ici la voix devint moins distincte) mais cinq règnes après. Malheur, malheur, malheur au sang de Wasa ! »

Alors les formes des nombreux personnages de cette étonnante assemblée commencèrent à devenir moins nettes et ne semblaient déjà plus que des ombres colorées, bientôt elles disparurent tout à fait ; les flambeaux fantastiques s'éteignirent, et ceux de Charles et de sa suite n'éclairèrent plus que les vieilles tapisseries, légèrement agitées par le vent. On entendit encore, pendant quelque temps, un bruit assez mélodieux, qu'un des [23] témoins compara au murmure du vent dans les feuilles, et un autre, au son que rendent des cordes de harpe en cassant au moment où l'on accorde l'instrument. Tous furent d'accord sur la durée de l'apparition, qu'ils jugèrent avoir été d'environ dix minutes.

Les draperies noires, la tête coupée, les flots de sang qui teignaient le plancher, tout avait disparu avec les fantômes ; seulement la pantoufle de Charles conserva une tache rouge, qui seule aurait suffi pour lui rappeler les scènes de cette nuit, si elles n'avaient pas été trop bien gravées dans sa mémoire [24].

Rentré dans son cabinet, le roi fit écrire la relation de ce qu'il avait vu, la fit signer par ses compagnons, et la signa lui-même. Quelques précautions que l'on prît pour cacher le contenu de cette pièce au public, elle ne laissa pas d'être bientôt connue, même du vivant de Charles XI ; elle existe encore, et, jusqu'à présent, personne ne s'est avisé d'élever des doutes sur son authenticité. La fin en est remarquable : « Et si ce que je viens de relater, dit le roi, n'est pas l'exacte vérité, je renonce à tout espoir d'une meilleure vie, laquelle je puis avoir méritée pour quelques bonnes actions, et surtout pour mon zèle [25] à travailler au bonheur de mon peuple, et à défendre la religion de mes ancêtres [26]. »

Maintenant, si l'on se rappelle la mort de Gustave III, et le jugement d'Ankarstroem, son assassin, on trouvera plus d'un rapport entre cet événement et les circonstances de cette singulière prophétie.

Le jeune homme décapité en présence des états aurait désigné Ankarstroem.

Le cadavre couronné serait Gustave III.

L'enfant, son fils et son successeur, Gustave-Adolphe IV.

Le vieillard, enfin, serait le duc de Sudermanie, oncle de Gustave IV, qui fut régent du royaume, puis enfin roi après la déposition de son neveu [27].

Notes

Abréviations : *RP : Revue de Paris; 1833 : Mosaïque; 1842 : Colomba; 1845 :* réimpression de *Colomba.*

1. *RP, 1833, 1842, 1845 :* masse toutes les preuves historiques.

2. Le prétendu procès-verbal est signé par quatre témoins : Charles Bielke, chancelier; M. W. Bielke, Alexandre Oxenstiern, conseillers du royaume; Peter Grauslen, vice-concierge. Mérimée ne retient aucun de ces noms et ne présente que trois témoins.

3. Charles XI vécut de 1655 à 1697. Son fils, Charles XII, dont Voltaire a écrit l'histoire, était un chef militaire légendaire, digne adversaire de Pierre le Grand.

4. *RP, 1833, 1842 :* était l'un des

5. *RP, 1833, 1842 :* mais l'un des

6. Charles XI n'épousa Ulrique-Eléonore qu'en 1680, quatre ans après la vision qui, selon le procès-verbal, a eu lieu dans la nuit du 16 au 17 décembre 1676. Notons que Mérimée ne retient pas cette date.

7. *RP :* le comte de Brahé,
Le comte Pierre de Brahé (1602-1680), sénateur, grand sénéchal et membre du conseil de régence pendant la minorité de Charles XI.

8. Ce médecin est un personnage inventé par Mérimée.

9. *RP :* cacher l'émotion

10. *RP :* et la lune ne paraissait pas. / Le

11. Dans son démenti, le comte de Lowenhielme remarque que Charles XI n'a jamais habité le palais de Riddarholm (nom suédois de Ritterholm). Le lac en question s'appelle Moelar et non Moeler.

12. *RP :* qu'allait-on faire dans une salle

13. *RP, 1833 :* une illumination d'apparat. / Charles

14. *RP, 1833, 1842 :* d'un ton colère.

15. *RP, 1833 :* bruit étrange qui

16. Dans le procès-verbal, on lit ces paroles du conseiller Oxenstiern : « Sire, j'ai bien fait serment à Votre Majesté de risquer ma vie et de verser mon sang pour elle, mais j'ai de même juré de ne pas ouvrir cette porte. »

17. Les trophées de Gustave-Adolphe (1594-1632) évoquent ses victoires sur le Danemark, la Russie et l'Allemagne.

18. Gustave Wasa (ou Vasa, 1496-1560) fut nommé administrateur en 1522, puis proclamé roi en 1523.

19. *RP, 1833 :* une table couverte de grands in-folios et de parchemins.

20. *RP :* entre le trône et la salle, il y avait

21. *RP, 1833 :* saisir de mots

22. *RP :* jaillit jusque sur l'estrade,

23. *RP, 1833, 1842 :* que l'un des

24. Le procès-verbal dit le contraire : « Je portai les yeux sur mes pantoufles, sur lesquelles je croyais que le sang avait rejailli, mais je n'en pus découvrir aucune trace. »

25. *RP, 1833, 1842 :* surtout par mon zèle

26. *RP, 1833, 1842 :* et à soutenir les intérêts de la religion. » Cette phrase ne figure pas dans le procès-verbal.

27. Gustave III (1746-1792) qui voulait introduire l'absolutisme éclairé en Suède, a sensiblement restreint les droits de la noblesse. Dans la nuit du 15 au 16 mars 1792, au cours d'un bal masqué, il fut blessé par Jean-Jacques Ankarstroem, enseigne des gardes, et mourut de sa blessure le 29 mars. Ankarstroem fut décapité le 29 avril 1792. Gustave-Adolphe IV, né en 1778, régna jusqu'au 29 mars 1809, jour où il fut obligé d'abdiquer à la suite du mécontentement général provoqué par la perte de territoires importants. Après son abdication, son oncle, le duc de Sudermanie (1748-1818), devint roi sous le nom de Charles XIII. Ce fut lui qui, en 1810, adopta Bernadotte.

L'ENLÈVEMENT DE LA REDOUTE

Notice

La source de cette nouvelle est inconnue. Mérimée a certainement entendu parler dans son entourage de l'attaque de la redoute de Schwardino, et il a certainement lu aussi l'*Histoire de Napoléon et de la Grande-Armée pendant l'année 1812* (Paris, 1824) par le comte Paul-Philippe de Ségur, où l'affaire est racontée d'une façon quelque peu romancée : « Le 61ᵉ marcha le premier, la redoute fut enlevée d'un seul élan de baïonnette; mais Bagration envoya des renforts qui la reprirent. Trois fois le 61ᵉ l'arracha aux Russes, et trois fois il en fut rechassé; mais enfin il s'y maintint, tout sanglant, et à moitié détruit. Le lendemain, quand l'empereur passa ce régiment en revue, il demanda où était son troisième bataillon : « Il est dans la redoute », repartit le colonel. » (T. I, pp. 360-361.)

Cette légende héroïque semble si répandue à l'époque qu'en publiant la nouvelle de Mérimée, la rédaction de la *Revue française* l'introduit par une note où elle insiste sur la véracité de l'auteur : « Nous ne prendrons pas ce moment pour répéter ce que nous avons déjà dit du talent de M. Mérimée, de sa vérité, de sa verve; mais, si quelqu'un pouvait douter qu'à lui surtout il appartient de retracer en scènes, en dialogues, en drames les événements de notre époque, qu'il lise *L'Enlèvement de la redoute* et qu'il dise si ce ne sont pas les meilleurs matériaux que l'histoire ait un jour à consulter. » Cependant, le siège se passa tout autrement; il n'y eut qu'une seule attaque, et les Russes ne tentèrent pas de reprendre la redoute. Mais cette version véridique des événements, consignée dans les notes du général Compans qui avait dirigé les opérations, n'a été publiée que cent ans après la bataille. (Ternaux-Compans : *Le Général Compans*

*(1769-1845) d'après ses notes de campagne et sa corres-
pondance.* Paris, Plon-Nourrit, 1912.)

L'*Enlèvement de la redoute* paraît la première fois en
septembre 1829 dans la *Revue française.* Il est intégré
ensuite dans *Mosaïque* (Paris, H. Fournier, 1833), puis
dans *Colomba suivi de la Mosaïque et autres Contes et
Nouvelles* (Paris, Charpentier, 1842), recueil qui aura
plusieurs réimpressions corrigées. Le texte est fixé en
1850, état qu'adopte notre édition.

L'ENLÈVEMENT
DE LA REDOUTE

Un militaire de mes amis, qui est mort de la fièvre en Grèce il y a quelques années, me conta un jour la première affaire à laquelle il avait assisté. Son récit me frappa tellement, que je l'écrivis de mémoire aussitôt que j'en eus le loisir. Le voici :

« Je rejoignis le régiment le 4 septembre [1] au soir. Je trouvai le colonel au bivac. Il [2] me reçut d'abord assez brusquement; mais après avoir lu la lettre de recommandation du général B *** [3], il changea de manières, et m'adressa quelques paroles obligeantes.

« Je fus présenté par lui à mon capitaine, qui revenait à l'instant même d'une reconnaissance. Ce capitaine, que je n'eus guère le temps de connaître, était un grand homme brun, d'une physionomie dure et repoussante. Il avait été simple soldat, et avait gagné ses épaulettes et sa croix sur les champs de bataille. Sa voix, qui était enrouée et faible, contrastait singulièrement avec sa stature presque gigantesque. On [4] me dit qu'il devait cette voix étrange à une balle qui l'avait percé de part en part à la bataille d'Iéna [5].

« En apprenant que je sortais de l'école de Fontainebleau [6], il fit la grimace et dit : « Mon lieutenant est mort hier... » Je compris qu'il voulait dire : « C'est vous qui devez le remplacer, et vous n'en êtes pas capable. » Un mot piquant me vint sur les lèvres, mais je me contins.

« La lune se leva derrière la redoute de Cheverino [7], située à deux portées de canon de notre bivac. Elle [8] était large et rouge comme cela est ordinaire à son lever. Mais ce soir elle me parut d'une grandeur extraordinaire. Pendant un instant la redoute se détacha en noir sur le disque éclatant de la lune. Elle ressemblait au cône d'un volcan au moment de l'éruption.

« Un vieux soldat, auprès duquel je me trouvais, remarqua la couleur de la lune. « Elle est bien rouge », dit-il; « c'est signe qu'il en coûtera bon pour l'avoir, cette fameuse redoute! » J'ai toujours été superstitieux, et cet augure, dans ce moment surtout, m'affecta. Je me couchai, mais je ne pus dormir. Je me levai, et je marchai quelque temps, regardant l'immense ligne de feux qui couvrait les hauteurs au-delà du village de Cheverino.

« Lorsque je crus que l'air frais et piquant de la nuit avait assez rafraîchi mon sang, je revins auprès du feu; je m'enveloppai soigneusement dans mon manteau, et je fermai les yeux, espérant ne pas les ouvrir avant le jour. Mais le sommeil me tint rigueur. Insensiblement mes pensées prenaient une teinte lugubre. Je me disais que je n'avais pas un ami parmi les cent mille hommes qui couvraient cette plaine. Si j'étais blessé, je serais dans un hôpital, traité sans égards par des chirurgiens ignorants. Ce que j'avais entendu dire des opérations chirurgicales me revint à la mémoire. Mon cœur battait avec violence, et machinalement je disposais comme une espèce de cuirasse le mouchoir, et le portefeuille que j'avais sur la poitrine. La fatigue m'accablait, je m'assoupissais à chaque instant, et à chaque instant quelque pensée sinistre se reproduisait avec plus de force et me réveillait en sursaut.

« Cependant la fatigue l'avait emporté, et quand on battit la diane j'étais tout à fait endormi. Nous nous mîmes en bataille, on fit l'appel, puis on remit les armes en faisceaux, et tout annonçait que nous allions passer une journée tranquille.

« Vers trois heures un aide de camp arriva, apportant un ordre [9]. On nous fit reprendre les armes; nos tirailleurs se répandirent dans la plaine; nous les suivîmes lentement, et au bout de vingt minutes nous vîmes tous les avant-postes des Russes se replier et rentrer dans la redoute.

« Une batterie d'artillerie [10] vint s'établir à notre droite, une autre [11] à notre gauche, mais toutes les deux [12] bien en avant de nous. Elles commencèrent [13] un feu très vif sur l'ennemi, qui riposta énergiquement, et bientôt la redoute de Cheverino disparut sous des nuages épais de fumée.

« Notre régiment était presque à couvert du feu des Russes par un pli de terrain. Leurs boulets, rares d'ailleurs pour nous (car ils tiraient de préférence sur nos canonniers), passaient au-dessus de nos têtes, ou tout au plus nous envoyaient de la terre et de petites pierres.

« Aussitôt que l'ordre de marcher en avant nous eut été donné, mon capitaine me regarda avec une attention qui m'obligea à passer deux ou trois fois la main sur ma jeune moustache d'un air aussi dégagé qu'il me fut possible. Au reste, je n'avais pas peur, et la seule crainte que j'éprouvasse, c'était que l'on ne s'imaginât que j'avais peur. Ces boulets inoffensifs contribuèrent encore à me maintenir dans mon calme héroïque. Mon amour-propre me disait que je courais un danger réel [14], puisque enfin j'étais sous le feu d'une batterie. J'étais enchanté d'être si à mon aise, et je songeai au [15] plaisir de raconter la prise de la redoute de Cheverino, dans le salon de madame de B*** [16], rue de Provence.

« Le colonel passa devant notre compagnie; il m'adressa la parole : « Eh bien! vous allez en voir de grises [a] « pour votre début. »

« Je souris d'un air tout à fait martial en brossant la manche de mon habit, sur laquelle un boulet, tombé à trente pas de moi, avait envoyé un peu de poussière.

« Il paraît que les Russes s'aperçurent du mauvais succès de leurs boulets, car ils les remplacèrent par des obus qui pouvaient plus facilement nous atteindre dans le creux où nous étions postés. Un assez gros éclat m'enleva mon shako et tua un homme auprès de moi.

« Je vous fais mon compliment », me dit le capitaine, comme je venais de ramasser mon shako, « vous en voilà quitte pour la journée. » Je connaissais cette superstition militaire qui croit que l'axiome *non bis in idem* [b] trouve son application aussi bien [17] sur un champ de bataille que dans une cour de justice. Je remis fièrement mon shako. « C'est faire saluer les gens sans cérémonie », dis-je aussi gaiement que je pus. Cette mauvaise plaisanterie, vu la circonstance, parut excellente. « Je vous félicite, reprit le capitaine, vous n'aurez rien de plus et vous commanderez une compagnie ce soir; car je sens bien que le four chauffe pour moi. Toutes les fois que j'ai été blessé, l'officier auprès de moi a reçu quelque balle morte, et », ajouta-t-il d'un ton plus bas et presque

a. Expression hors d'usage qui signifie éprouver de graves ennuis.
b. Axiome juridique : « On ne sévit pas deux fois pour la même faute. »

honteux [18], « leurs noms commençaient toujours par un P [19]. »

« Je fis l'esprit fort; bien des gens auraient fait comme moi; bien des gens auraient été aussi bien que moi frappés de ces paroles prophétiques. Conscrit comme je l'étais, je sentais que je ne pouvais confier mes sentiments à personne, et que je devais toujours paraître froidement intrépide.

« Au bout d'une demi-heure, le feu des Russes diminua sensiblement; alors nous sortîmes de notre couvert [a] pour marcher sur la redoute.

« Notre régiment était composé de trois bataillons. Le deuxième fut chargé de tourner la redoute du côté de la gorge [b]; les deux autres devaient donner l'assaut. J'étais dans le troisième bataillon.

« En sortant de derrière l'espèce d'épaulement qui nous avait protégés, nous fûmes reçus par plusieurs décharges de mousqueterie qui ne firent que peu de mal dans nos rangs. Le sifflement des balles me surprit : souvent je tournais la tête, et je m'attirai ainsi quelques plaisanteries de la part de mes camarades plus familiarisés avec ce bruit. « A tout prendre », me dis-je, « une bataille n'est pas une chose si terrible. »

« Nous avancions au pas de course, précédés de tirailleurs : tout à coup les Russes poussèrent trois hourras [c], trois hourras distincts, puis demeurèrent silencieux [20] et sans tirer. « Je n'aime pas ce silence », dit mon capitaine; « cela ne nous présage rien de bon. » Je trouvai que nos gens étaient un peu trop bruyants, et je ne pus m'empêcher de faire intérieurement la comparaison de leurs clameurs tumultueuses avec le silence imposant de l'ennemi.

« Nous parvînmes rapidement au pied de la redoute, les palissades avaient été brisées et la terre bouleversée par nos boulets. Les soldats s'élancèrent sur ces ruines nouvelles avec des cris de *Vive l'empereur !* plus forts qu'on ne l'aurait attendu de gens qui avaient déjà tant crié.

« Je levai les yeux, et jamais je n'oublierai le spectacle que je vis. La plus grande partie de la fumée s'était éle-

a. Expression militaire : être à l'abri, à couvert de l'ennemi.
b. La gorge est le passage étroit qui donne accès à l'intérieur d'une place fortifiée.
c. Cri d'attaque réglementaire des troupes russes.

vée et restait suspendue comme un dais à vingt pieds
au-dessus de la redoute. Au travers d'une vapeur
bleuâtre on apercevait derrière leur parapet à demi-détruit
les grenadiers russes, l'arme haute, immobiles comme
des statues. Je crois voir encore chaque soldat, l'œil
gauche attaché sur nous, le droit caché par son fusil [21]
élevé. Dans une embrasure, à quelques pieds de nous,
un homme tenant une lance à feu [a] était [22] auprès d'un
canon.

« Je frissonnai, et je crus que ma dernière heure était
venue. « Voilà la danse qui va commencer, s'écria mon
capitaine. Bonsoir. » Ce furent les dernières paroles que
je l'entendis prononcer.

« Un roulement de tambours retentit dans la redoute.
Je vis se baisser tous les fusils. Je fermai les yeux, et
j'entendis un fracas épouvantable, suivi de cris et de
gémissements. J'ouvris les yeux, surpris de me trouver
encore au monde. La redoute était de nouveau enveloppée de fumée. J'étais entouré de blessés et de morts. Mon
capitaine était étendu à mes pieds : sa tête avait été
broyée par un boulet, et j'étais couvert de sa cervelle et
de son sang. De toute ma compagnie il ne restait debout
que six hommes et moi.

« A ce carnage succéda un moment de stupeur. Le
colonel, mettant son chapeau [23] au bout de son épée,
gravit le premier le parapet en criant : *Vive l'empereur!*
il fut suivi aussitôt de tous les survivants. Je n'ai presque
plus de souvenir net de ce qui suivit. Nous entrâmes
dans la redoute, je ne sais comment. On se battit corps
à corps au milieu d'une fumée si épaisse que l'on ne
pouvait se voir. Je crois que je frappai, car mon sabre [24]
se trouva tout sanglant. Enfin j'entendis crier victoire! et
la fumée diminuant, j'aperçus du sang et des morts sous
lesquels disparaissait la terre de la redoute. Les canons
surtout étaient enterrés sous des tas [25] de cadavres. Environ deux cents hommes debout, en uniforme français [26],
étaient groupés sans ordre, les uns chargeant leurs fusils,
les autres essuyant leurs baïonnettes. Onze prisonniers
russes étaient avec eux.

« Le colonel était renversé tout sanglant sur un cais-
son brisé, près de la gorge. Quelques soldats s'empres-
saient autour de lui : je m'approchai : « Où est le plus

a. C'est une mèche emmanchée qui sert à mettre le feu à la charge
de poudre.

« ancien capitaine [27] ? » demandait-il à un sergent. — Le sergent haussa les épaules d'une manière très expressive. — « Et le plus ancien lieutenant ? — Voici monsieur qui est arrivé d'hier », dit le sergent d'un ton tout à fait calme. — Le colonel sourit amèrement. — « Allons, monsieur, me dit-il, vous commandez en chef; faites promptement fortifier la gorge de la redoute avec ces chariots, car l'ennemi est en force; mais le général C*** [28] va vous faire soutenir [29]. » — « Colonel, lui dis-je, vous êtes grièvement blessé ? » — « F..., mon cher, mais la redoute est prise [30] . »

Notes

Abréviations : *RF* : *Revue française*; *1833* : *Mosaïque*; *1842* : *Colomba*; *1845* : réimpression de *Colomba*.

1. 1812.

2. *RF, 1833, 1842, 1845* : au bivouac. Il

3. Les commentateurs proposent ici le nom du général Bellavène, inspecteur des études à Saint-Cyr.

4. *RF, 1833* : avec les proportions presque gigantesques de sa personne. On

5. Le 13 octobre 1806.

6. Erreur de Mérimée : depuis 1808, l'école militaire ne se trouvait plus à Fontainebleau, mais à Saint-Cyr.

7. On a fait remarquer que la lune était nouvelle le 5 septembre, aussi le 4 au soir ne pouvait-elle que se coucher, et non derrière la redoute, mais derrière les campements français.

8. *RF, 1833, 1842, 1845* : notre bivouac. Elle

9. Selon le général Compans, l'attaque ne commença que le soir du 5 septembre.

10. *RF* : redoute. Un corps d'artillerie

11. *RF* : droite, un autre

12. *RF* : mais tous les deux

13. *RF* : nous. Ils commencèrent

14. *RF, 1833* : un grand danger,

15. *RF, 1833, 1842, 1845* : je pensai au

16. *RF* : Madame de Saint-Luxan
Pour « madame de B*** », les commentateurs proposent Mme de Boigne qui habitait 12, rue de Provence, et dont Mérimée fréquentait le salon.

17. *RF* : qui croit que ce mot *non bis idem* est un axiome aussi bien

18. *RF, 1833* : et plus honteux,

19. On a proposé ici le nom Pasquier. Dans les régiments qui assiégèrent la redoute de Schwardino se trouvait, en effet, un officier qui portait ce nom, mais, comme il n'était pas de la même famille

que le chancelier Pasquier avec qui était liée Mme de Boigne (cf. ci-dessus, note 16), c'est peu probable que Mérimée eût connu son existence. Serait-il téméraire de penser à Prosper ?

20. *RF, 1833* : distincts, et restèrent silencieux

21. *RF* : par le fusil

22. *RF* : tenant un boutefeu était

23. Erreur de Mérimée : depuis 1806, toute l'infanterie portait des shakos.

24. Erreur de Mérimée : les officiers d'infanterie portaient l'épée et non le sabre.

25. *RF* : étaient encombrés sous des tas
    1833 : étaient encombrés par des tas

26. *1833, 1842, 1845* : en uniformes français,

27. Il est à noter qu'entre le colonel et le capitaine il y avait encore un grade intermédiaire, celui du chef de bataillon.

28. Le général Compans.

29. *RF, 1833* : va nous faire soutenir. »

30. Dans le *Trésor littéraire de la France* (Paris, Hachette, 1865), cette dernière phrase se trouve modifiée ainsi : « Perdu, mon cher, mais la redoute est prise. » Mérimée déclare qu'il n'a pas été consulté pour cette correction. (Cf. sa lettre du 15 janvier 1866 à Jules Claretie. *Corr. gén.*, t. XIII, p. 13.)

TAMANGO

Notice

Dans *Tamango*, Mérimée traite un sujet qui préoccupe fort ses contemporains : Hugo dénonce l'esclavage dans *Bug-Jargal* (1820), Mme de Duras dans *Ourika* (1824), l'Académie française propose, en 1822, *L'Abolition de la traite des Noirs* comme thème pour son prix de poésie. (Notons que malgré la déclaration du 8 février 1815 du Congrès de Vienne qui l'avait interdite, la traite des Noirs se pratiquait encore à cette époque.)

Les sources possibles de la nouvelle sont nombreuses. Le pasteur Abel Stapfer, père d'Albert Stapfer, ami de Mérimée, avait fondé en 1821 la Société de la Morale chrétienne dont le but était l'abolition de l'esclavage, et ce fut dans le journal de cette Société que parurent en 1826 les résultats de l'enquête du baron Auguste de Staël sur les négriers, que Mérimée avait pu lire. Il pouvait s'inspirer aussi de l'*Histoire du commerce homicide appelé Traite des Noirs ou Cri des Africains contre les Européens, leurs oppresseurs,* brochure de Thomas Clarkson, traduite en français en 1821, et éditée avec une planche qui donne les coupes transversales du transporteur anglais *Brookes.* C'est chez Clarkson qu'il avait pu trouver des allusions à l'ouvrage de Mungo Park (*Voyage dans l'intérieur de l'Afrique fait en 1795, 1796 et 1797,* traduit en français par G. Castera en 1800), où il prit l'épisode du Mama-Jumbo, mais il semble avoir connu les récits d'autres voyageurs aussi, ainsi la *Nouvelle Relation de l'Afrique occidentale contenant une description exacte du Sénégal...* (1778) du père Jean-Baptiste Labat, le *Voyage à la côte occidentale de l'Afrique fait dans les années 1786 et 1787* (1801) de L. Degrandpré et le *Voyage dans l'intérieur de l'Afrique aux sources du Sénégal et de la Gambie fait en 1818* (1820) de G. Mollien.

L'*Affaire de* La Vigilante, *bâtiment négrier de Nantes*, brochure parue en 1823, contient une planche semblable à celle de Clarkson, dans *The Life, Adventures and Pyracies of the Famous Captain Singleton* (1720) de Defoe se trouve décrite une révolte qui ressemble, sur un point capital, à celle de *Tamango* — les Blancs qui ont survécu au massacre, quittent le navire que les Noirs, ensuite, ne parviennent pas à gouverner — et, enfin, l'histoire d'un bâtiment qui, occupé par des Noirs, vogue au gré du vent, est racontée aussi par Emerigon dans le *Traité des assurances et des contrats à la grosse...* (1827).

Aucune de ces sources ne rapporte, cependant, le cas d'un bateau sur lequel tous les Blancs sont tués et où tous les Noirs meurent à l'exception d'un seul : Mérimée, comme toujours, recherche l'effet frappant. Ajoutons que son Tamango n'est pas le bon Noir idéalisé des abolitionnistes, mais un trafiquant africain qui ne vaut pas mieux que l'Européen : la nouvelle n'est pas mise au service d'une cause humanitaire, mais elle développe, à partir d'un sujet en vogue, le thème du conflit sans issue entre la civilisation et la sauvagerie, conflit qui préoccupe Mérimée tout au long de sa carrière.

Tamango paraît la première fois le 4 octobre 1829 dans la *Revue de Paris*. Il est intégré ensuite dans *Mosaïque* (Paris, H. Fournier, 1833), puis dans *Colomba suivi de la Mosaïque et autres Contes et Nouvelles* (Paris, Charpentier, 1842), recueil qui aura plusieurs réimpressions corrigées. Le texte est fixé en 1850, état qu'adopte notre édition. (*La France maritime* publie en 1837 une version tronquée qui n'a pas été revue par l'auteur. Nous n'en tenons pas compte.) La date placée sous le titre manque dans l'édition de la *Revue de Paris* et dans l'édition de 1833. Les notes appelées par des astérisques sont de l'auteur.

TAMANGO

1829

Le capitaine Ledoux était un bon marin. Il avait commencé par être simple matelot, puis il devint aide-timonier. Au combat de Trafalgar [1], il eut la main gauche fracassée par un éclat de bois ; il fut amputé, et congédié ensuite avec de bons certificats. Le repos ne lui convenait guère, et l'occasion de se rembarquer se présentant, il servit en qualité de second lieutenant à bord d'un corsaire [a]. L'argent qu'il retira de quelques prises lui permit d'acheter des livres et d'étudier la théorie de la navigation, dont il connaissait déjà parfaitement la pratique. Avec le temps, il devint capitaine d'un lougre corsaire de trois canons et de soixante hommes d'équipage, et les caboteurs de Jersey conservent encore le souvenir de ses exploits. La paix [2] le désola : il avait amassé pendant la guerre une petite fortune, qu'il espérait augmenter aux dépens des Anglais. Force lui fut d'offrir ses services à de pacifiques négociants ; et comme il était connu pour un homme de résolution et d'expérience, on lui confia facilement un navire. Quand la traite des nègres fut défendue [3], et que, pour s'y livrer, il fallut non seulement tromper la vigilance des douaniers français, ce qui n'était pas très difficile, mais encore, et c'était le plus hasardeux, échapper aux croiseurs anglais, le capitaine Ledoux devint un homme précieux pour les trafiquants de bois d'ébène *.

Bien différent de la plupart des marins qui ont langui longtemps comme lui dans les postes [4] subalternes, il

---

a. Corsaire : navire armé en guerre par des particuliers, avec l'autorisation du gouvernement. Lougre : petit bâtiment à trois mâts. Caboteur : bâtiment côtier. Croiseur : navire de guerre qui surveille les routes maritimes. Brick : bâtiment à deux mâts. Frégate : navire de guerre à trois mâts, au-dessous de soixante canons.

* Nom que se donnent eux-mêmes les gens qui font la traite.

n'avait point cette horreur profonde des innovations, et cet esprit de routine qu'ils apportent trop souvent dans les grades supérieurs. Le capitaine Ledoux, au contraire, avait été le premier à recommander à son armateur l'usage des caisses en fer, destinées à contenir et conserver l'eau. A son bord, les menottes et les chaînes, dont les bâtiments négriers ont provision, étaient fabriquées d'après un système nouveau, et soigneusement vernies pour les préserver de la rouille. Mais ce qui lui fit le plus d'honneur parmi les marchands d'esclaves, ce fut la construction, qu'il dirigea lui-même, d'un brick destiné à la traite, fin voilier, étroit, long comme [5] un bâtiment de guerre, et cependant capable de contenir un très grand nombre de Noirs. Il le nomma *L'Espérance* [6]. Il voulut que les entreponts, étroits et rentrés, n'eussent que trois pieds quatre pouces de haut [7], prétendant que cette dimension permettait aux esclaves de taille raisonnable d'être commodément assis; et quel besoin ont-ils de se lever ? « Arrivés aux colonies, disait Ledoux, ils ne resteront que trop sur leurs pieds! » — Les Noirs, le dos appuyé aux bordages du navire, et disposés sur deux lignes parallèles, laissaient entre leurs pieds un espace vide, qui, dans tous les autres négriers, ne sert qu'à la circulation. Ledoux imagina de placer dans cet intervalle d'autres nègres, couchés perpendiculairement aux premiers. De la sorte, son navire contenait une dizaine de nègres de plus qu'un autre du même tonnage. A la rigueur [8], on aurait pu en placer davantage; mais il faut avoir de l'humanité, et laisser à un nègre au moins cinq pieds en longueur et deux en largeur pour s'ébattre, pendant une traversée de six semaines et plus; « car enfin », disait Ledoux à son armateur pour justifier cette mesure libérale, « les nègres, après tout, sont des hommes comme les Blancs. »

L'Espérance partit de Nantes un vendredi, comme le remarquèrent depuis des gens superstitieux. Les inspecteurs qui visitèrent scrupuleusement le brick ne découvrirent pas six grandes caisses remplies de chaînes, de menottes, et de ces fers que l'on nomme, je ne sais pourquoi, *barres de justice* [a]. Ils ne furent point étonnés non plus de l'énorme provision d'eau que devait porter *L'Es-*

---

a. « [...] la barre *dite de justice*, longue de six pieds, contenant huit gros anneaux destinés à entraver les jambes de quatre malheureux [...] » (*Journal de la Société de la Morale chrétienne*, t. VI, p. 259.)

pérance, qui, d'après ses papiers, n'allait qu'au Sénégal pour y faire le commerce de bois et d'ivoire. La traversée n'est pas longue, il est vrai, mais enfin le trop de précautions ne peut nuire. Si l'on était surpris par un calme, que deviendrait-on sans eau ?

L'Espérance partit donc un vendredi, bien gréée et bien équipée de tout. Ledoux aurait voulu peut-être des mâts un peu plus solides; cependant, tant qu'il commanda le bâtiment, il n'eut point à s'en plaindre. Sa traversée fut heureuse et rapide jusqu'à la côte d'Afrique. Il mouilla dans la rivière de Joale [a] (je crois) dans un moment où les croiseurs anglais ne surveillaient point cette partie de la côte. Des courtiers du pays vinrent aussitôt à bord. Le moment était on ne peut plus favorable; Tamango, guerrier fameux et vendeur d'hommes, venait de conduire à la côte une grande quantité d'esclaves, et il s'en défaisait à bon marché, en homme qui se sent la force et les moyens d'approvisionner promptement la place, aussitôt que les objets de son commerce y deviennent rares.

Le capitaine Ledoux se fit descendre sur le rivage, et fit sa visite à Tamango. Il le trouva dans une case en paille qu'on lui avait élevée à la hâte, accompagné de ses deux femmes et de quelques sous-marchands et conducteurs d'esclaves. Tamango s'était paré pour recevoir le capitaine blanc. Il était vêtu d'un [9] vieil habit d'uniforme bleu, ayant encore les galons de caporal; mais sur chaque épaule pendaient deux épaulettes d'or attachées au même bouton, et ballottant, l'une par-devant, l'autre par-derrière. Comme il n'avait pas de chemise, et que l'habit était un peu court pour un homme de sa taille, on remarquait entre les revers blancs de l'habit et son caleçon de toile de Guinée une bande considérable de peau noire qui ressemblait à une large ceinture. Un grand sabre de cavalerie était suspendu à son côté au moyen d'une corde, et il tenait à la main un beau fusil à deux coups, de fabrique anglaise. Ainsi équipé, le guerrier africain croyait surpasser en élégance le petit-maître le plus accompli de Paris ou de Londres [10].

Le capitaine Ledoux le considéra quelque temps en silence, tandis que Tamango, se redressant à la manière d'un grenadier qui passe à la revue devant un général [11]

---

a. Joale (ou Joal) est une ville du Sénégal, située sur le bord d'une rivière côtière.

étranger, jouissait de l'impression qu'il croyait produire sur le Blanc. Ledoux, après l'avoir examiné en connaisseur, se tourna vers son second, et lui dit : « Voilà un gaillard que je vendrais au moins mille écus, rendu sain et sans avaries à la Martinique. »

On s'assit, et un matelot qui savait un peu la langue wolofe servit d'interprète. Les premiers compliments de politesse échangés, un mousse apporta un panier de bouteilles d'eau-de-vie; on but, et le capitaine, pour mettre Tamango en belle humeur, lui fit présent d'une jolie poire à poudre en cuivre, ornée du portrait de Napoléon en relief[12]. Le présent accepté avec la reconnaissance convenable, on sortit de la case, on s'assit à l'ombre en face des bouteilles d'eau-de-vie, et Tamango donna le signal de faire venir les esclaves qu'il avait à vendre.

Ils parurent sur une longue file, le corps courbé par la fatigue et la frayeur, chacun ayant le cou pris dans une fourche longue de plus de six pieds, dont les deux pointes étaient réunies vers la nuque par une barre de bois. Quand il faut se mettre en marche, un des conducteurs prend sur son épaule le manche de la fourche du premier esclave; celui-ci se charge de la fourche de l'homme qui le suit immédiatement; le second porte la fourche du troisième esclave, et ainsi des autres. S'agit-il de faire halte, le chef de file enfonce en terre le bout pointu du manche de sa fourche, et toute la colonne s'arrête. On juge facilement qu'il ne faut pas penser à s'échapper à la course, quand on porte attaché au cou un gros bâton de six pieds de longueur.

A chaque esclave mâle ou femelle qui passait devant lui, le capitaine haussait les épaules, trouvait les hommes chétifs, les femmes trop vieilles ou trop jeunes, et se plaignait de l'abâtardissement de la race noire. « Tout dégénère, disait-il; autrefois c'était bien différent. Les femmes avaient cinq pieds six pouces de haut, et quatre hommes auraient tourné seuls le cabestan[a] d'une frégate, pour lever la maîtresse ancre. »

Cependant, tout en critiquant, il faisait un premier choix des Noirs les plus robustes et les plus beaux. Ceux-là, il pouvait les payer au prix ordinaire; mais pour le reste il demandait une forte diminution. Tamango, de

a. Treuil vertical sur lequel s'enroule un câble servant à tirer des fardeaux.

son côté, défendait ses intérêts, vantait sa marchandise, parlait de la rareté des hommes et des périls de la traite. Il conclut en demandant un prix, je ne sais lequel, pour les esclaves que le capitaine blanc voulait charger à son bord.

Aussitôt que l'interprète eut traduit en français la proposition de Tamango, Ledoux manqua tomber à la renverse, de surprise et d'indignation ; puis, murmurant quelques jurements affreux, il se leva comme pour rompre tout marché avec un homme aussi déraisonnable. Alors Tamango le retint ; il parvint avec peine à le faire rasseoir. Une nouvelle bouteille fut débouchée, et la discussion recommença. Ce fut le tour du Noir à trouver folles et extravagantes les propositions du Blanc. On cria, on disputa longtemps, on but prodigieusement d'eau-de-vie ; mais l'eau-de-vie produisait un effet bien différent sur les deux parties contractantes. Plus le Français buvait, plus il réduisait ses offres ; plus l'Africain buvait, plus il cédait de ses prétentions. De la sorte, à la fin du panier, on tomba d'accord. De mauvaises cotonnades, de la poudre, des pierres à feu, trois barriques d'eau-de-vie, cinquante fusils mal raccommodés furent donnés en échange de cent soixante esclaves. Le capitaine, pour ratifier le traité, frappa dans la main du Noir plus qu'à moitié ivre, et aussitôt les esclaves furent remis aux matelots français, qui se hâtèrent de leur ôter leurs fourches de bois pour leur donner des carcans et des menottes en fer : ce qui montre bien la supériorité de la civilisation européenne.

Restait encore une trentaine d'esclaves : c'étaient des enfants, des vieillards, des femmes infirmes. Le navire était plein.

Tamango, qui ne savait que faire de ce rebut, offrit au capitaine de les lui vendre pour une bouteille d'eau-de-vie la pièce. L'offre était séduisante. Ledoux se souvint qu'à la représentation des *Vêpres siciliennes* [13] à Nantes, il avait vu bon nombre de gens gros et gras entrer dans un parterre déjà plein, et parvenir cependant à s'y asseoir, en vertu de la compressibilité des corps humains. Il prit les vingt plus sveltes des trente esclaves.

Alors Tamango ne demanda plus qu'un verre d'eau-de-vie pour chacun des dix restants. Ledoux réfléchit que les enfants ne payent et n'occupent que demi-place dans les voitures publiques. Il prit donc trois enfants ; mais il déclara qu'il ne voulait plus se charger d'un seul

Noir. Tamango, voyant qu'il lui restait encore sept esclaves sur les bras, saisit son fusil et coucha en joue une femme qui venait la première : c'était la mère des trois enfants. « Achète, dit-il au Blanc, ou je la tue ; un petit verre d'eau-de-vie, ou je tire. — Et que diable veux-tu que j'en fasse ? » répondit Ledoux. Tamango fit feu, et l'esclave tomba morte à terre [14]. « Allons, à un autre, s'écria Tamango en visant un vieillard tout cassé : un verre d'eau-de-vie, ou bien... » Une de ses femmes lui détourna le bras, et le coup partit au hasard. Elle venait de reconnaître dans le vieillard [15] que son mari allait tuer un *guiriot* ou magicien, qui lui avait prédit qu'elle serait reine.

Tamango, que l'eau-de-vie avait rendu furieux, ne se posséda plus en voyant qu'on s'opposait à ses volontés. Il frappa rudement sa femme de la crosse de son fusil ; puis, se tournant vers Ledoux : « Tiens, dit-il, je te donne cette femme. » Elle était jolie. Ledoux la regarda en souriant, puis il la prit par la main : « Je trouverai bien où la mettre », dit-il.

L'interprète était un homme humain. Il donna une tabatière de carton à Tamango, et lui demanda les six esclaves restants. Il les délivra de leurs fourches, et leur permit de s'en aller où bon leur semblerait. Aussitôt ils se sauvèrent, qui de çà, qui de là, fort embarrassés de retourner dans leur pays à deux cents lieues de la côte.

Cependant le capitaine dit adieu à Tamango et s'occupa de faire au plus vite embarquer sa cargaison. Il n'était pas prudent de rester longtemps en rivière ; les croiseurs pouvaient reparaître, et il voulait appareiller le lendemain. Pour Tamango, il se coucha sur l'herbe, à l'ombre, et dormit pour cuver son eau-de-vie.

Quand il se réveilla, le vaisseau était déjà sous voiles et descendait la rivière. Tamango, la tête encore embarrassée de la débauche de la veille, demanda sa femme Ayché. On lui répondit qu'elle avait eu le malheur de lui déplaire, et qu'il l'avait donnée en présent au capitaine blanc, lequel l'avait emmenée à son bord. A cette nouvelle, Tamango stupéfait se frappa la tête, puis il prit son fusil, et, comme la rivière faisait plusieurs détours avant de se décharger dans la mer, il courut, par le chemin le plus direct, à une petite anse éloignée de l'embouchure d'une demi-lieue. Là il espérait trouver un canot avec lequel il pourrait joindre le brick, dont les sinuosités de la rivière devaient retarder la marche. Il ne se trompait pas :

en effet il eut le temps de se jeter dans un canot et de
joindre le négrier.

Ledoux fut surpris de le voir, mais encore plus de l'entendre redemander sa femme. « Bien donné ne se reprend
plus », répondit-il ; et il lui tourna le dos. Le Noir insista,
offrant de rendre [16] une partie des objets qu'il avait
reçus en échange des esclaves. Le capitaine se mit à rire ;
dit qu'Ayché était une très bonne femme, et qu'il voulait
la garder. Alors le pauvre Tamango versa un torrent de
larmes, et poussa des cris de douleur aussi aigus que ceux
d'un malheureux qui subit une opération chirurgicale.
Tantôt il se roulait sur le pont en appelant sa chère
Ayché ; tantôt il se frappait la tête contre les planches,
comme pour se tuer. Toujours impassible, le capitaine,
en lui montrant le rivage, lui faisait signe qu'il était
temps pour lui de s'en aller ; mais Tamango persistait.
Il [17] offrit jusqu'à ses épaulettes d'or, son fusil et son
sabre. Tout fut inutile.

Pendant ce débat, le lieutenant de *L'Espérance* dit au
capitaine : « Il nous est mort cette nuit trois esclaves ;
nous avons de la place. Pourquoi ne prendrions-nous
pas ce vigoureux coquin, qui vaut mieux à lui seul que
les trois morts ? » Ledoux fit réflexion que Tamango se
vendrait bien mille écus ; que ce voyage, qui s'annonçait
comme très profitable pour lui, serait probablement son
dernier ; qu'enfin sa fortune étant faite, et lui renonçant
au commerce d'esclaves, peu lui importait de laisser à
la côte de Guinée une bonne ou une mauvaise réputation.
D'ailleurs le rivage était désert, et le guerrier africain
entièrement à sa merci. Il ne s'agissait plus que de lui
enlever ses armes, car il eût été dangereux de mettre la
main sur lui pendant qu'il les avait encore en sa possession.
Ledoux lui demanda donc son fusil, comme pour l'examiner et s'assurer s'il valait bien autant que la belle Ayché.
En faisant jouer les ressorts, il eut soin de laisser tomber
la poudre de l'amorce. Le lieutenant de son côté maniait
le sabre ; et, Tamango se trouvant ainsi désarmé, deux
vigoureux matelots se jetèrent sur lui, le renversèrent sur
le dos, et se mirent en devoir de le garrotter. La résistance du Noir fut héroïque. Revenu de sa première surprise, et malgré le désavantage de sa position, il lutta
longtemps contre les deux matelots. Grâce à sa force prodigieuse, il parvint à se relever. D'un coup de poing il
terrassa l'homme qui le tenait au collet ; il laissa un morceau de son habit entre les mains de l'autre matelot, et

s'élança comme un furieux sur le lieutenant pour lui
arracher son sabre. Celui-ci l'en frappa à la tête, et lui
fit une blessure large, mais peu profonde. Tamango
tomba une seconde fois. Aussitôt on lui lia fortement les
pieds et les mains. Tandis qu'il se défendait, il poussait
des cris de rage, et s'agitait comme un sanglier pris dans
des toiles; mais lorsqu'il vit que toute résistance était
inutile, il ferma les yeux et ne fit plus aucun mouvement [18].
Sa respiration forte et précipitée prouvait seule qu'il était
encore vivant.

« Parbleu! » s'écria le capitaine Ledoux, « les Noirs
qu'il a vendus vont rire de bon cœur en le voyant esclave
à son tour. C'est pour le coup qu'ils verront bien qu'il y
a une Providence. » Cependant le pauvre Tamango perdait tout son sang. Le charitable interprète, qui la veille
avait sauvé la vie à six esclaves, s'approcha de lui, banda
sa blessure et lui adressa quelques paroles de consolation.
Ce qu'il put lui dire, je l'ignore. Le Noir restait immobile,
ainsi qu'un cadavre. Il fallut que deux matelots le por-
tassent comme un paquet dans l'entrepont, à la place
qui lui était destinée. Pendant deux jours il ne voulut ni
boire ni manger, à peine lui vit-on ouvrir les yeux. Ses
compagnons de captivité, autrefois ses prisonniers, le
virent paraître au milieu d'eux avec un étonnement stupide. Telle était la crainte qu'il leur inspirait encore, que
pas un seul n'osa insulter à la misère de celui qui avait
causé la leur.

Favorisé par un bon vent de terre, le vaisseau s'éloignait rapidement de la côte d'Afrique. Déjà sans inquiétude au sujet de la croisière anglaise, le capitaine ne pensait plus qu'aux énormes bénéfices qui l'attendaient dans
les colonies vers lesquelles il se dirigeait. Son bois d'ébène
se maintenait sans avaries. Point de maladies conta-
gieuses. Douze nègres seulement, et [19] des plus faibles,
étaient morts de chaleur : c'était bagatelle. Afin que sa
cargaison humaine souffrît le moins possible des fatigues
de la traversée, il avait l'attention de faire monter tous
les jours ses esclaves sur le pont. Tour à tour un tiers de
ces malheureux avait une heure pour faire sa provision
d'air de toute la journée. Une partie de l'équipage les
surveillait armée jusqu'aux dents, de peur de révolte;
d'ailleurs on avait soin de ne jamais leur ôter entièrement
leurs fers. Quelquefois un matelot qui savait jouer du
violon les régalait d'un concert. Il était alors curieux de
voir toutes ces figures noires se tourner vers le musicien,

perdre par degrés leur expression de désespoir stupide, rire d'un gros rire et battre des mains quand leurs chaînes le leur permettaient. — L'exercice est nécessaire à la santé; aussi l'une des salutaires pratiques du capitaine Ledoux, c'était de faire souvent danser ses esclaves, comme on fait piaffer des chevaux embarqués pour une longue traversée. « Allons, mes enfants, dansez, amusez-vous », disait le capitaine d'une voix de tonnerre, en faisant claquer un énorme fouet de poste; et aussitôt les pauvres Noirs sautaient et dansaient.

Quelque temps la blessure de Tamango le retint sous les écoutilles. Il parut enfin sur le pont; et d'abord, relevant la tête avec fierté au milieu de la foule craintive des esclaves, il jeta un coup d'œil triste, mais calme, sur l'immense étendue d'eau qui environnait le navire, puis il se coucha, ou plutôt se laissa tomber sur les planches du tillac, sans prendre même le soin d'arranger ses fers de manière à ce qu'ils lui fussent moins incommodes. Ledoux, assis au gaillard [a] d'arrière, fumait tranquillement sa pipe. Près de lui, Ayché, sans fers, vêtue d'une robe élégante de cotonnade bleue, les pieds chaussés de jolies pantoufles de maroquin, portant à la main un plateau chargé de liqueurs, se tenait prête à lui verser à boire. Il était évident qu'elle remplissait de hautes fonctions auprès du capitaine. Un Noir, qui détestait Tamango, lui fit signe de regarder de ce côté. Tamango tourna la tête, l'aperçut, poussa un cri; et, se levant avec impétuosité, courut vers le gaillard d'arrière avant que les matelots de garde eussent pu s'opposer à une infraction aussi énorme de toute discipline navale : « Ayché! » cria-t-il d'une voix foudroyante, et Ayché poussa un cri de terreur; « crois-tu que dans le pays des Blancs il n'y ait point de MAMA-JUMBO [20] ? » Déjà des matelots accouraient le bâton levé; mais Tamango, les bras croisés, et comme insensible, retournait tranquillement à sa place, tandis qu'Ayché, fondant en larmes, semblait pétrifiée par ces mystérieuses paroles.

L'interprète expliqua ce qu'était ce terrible Mama-Jumbo, dont le nom seul produisait tant d'horreur. « C'est le Croquemitaine des nègres, dit-il. Quand un mari a peur que sa femme ne fasse ce que font bien des femmes en France comme en Afrique, il la menace du Mama-Jumbo. Moi, qui vous parle, j'ai vu le Mama-

a. Partie extrême du pont supérieur; celui-ci s'appelle aussi tillac.

Jumbo, et j'ai compris la ruse; mais les Noirs..., comme c'est simple, cela ne comprend rien. — Figurez-vous qu'un soir, pendant que les femmes s'amusaient à danser, à faire un *folgar*, comme ils disent dans leur jargon, voilà que d'un petit bois bien touffu et bien sombre on entend une musique étrange, sans que l'on vît personne pour la faire; tous les musiciens étaient cachés dans le bois. Il y avait des flûtes de roseau, des tambourins de bois, des *balafos*, et des guitares faites avec des moitiés de cale-basses [21]. Tout cela jouait un air à porter le diable en terre. Les femmes n'ont pas plutôt entendu cet air-là, qu'elles se mettent à trembler; elles veulent se sauver, mais les maris les retiennent : elles savaient bien ce qui leur pendait à l'oreille. Tout à coup sort du bois une grande figure blanche, haute comme notre mât de perroquet, avec une tête grosse comme un boisseau, des yeux larges comme des écubiers [a], et une gueule comme celle du diable, avec du feu dedans. Cela marchait lentement, lentement; et cela n'alla pas plus loin qu'à demi-enca-blure [b] du bois. Les femmes criaient : « Voilà Mama-Jumbo. » Elles braillaient comme des vendeuses d'huîtres. Alors les maris leur disaient : « Allons, coquines, dites-nous si vous avez été sages; si vous mentez, Mama-Jumbo est là pour vous manger toutes crues. » Il y en avait qui étaient assez simples pour avouer, et alors les maris les battaient comme plâtre.

— Et qu'était-ce donc [22] que cette figure blanche, ce Mama-Jumbo ? demanda le capitaine.

— Eh bien! c'était un farceur affublé d'un grand drap blanc, portant, au lieu de tête, une citrouille creusée et garnie d'une chandelle allumée au bout d'un grand bâton. Cela n'est pas plus malin, et il ne faut pas de grands frais d'esprit pour attraper les Noirs. Avec tout cela, c'est une bonne invention que le Mama-Jumbo, et je voudrais que ma femme y crût.

— Pour la mienne, dit Ledoux, si elle n'a pas peur de Mama-Jumbo, elle a peur de Martin-Bâton; et elle sait de reste comment je l'arrangerais si elle me jouait quelque tour. Nous ne sommes pas endurants dans la famille des Ledoux, et quoique je n'aie qu'un poignet,

a. Ouvertures pratiquées à l'avant du navire pour le passage des câbles et des chaînes.
b. Une encablure est à peu près 200 m.

il manie encore assez bien une garcette ᵃ. Quant à votre drôle là-bas, qui parle du Mama-Jumbo [23], dites-lui qu'il se tienne bien et qu'il ne fasse pas peur à la petite mère que voici, ou je lui ferai si bien ratisser l'échine, que son cuir, de noir, deviendra rouge comme un rosbif cru. »

A ces mots, le capitaine descendit dans sa chambre, fit venir Ayché et tâcha de la consoler : mais ni les caresses, ni les coups même, car on perd patience à la fin, ne purent rendre traitable la belle négresse; des flots de larmes coulaient de ses yeux. Le capitaine remonta sur le pont, de mauvaise humeur, et querella l'officier de quart sur la manœuvre qu'il commandait dans le moment.

La nuit, lorsque presque tout l'équipage dormait d'un profond sommeil, les hommes de garde entendirent d'abord un chant grave, solennel, lugubre, qui partait de l'entrepont, puis un cri de femme horriblement aigu. Aussitôt après, la grosse voix de Ledoux jurant et menaçant, et le bruit de son terrible fouet, retentirent dans tout le bâtiment. Un instant après tout rentra dans le silence. Le lendemain, Tamango parut sur le pont la figure meurtrie, mais l'air aussi fier, aussi résolu qu'auparavant.

A peine Ayché l'eut-elle aperçu que, quittant le gaillard d'arrière où elle était assise à côté du capitaine, elle courut avec rapidité vers Tamango, s'agenouilla devant lui, et lui dit avec un accent de désespoir concentré : « Pardonne-moi, Tamango, pardonne-moi! » Tamango la regarda fixement pendant une minute; puis, remarquant que l'interprète était éloigné : « Une lime! » dit-il; et il se coucha sur le tillac en tournant le dos à Ayché. Le capitaine la réprimanda vertement, lui donna même quelques soufflets, et lui défendit de parler à son ex-mari; mais il était loin de soupçonner le sens des courtes paroles qu'ils avaient échangées, et il ne fit aucune question à ce sujet.

Cependant Tamango, renfermé avec les autres esclaves, les exhortait jour et nuit à tenter un effort généreux pour recouvrer leur liberté. Il leur parlait du petit nombre des Blancs, et leur faisait remarquer la négligence toujours croissante de leurs gardiens; puis, sans s'expliquer nettement, il disait qu'il saurait les ramener dans leur pays, vantait son savoir dans les sciences occultes, dont les Noirs sont fort entichés, et menaçait de la vengeance du diable ceux qui se refuseraient [24] de l'aider dans son entreprise. Dans ses harangues [25], il ne se servait que du

a. Tresse faite de cordages.

dialecte des Peules [26], qu'entendaient la plupart des esclaves, mais que l'interprète ne comprenait pas. La réputation de l'orateur, l'habitude qu'avaient les esclaves de le craindre et de lui obéir, vinrent merveilleusement au secours de son éloquence, et les Noirs le pressèrent de fixer un jour pour leur délivrance, bien avant que lui-même se crût en état de l'effectuer. Il répondait vaguement aux conjurés que le temps n'était pas venu, et que le diable, qui lui apparaissait en songe, ne l'avait pas encore averti, mais qu'ils eussent à se tenir prêts au premier signal. Cependant il ne négligeait aucune occasion de faire des expériences sur la vigilance de ses gardiens. Une fois, un matelot, laissant son fusil appuyé contre les plats-bords, s'amusait à regarder une troupe de poissons volants qui suivaient le vaisseau; Tamango prit le fusil et se mit à le manier, imitant avec des gestes grotesques les mouvements qu'il avait vu faire à des matelots qui faisaient l'exercice. On lui retira le fusil au bout d'un instant [27]; mais il avait appris qu'il pourrait toucher une arme sans éveiller immédiatement le soupçon; et quand le temps viendrait de s'en servir, bien hardi celui qui voudrait la lui arracher des mains.

Un jour, Ayché lui jeta un biscuit en lui faisant un signe que lui seul comprit. Le biscuit contenait une petite lime : c'était de cet instrument que dépendait la réussite du complot. D'abord Tamango se garda bien de montrer la lime à ses compagnons; mais lorsque la nuit fut venue, il se mit à murmurer des paroles inintelligibles qu'il accompagnait de gestes bizarres. Par degrés il s'anima jusqu'à pousser des cris. A entendre les intonations variées de sa voix, on eût dit qu'il était engagé dans une conversation animée avec une personne invisible. Tous les esclaves tremblaient, ne doutant pas que le diable ne fût en ce moment même au milieu d'eux [28]. Tamango mit fin à cette scène en poussant un cri de joie. « Camarades, s'écria-t-il, l'esprit que j'ai conjuré vient enfin de m'accorder ce qu'il m'avait promis, et je tiens dans mes mains l'instrument de notre délivrance. Maintenant il ne vous faut plus qu'un peu de courage pour vous faire libres. » Il fit toucher la lime à ses voisins, et la fourbe, toute grossière qu'elle était, trouva créance auprès d'hommes encore plus grossiers.

Après une longue attente vint le grand jour de vengeance et de liberté. Les conjurés, liés entre eux par un serment solennel, avaient arrêté leur plan après une mûre délibération. Les plus déterminés, ayant Tamango à leur tête, lorsqu'ils monteraient à leur tour sur le pont, devaient s'emparer des armes de leurs gardiens; quelques autres iraient à la chambre du capitaine pour y prendre les fusils qui s'y trouvaient. Ceux qui seraient parvenus à limer leurs fers devaient commencer l'attaque; mais, malgré le travail opiniâtre de plusieurs nuits, le plus grand nombre des esclaves était encore incapable de prendre une part énergique à l'action. Aussi trois Noirs robustes avaient la charge de tuer l'homme qui portait dans sa poche la clef des fers, et d'aller aussitôt délivrer leurs compagnons enchaînés.

Ce jour-là, le capitaine Ledoux était d'une humeur charmante; contre sa coutume, il fit grâce à un mousse qui avait mérité le fouet. Il complimenta l'officier de quart sur sa manœuvre, déclara à l'équipage qu'il était content, et lui annonça qu'à la Martinique, où ils arriveraient dans peu, chaque homme recevrait une gratification. Tous les matelots, entretenant de si agréables idées, faisaient déjà dans leur tête l'emploi de cette gratification. Ils pensaient à l'eau-de-vie et aux femmes de couleur de la Martinique, lorsqu'on fit monter sur le pont Tamango et les autres conjurés.

Ils avaient eu soin de limer leurs fers de manière à ce qu'ils ne parussent pas être coupés, et que le moindre effort suffît cependant pour les rompre. D'ailleurs ils les faisaient si bien résonner, qu'à les entendre on eût dit qu'ils en portaient un double poids. Après avoir humé l'air quelque temps, ils se prirent tous par la main et se mirent à danser pendant que Tamango entonnait le chant guerrier de sa famille *, qu'il chantait autrefois avant d'aller au combat. Quand la danse eut duré quelque temps, Tamango, comme épuisé de fatigue, se coucha tout de son long aux pieds d'un matelot qui s'appuyait nonchalamment contre les plats-bords du navire; tous les conjurés en firent autant. De la sorte, chaque matelot était entouré de plusieurs Noirs.

Tout à coup Tamango, qui venait doucement de rompre ses fers, pousse un grand cri, qui devait servir de signal, tire violemment par les jambes le matelot qui se trouvait près de lui, le culbute, et, lui mettant le pied sur le ventre, lui arrache son fusil, et s'en sert pour tuer l'officier de quart. En même temps, chaque matelot de

---

* Chaque capitaine nègre a le sien.

garde est assailli, désarmé et aussitôt égorgé. De toutes
parts un cri de guerre s'élève. Le contremaître, qui
avait la clef des fers, succombe un des premiers. Alors
une foule de Noirs inondent le tillac [29]. Ceux qui ne
peuvent trouver d'armes saisissent les barres du cabestan ou les rames de la chaloupe. Dès ce moment, l'équipage européen fut perdu. Cependant quelques matelots
firent tête sur le gaillard d'arrière; mais ils manquaient
d'armes et de résolution. Ledoux était encore vivant et
n'avait rien perdu de son courage. S'apercevant que
Tamango était l'âme de la conjuration, il espéra que s'il
pouvait le tuer il aurait bon marché de ses complices. Il
s'élança donc à sa rencontre le sabre à la main en l'appelant à grands cris. Aussitôt Tamango se précipita sur
lui. Il tenait un fusil par le bout du canon et s'en servait
comme d'une massue. Les deux chefs se joignirent sur
un des passages, ce passage étroit qui communique du
gaillard d'avant à l'arrière. Tamango frappa le premier.
Par un léger mouvement de corps, le Blanc évita le
coup. La crosse, tombant avec force sur les planches, se
brisa, et le contrecoup fut si violent que le fusil échappa
des mains de Tamango. Il était sans défense, et Ledoux,
avec un sourire de joie diabolique, levait le bras et allait
le percer; mais Tamango était aussi agile que les pan-
thères de son pays. Il s'élança dans les bras de son
adversaire, et lui saisit la main dont il tenait son sabre.
L'un s'efforce de retenir son arme, l'autre de l'arracher.
Dans cette lutte furieuse, ils tombent tous les deux; mais
l'Africain avait le dessous. Alors, sans se décourager,
Tamango, étreignant son adversaire de toute sa force, le
mordit à la gorge avec tant de violence que le sang jaillit
comme sous la dent d'un lion. Le sabre échappa de la
main défaillante du capitaine. Tamango s'en saisit; puis,
se relevant, la bouche sanglante, et poussant un cri de
triomphe, il perça de coups redoublés son ennemi déjà
demi-mort.

La victoire n'était plus douteuse. Le peu de matelots
qui restaient essayèrent d'implorer la pitié des révoltés;
mais tous, jusqu'à l'interprète, qui ne leur avait jamais
fait de mal, furent impitoyablement massacrés. Le lieutenant mourut avec gloire. Il s'était retiré à l'arrière,
auprès d'un de ces petits canons qui tournent sur un
pivot, et que l'on charge de mitraille [a]. De la main

a. Ferraille et balles de fonte dont on chargeait les canons.

gauche il dirigea la pièce, et de la droite, armé d'un sabre [30], il se défendit si bien qu'il attira autour de lui une foule de Noirs. Alors, pressant la détente du canon, il fit au milieu de cette masse serrée une large rue pavée de morts et de mourants. Un instant après il fut mis en pièces.

Lorsque le cadavre du dernier Blanc, déchiqueté et coupé par morceaux, eut été jeté à la mer, les Noirs, rassasiés de vengeance, levèrent les yeux vers les voiles du navire, qui, toujours enflées par un vent frais, semblaient obéir encore à leurs oppresseurs et mener les vainqueurs, malgré leur triomphe, dans la terre de l'esclavage. « Rien n'est donc fait, pensèrent-ils avec tristesse; et ce grand fétiche des Blancs voudra-t-il nous ramener dans notre pays, nous qui avons versé le sang de ses maîtres ? » Quelques-uns dirent que Tamango saurait le faire obéir. Aussitôt on appelle Tamango à grands cris.

Il ne se pressait pas de se montrer. On le trouva dans la chambre de poupe, debout, une main appuyée sur le sabre sanglant du capitaine; l'autre, il la tendait d'un air distrait à sa femme Ayché, qui la baisait à genoux devant lui. La joie d'avoir vaincu ne diminuait pas une sombre inquiétude qui se trahissait dans toute sa contenance. Moins grossier que les autres, il sentait mieux la difficulté de sa position.

Il parut enfin sur le tillac, affectant un calme qu'il n'éprouvait pas. Pressé par cent voix confuses de diriger la course du vaisseau, il s'approcha du gouvernail à pas lents, comme pour retarder un peu le moment qui allait, pour lui-même et pour les autres, décider de l'étendue de son pouvoir.

Dans tout le vaisseau il n'y avait pas un Noir, si stupide qu'il fût, qui n'eût remarqué l'influence qu'une certaine roue et la boîte placée en face exerçaient sur les mouvements du navire; mais dans ce mécanisme il y avait toujours pour eux un grand mystère. Tamango examina la boussole pendant longtemps en remuant les lèvres, comme s'il lisait les caractères qu'il y voyait tracés; puis il portait la main à son front, et prenait l'attitude pensive d'un homme qui fait un calcul de tête. Tous les Noirs l'entouraient, la bouche béante, les yeux démesurément ouverts, suivant avec anxiété le moindre de ses gestes. Enfin, avec ce mélange de crainte et de confiance que l'ignorance donne, il imprima un violent mouvement à la roue du gouvernail.

Comme un généreux coursier qui se cabre sous l'éperon d'un cavalier imprudent, le beau brick *L'Espérance* bondit sur la vague à cette manœuvre inouïe. On eût dit qu'indigné il voulait s'engloutir avec son pilote ignorant. Le rapport nécessaire entre la direction des voiles et celle du gouvernail étant brusquement rompu, le vaisseau s'inclina avec tant de violence qu'on eût dit qu'il allait s'abîmer. Ses longues vergues plongèrent dans la mer. Plusieurs hommes furent renversés; quelques-uns tombèrent par-dessus le bord. Bientôt le vaisseau se releva fièrement contre la lame, comme pour lutter encore une fois avec la destruction. Le vent redoubla d'efforts, et tout d'un coup, avec un bruit horrible, tombèrent les deux mâts, cassés à quelques pieds du pont, couvrant le tillac de débris et comme d'un lourd filet de cordages.

Les nègres épouvantés fuyaient sous les écoutilles en poussant des cris de terreur; mais, comme le vent ne trouvait plus de prise, le vaisseau se releva et se laissa doucement ballotter par les flots. Alors les plus hardis des Noirs remontèrent sur le tillac et le débarrassèrent des débris qui l'obstruaient. Tamango restait immobile, le coude appuyé sur l'habitacle et se cachant le visage sur son bras replié. Ayché était auprès de lui, mais n'osait lui adresser la parole. Peu à peu les Noirs s'approchèrent; un murmure s'éleva, qui bientôt se changea en un orage de reproches et d'injures. « Perfide! imposteur! s'écriaient-ils, c'est toi qui as causé tous nos maux, c'est toi qui nous as vendus aux Blancs, c'est toi qui nous as contraints de nous révolter contre eux. Tu nous avais vanté ton savoir, tu nous avais promis de nous ramener dans notre pays. Nous t'avons cru, insensés que nous étions! et voilà que nous avons manqué de périr tous parce que tu as offensé le fétiche des Blancs. »

Tamango releva fièrement la tête, et les Noirs qui l'entouraient reculèrent intimidés. Il ramassa deux fusils, fit signe à sa femme de le suivre, traversa la foule, qui s'ouvrit devant lui, et se dirigea vers l'avant du vaisseau. Là il se fit comme un rempart avec des tonneaux vides et des planches; puis il s'assit au milieu de cette espèce de retranchement, d'où sortaient menaçantes les baïonnettes de ses deux fusils. On le laissa tranquille. Parmi les révoltés, les uns pleuraient; d'autres, levant les mains au ciel, invoquaient leurs fétiches et ceux des Blancs; ceux-ci, à genoux devant la boussole, dont ils admiraient le mouvement continuel, la suppliaient de les ramener dans leur pays; ceux-là se couchaient sur le tillac dans un morne abattement. Au milieu de ces désespérés, qu'on se représente des femmes et des enfants hurlant d'effroi, et une vingtaine de [31] blessés implorant des secours que personne ne pensait à leur donner.

Tout à coup un nègre paraît sur le tillac : son visage est radieux. Il annonce qu'il vient de découvrir l'endroit où les Blancs gardent leur eau-de-vie; sa joie [32] et sa contenance prouvent assez qu'il vient d'en faire l'essai. Cette nouvelle suspend un instant les cris de ces malheureux. Ils courent à la cambuse et se gorgent de liqueur. Une heure après on les eût vus sauter et rire sur le pont, se livrant à toutes les extravagances de l'ivresse la plus brutale. Leurs danses et leurs chants étaient accompagnés des gémissements et des sanglots des blessés. Ainsi se passa le reste du jour et toute la nuit.

Le matin, au réveil, nouveau désespoir. Pendant la nuit, un grand nombre de blessés étaient morts. Le vaisseau flottait entouré de cadavres. La mer était grosse et le ciel brumeux. On tint conseil. Quelques apprentis dans l'art magique, qui n'avaient point osé parler de leur savoir-faire devant Tamango, offrirent tour à tour leurs services. On essaya plusieurs conjurations puissantes. A chaque tentative inutile, le découragement augmentait. Enfin on reparla de Tamango, qui n'était pas encore sorti de son retranchement. Après tout, c'était le plus savant d'entre eux, et lui seul pouvait les tirer de la situation horrible où il les avait placés. Un vieillard s'approcha de lui, porteur de propositions de paix. Il le pria de venir donner son avis; mais Tamango, inflexible comme Coriolan [33], fut sourd à ses prières. La nuit, au milieu du désordre, il avait fait sa provision de biscuit et de chair salée. Il paraissait déterminé à vivre seul dans sa retraite.

L'eau-de-vie restait. Au moins elle fait oublier et la mer, et l'esclavage, et la mort prochaine. On dort, on rêve de l'Afrique, on voit des forêts de gommiers, des cases couvertes en paille, des baobabs dont l'ombre couvre tout un village. L'orgie de la veille recommença. De la sorte se passèrent plusieurs jours. Crier, pleurer, s'arracher les cheveux, puis s'enivrer et dormir, telle était leur vie. Plusieurs moururent à force de boire; quelques-uns se jetèrent à la mer, ou se poignardèrent.

Un matin Tamango sortit de son fort et s'avança jusqu'auprès du tronçon du grand mât. « Esclaves, dit-il, l'Esprit m'est apparu en songe et m'a révélé les moyens de vous tirer d'ici pour vous ramener dans votre pays. Votre ingratitude mériterait que je vous abandonnasse ; mais j'ai pitié de ces femmes et de ces enfants qui crient. Je vous pardonne : écoutez-moi. » Tous les Noirs baissèrent la tête avec respect et se serrèrent autour de lui.

« Les Blancs, poursuivit Tamango, connaissent seuls les paroles puissantes qui font remuer ces grandes maisons de bois ; mais nous pouvons diriger à notre gré ces barques légères qui ressemblent à celles de notre pays. » Il montrait la chaloupe et les autres embarcations du brick. « Remplissons-les de vivres, montons dedans, et [34] ramons dans la direction [35] du vent ; mon maître et le vôtre le fera souffler vers notre pays. » On le crut. Jamais projet ne fut plus insensé. Ignorant l'usage de la boussole, et sous un ciel inconnu, il ne pouvait qu'errer à l'aventure. D'après ses idées, il s'imaginait qu'en ramant tout droit devant lui il trouverait à la fin quelque terre habitée par les Noirs, car les Noirs possèdent la terre, et les Blancs vivent sur leurs vaisseaux [36]. C'est ce qu'il avait entendu dire à sa mère.

Tout fut bientôt prêt pour l'embarquement ; mais la chaloupe avec un canot seulement se trouva en état [37] de servir. C'était [38] trop peu pour contenir environ quatre-vingts nègres encore vivants. Il fallut abandonner tous les blessés et les malades. La plupart demandèrent qu'on les tuât avant de se séparer d'eux.

Les deux embarcations, mises à flot avec des peines infinies et chargées outre mesure, quittèrent le vaisseau par une mer clapoteuse, qui menaçait à chaque instant de les engloutir. Le canot s'éloigna le premier. Tamango avec Ayché avait pris place dans la chaloupe, qui, beaucoup plus lourde et plus chargée, demeurait considérablement en arrière. On entendait encore les cris plaintifs de quelques malheureux abandonnés à bord du brick, quand une vague assez forte prit la chaloupe en travers et l'emplit d'eau. En moins d'une minute, elle coula. Le canot vit leur désastre, et ses rameurs redoublèrent d'efforts, de peur d'avoir à recueillir quelques naufragés. Presque tous ceux qui montaient la chaloupe furent noyés. Une douzaine seulement put regagner le vaisseau. De ce nombre étaient Tamango et Ayché. Quand le soleil se coucha, ils virent disparaître le canot derrière l'horizon ; mais ce qu'il devint, on l'ignore.

Pourquoi fatiguerais-je le lecteur par la description
dégoûtante des tortures de la faim ? Vingt personnes
environ sur un espace étroit, tantôt ballottées par une
mer orageuse, tantôt brûlées par un soleil ardent, se
disputent tous les jours les faibles restes de leurs provisions. Chaque morceau de biscuit coûte un combat, et le
faible meurt, non parce que le fort le tue, mais parce
qu'il le laisse mourir [39]. Au bout de quelques jours, il ne
resta plus de vivant à bord du brick *L'Espérance* que
Tamango et Ayché.

. . . .

Une nuit, la mer était agitée, le vent soufflait avec violence, et l'obscurité était si grande que de la poupe on
ne pouvait voir la proue du navire. Ayché était couchée
sur un matelas dans la chambre du capitaine, et Tamango
était assis à ses pieds. Tous les deux gardaient le silence
depuis longtemps. « Tamango, s'écria enfin Ayché, tout
ce que tu souffres tu le souffres à cause de moi... — Je
ne souffre pas », répondit-il brusquement, et il jeta
sur le matelas, à côté de sa femme, la moitié [40] d'un biscuit qui lui restait. « Garde-le pour toi, dit-elle en
repoussant doucement le biscuit ; je n'ai plus faim.
D'ailleurs, pourquoi manger ? Mon heure n'est-elle pas
venue ? » Tamango se leva sans répondre, monta en
chancelant sur le tillac, et s'assit au pied d'un mât
rompu. La tête penchée sur sa poitrine, il sifflait l'air de
sa famille. Tout à coup un grand cri se fit entendre
au-dessus du bruit du vent et de la mer ; une lumière
parut. Il entendit d'autres cris, et un gros vaisseau noir
glissa rapidement auprès du sien, si près que les vergues [41]
passèrent au-dessus de sa tête. Il ne vit que deux figures
éclairées par une lanterne suspendue à un mât. Ces gens
poussèrent encore un cri, et aussitôt leur navire, emporté [42] par le vent, disparut dans l'obscurité. Sans
doute les hommes de garde avaient aperçu le vaisseau
naufragé ; mais le gros temps les empêchait de virer de
bord. Un instant après, Tamango vit la flamme d'un
canon et entendit le bruit de l'explosion ; puis il vit la
flamme d'un autre canon, mais il n'entendit aucun bruit ;
puis il ne vit plus rien. Le lendemain, pas une voile ne
paraissait à l'horizon. Tamango se recoucha sur son
matelas et ferma les yeux. Sa femme Ayché était morte
cette nuit-là.

. . . .

Je ne sais combien de temps après une frégate anglaise,

La Bellone, aperçut un bâtiment démâté [43] et en apparence abandonné de son équipage. Une chaloupe, l'ayant abordé, y trouva une négresse morte et un nègre si décharné et si maigre qu'il ressemblait à une momie. Il était sans connaissance, mais avait encore un souffle de vie. Le chirurgien s'en empara, lui donna des soins, et quand *La Bellone* aborda à Kingston [a], Tamango était en parfaite santé. On lui demanda son histoire. Il dit ce qu'il en savait. Les planteurs de l'île voulaient qu'on le pendît comme un nègre rebelle [44]; mais le gouverneur, qui était un homme humain, s'intéressa à lui, trouvant son cas justifiable, puisque après tout il n'avait fait qu'user du droit de légitime défense; et puis ceux qu'il avait tués n'étaient que des Français. On le traita comme on traite les nègres [45] pris à bord d'un vaisseau négrier que l'on confisque. On lui donna la liberté, c'est-à-dire qu'on le fit travailler pour le gouvernement; mais il avait six sous par jour et la nourriture. C'était un fort bel homme. Le colonel du 75e le vit et le prit pour en faire un cymbalier dans la musique de son régiment. Il apprit un peu d'anglais; mais il ne parlait guère. En revanche, il buvait avec excès du rhum et du tafia [b]. — Il mourut à l'hôpital d'une inflammation de poitrine.

a. Capitale et port de la Jamaïque.
b. Eau-de-vie faite à partir des mélasses de canne à sucre.

Notes

Abréviations : *RP : Revue de Paris; 1833 : Mosaïque; 1842 : Colomba; 1845 :* réimpression de *Colomba.*

1. Le 21 octobre 1805, près du cap de Trafalgar, l'amiral anglais Nelson remporta une victoire éclatante sur la flotte franco-espagnole commandée par l'amiral Villeneuve et l'amiral Gravina, et trouva lui-même la mort dans la bataille.

2. Paix avec l'Angleterre, conclue par le traité de Paris du 30 mai 1814, ratifiée par le Congrès de Vienne qui se termina le 9 juin 1815.

3. La traite fut interdite par le Congrès de Vienne.

4. *RP, 1833, 1842, 1845 :* dans des postes

5. *RP, 1833 :* voilier long, étroit comme

6. Jean Mallion et Pierre Salomon notent qu'il existait à Nantes un brick négrier nommé *L'Espoir.*

7. Trois pieds quatre pouces font 1,08 m. L'entrepont du *Brookes* avait cinq pieds huit pouces, celui de *La Vigilante* quatre pieds quatre pouces (voir *Notice,* p. 79-80).

8. *RP, 1833, 1842, 1845 :* du même port. A la rigueur

9. *RP, 1833 :* il était revêtu d'un

10. Selon Jean Mallion et Pierre Salomon, cette description du costume du chef noir ne correspond à aucun modèle que Mérimée ait pu trouver dans les rapports des explorateurs, mais s'inspire du chapitre XXVIII de *Bug-Jargal.*

11. *RP, 1833 :* qui passe la revue d'un général

12. *RP :* portrait de Napoléon frappé en relief.

13. Tragédie de Casimir Delavigne, représentée la première fois, avec un vif succès, le 23 octobre 1819 au Théâtre de l'Odéon.

14. *RP :* tomba par terre.

15. *RP, 1833 :* dans ce vieillard

16. *RP, 1833 :* insista, offrit de rendre

17. *RP :* Tamango demeurait. Il

18. *RP :* plus le moindre mouvement.

19. *RP :* nègres au plus, et

20. Mungo Park (voir *Notice*, p. 79) dit « mombo-jombo » (t. I, pp. 59-61).

21. Mungo Park parle du « balafou, instrument composé de vingt morceaux de bois dur, au-dessous desquels sont des gourdes coupées en forme de coquilles, qui en augmentent le son [...] » (t. II, pp. 31-32). Chez le père Labat (voir *Notice*, p. 79), cet instrument s'appelle « balafo » et se compose de règles de bois et de « calebasses » (t. III, p. 332).

22. *RP, 1833, 1842, 1845* : Et qu'est-ce que c'était donc

23. *RP* : parle de Mama-Jumbo,

24. *RP* : ceux qui refuseraient

25. *RP* : Dans ces harangues,

26. La langue des Peuls est parlée au Sénégal, en Haute-Volta et au Cameroun.

27. *RP* : au bout de quelques instants;

28. *RP, 1833, 1842, 1845* : même auprès d'eux.

29. *RP, 1833, 1842, 1845* : une foule de noirs inonde le tillac.

30. *RP* : armée d'un sabre,

31. *RP* : une quarantaine de

32. *RP, 1833, 1842, 1845* : eau-de-vie, et sa joie

33. Cneius Marcius Coriolanus (ve siècle avant J.-C.), général romain. Haï de ses compatriotes, il se réfugia chez les Volsques et assiégea Rome. Le Sénat le suppliant en vain de lever le siège, ce fut sa mère qui réussit enfin à le convaincre de ne plus lutter contre les siens. Lorsqu'il déposa les armes, les Volsques l'accusèrent de trahison et le tuèrent.

34. *RP* : montons dessus, et

35. *RP* : ramons en suivant la direction

36. Explication empruntée à Mollien, t. I, pp. 238-239 (voir *Notice*, p. 79).

37. *RP, 1833, 1842, 1845* : seulement se trouvèrent en état

38. *RP* : en état de service. C'était

39. Cette description rappelle le naufrage de *La Méduse* (2 juillet 1816).

40. *RP* : à côté de sa tête, la moitié

41. *RP* : que ses vergues

42. *RP* : leur vaisseau, emporté

43. *RP* : aperçut la carcasse d'un bâtiment démâté

44. *RP, 1833* : comme nègre rebelle;

45. *RP* : On le traita comme les nègres

FEDERIGO

Notice

Mérimée montre un désintérêt évident pour ce récit qu'il publie le 15 novembre 1829 dans la *Revue de Paris*, mais qu'il n'inclut dans *Mosaïque* qu'avec hésitation : « Je crois décidément qu'il n'y a pas d'inconvénient de mettre Federigo qui grossira le volume. D'ailleurs je l'ai signé. » (Lettre à Hippolyte Fournier, 19 avril 1833. *Corr. gén.*, t. XVI, p. 66.) Dans les recueils édités chez Charpentier le récit ne figure pas, et il ne reparaîtra qu'après la mort de Mérimée, dans *Dernières Nouvelles* (Paris, Michel Lévy, 1873).

Autre signe de désintérêt, lorsque Champfleury lui propose un rapprochement entre *Federigo* et la légende française du Bonhomme Misère, Mérimée se contente de répondre : « Je ne connais pas l'histoire du Bonhomme Misère. Celle de Federigo est populaire à Naples et n'est qu'une sorte de traduction. » (Lettre à Champfleury, 7 juin 1868. *Corr. gén.*, t. XIV, p. 154.) « Une sorte de traduction » — comme si, cette fois, il refusait de signer le récit.

Ce qui peut l'intéresser pourtant dans cette histoire est ce « mélange bizarre de la mythologie grecque avec les croyances du christianisme » auquel il fait allusion dans sa note (p. 105) : source de nombreuses erreurs surprenantes, cette sorte de syncrétisme culturel qui apparaît dans d'autres récits aussi *(La Vénus d'Ille, Arsène Guillot, Il Viccolo di Madama Lucrezia, Lokis)*, semble non seulement l'amuser, mais lui apparaît, probablement, comme le signe d'une mentalité « sauvage » qui rejette l'ordre intellectuel de la civilisation pour approcher de plus près les mystères qui dépassent la logique.

Notre texte est celui de *Mosaïque* (Paris, H. Fournier, 1833.) Les notes appelées par un astérisque sont de l'auteur.

FEDERIGO *

Il y avait une fois un jeune seigneur nommé Federigo [2], beau, bien fait, courtois et débonnaire, mais de mœurs fort dissolues; car il aimait avec excès le jeu, le vin et les femmes, surtout le jeu; n'allait jamais à confesse, et ne hantait les églises que pour y chercher des occasions de péché. Or il avint que Federigo, après avoir ruiné au jeu douze fils de famille (qui se firent ensuite malandrins, et périrent sans confession dans un combat acharné avec les condottieri du roi), perdit lui-même, en moins de rien, tout ce qu'il avait gagné, et de plus tout son patrimoine, sauf un petit manoir, où il alla cacher sa misère derrière les collines de Cava [a].

Trois ans s'étaient écoulés depuis qu'il vivait dans la solitude, chassant le jour, et faisant, le soir, sa partie d'hombre [b] avec le métayer. Un jour qu'il venait de rentrer au logis après une chasse, la plus heureuse qu'il eût encore faite, Jésus-Christ, suivi des saints apôtres, vint frapper à sa porte et lui demanda l'hospitalité. Federigo, qui avait l'âme généreuse, fut charmé de voir arriver des convives en un jour où il avait amplement de quoi les régaler. Il fit donc entrer les pèlerins dans sa case [c], leur offrit de la meilleure grâce du monde la table et le couvert, et les pria de l'excuser s'il ne les traitait pas selon leur mérite, se trouvant pris au dépourvu.

---

* Ce conte est populaire dans le royaume de Naples. On y remarque, ainsi que dans beaucoup d'autres nouvelles originaires de la même contrée, un mélange bizarre de la mythologie grecque avec les croyances du christianisme; il paraît avoir été composé vers la fin du Moyen Age [1].

a. Cava de' Tirreni, petite ville entre Naples et Salerne.

b. Jeu de cartes d'origine espagnole.

c. De l'italien *casa* (maison). Mérimée semble avoir choisi ce mot pour renforcer la couleur locale ou l'aspect archaïque.

Notre-Seigneur, qui savait à quoi s'en tenir sur l'opportunité de sa visite, pardonna à Federigo ce petit trait de vanité en faveur de ses dispositions hospitalières. « Nous nous contenterons de ce que vous avez, lui dit-il, mais faites apprêter votre souper le plus promptement possible, vu qu'il est tard, et que celui-ci a grand faim », ajouta-t-il en montrant saint Pierre. Federigo ne se le fit pas répéter, et voulant offrir à ses hôtes quelque chose de plus que le produit de sa chasse, il ordonna au métayer [3] de faire main basse sur son dernier chevreau, qui fut incontinent mis à la broche.

Lorsque le souper fut prêt et la compagnie à table, Federigo n'avait qu'un regret, c'était que son vin ne fût pas meilleur.

« Sire, dit-il à Jésus-Christ :

« Sire, je voudrais bien que mon vin fût meilleur;
« Néanmoins, tel qu'il est, je l'offre de grand cœur [4]. »

Sur quoi, Notre-Seigneur ayant goûté le vin : « De quoi vous plaignez-vous ? » dit-il à Federigo; « votre vin est parfait; je m'en rapporte à cet homme » (désignant du doigt l'apôtre saint Pierre). Saint Pierre, l'ayant savouré, le déclara excellent *(proprio stupendo* [a]*)*, et pria son hôte de boire avec lui.

Federigo, qui prenait tout cela pour de la politesse, fit néanmoins raison à l'apôtre; mais quelle fut sa surprise en trouvant ce vin plus délicieux qu'aucun de ceux qu'il eût jamais goûtés au temps de sa plus grande fortune! Reconnaissant à ce miracle la présence du Sauveur, il se leva aussitôt comme indigne de manger en si sainte compagnie : mais Notre-Seigneur lui ordonna de se rasseoir; ce qu'il fit sans trop de façons. Après le souper, durant lequel ils furent servis par le métayer et sa femme, Jésus-Christ se retira avec les apôtres dans l'appartement qui leur avait été préparé. Pour Federigo, demeuré seul avec le métayer, il fit sa partie d'hombre comme à l'ordinaire, en buvant ce qui restait du vin miraculeux.

Le jour suivant, les saints voyageurs étant réunis dans la salle basse avec le maître du logis, Jésus-Christ dit à Federigo : « Nous sommes très contents de l'accueil que tu nous as fait, et voulons t'en récompenser. Demande-nous trois grâces à ton choix et elles te seront accordées;

a. Vraiment merveilleux.

car toute puissance nous a été donnée au ciel, sur la terre et dans les enfers. »

Lors Federigo tirant de sa poche le jeu de cartes qu'il portait toujours sur lui : « Maître, dit-il, faites que je gagne infailliblement toutes les fois que je jouerai avec ces cartes. — Ainsi soit-il! » dit Jésus-Christ (*Ti sia concesso* [a]).

Mais saint Pierre, qui était auprès de Federigo, lui disait à voix basse : « A quoi penses-tu, malheureux pécheur ? Tu devais demander au maître le salut de ton âme.

— Je m'en inquiète peu, répondit Federigo.

— Tu as encore deux grâces à obtenir, dit Jésus-Christ.

— Maître, poursuivit l'hôte, puisque vous avez tant de bonté, faites, s'il vous plaît, que quiconque montera dans l'oranger qui ombrage ma porte, n'en puisse descendre sans ma permission. — Ainsi soit-il » dit Jésus-Christ.

A ces mots, l'apôtre saint Pierre donnant un grand coup de coude à son voisin : « Malheureux pécheur, lui dit-il, ne crains-tu pas l'enfer réservé à tes méfaits ? Demande donc au maître une place dans son saint paradis; il en est temps encore...

— Rien ne presse », repartit Federigo en s'éloignant de l'apôtre, et Notre-Seigneur ayant dit : « Que souhaites-tu pour troisième grâce ?

— Je souhaite, répondit-il, que quiconque s'assiéra sur cet escabeau, au coin de ma cheminée, ne puisse s'en relever qu'avec mon congé. » Notre-Seigneur, ayant exaucé ce vœu comme les deux premiers, partit avec ses disciples.

Le dernier apôtre ne fut pas plus tôt hors du logis, que Federigo, voulant éprouver la vertu de ses cartes, appela son métayer, et fit une partie d'hombre avec lui, sans regarder son jeu. Il la gagna d'emblée, ainsi qu'une seconde et une troisième. Sûr alors de son fait, il partit pour la ville, et descendit dans la meilleure hôtellerie, dont il loua le plus bel appartement. Le bruit de son arrivée s'étant aussitôt répandu, ses anciens compagnons de débauche vinrent en foule lui rendre visite.

« Nous te croyions perdu pour jamais, s'écria don Giuseppe; on assurait que tu t'étais fait ermite.

a. Que cela te soit accordé.

— Et l'on avait raison, répondit Federigo.

— A quoi diable as-tu passé ton temps depuis trois ans qu'on ne te voit plus ? demandèrent à la fois tous les autres.

— En prières, mes très chers frères, repartit Federigo d'un ton dévot ; et voici mes *Heures* », ajouta-t-il en tirant de sa poche le paquet de cartes qu'il avait précieusement conservé.

Cette réponse excita un rire général, et chacun demeura convaincu que Federigo avait réparé sa fortune en pays étranger aux dépens de joueurs moins habiles que ceux avec lesquels il se retrouvait alors, et qui brûlaient de le ruiner pour la seconde fois. Quelques-uns voulaient, sans plus attendre, l'entraîner à une table de jeu ; mais Federigo, les ayant priés de remettre la partie au soir, fit passer la compagnie dans une salle où l'on avait servi, par son ordre, un repas délicat, qui fut parfaitement accueilli.

Ce dîner fut plus gai que le souper des apôtres ; il est vrai qu'on n'y but que du malvoisie et du lacryma [a] ; mais les convives, excepté un, ne connaissaient pas de meilleur vin.

Avant l'arrivée de ses hôtes, Federigo s'était muni d'un jeu de cartes parfaitement semblable au premier, afin de pouvoir, au besoin, le substituer à l'autre, et en perdant une partie sur trois ou quatre, écarter tout soupçon de l'esprit de ses adversaires. Il avait mis l'un à sa droite et l'autre à sa gauche [5].

Lorsqu'on eut dîné, la noble bande étant assise autour d'un tapis vert, Federigo mit d'abord sur table les cartes profanes, et fixa les enjeux à une somme raisonnable pour toute la durée de la séance. Voulant alors se donner l'intérêt du jeu, et connaître la mesure de sa force, il joua de son mieux les deux premières parties, et les perdit l'une et l'autre, non sans un dépit secret. Il fit ensuite apporter du vin, et profita du moment où les gagnants buvaient à leurs succès passés et futurs, pour reprendre d'une main les cartes profanes, et les remplacer de l'autre par les bénites.

Quand la troisième partie fut commencée, Federigo, ne donnant plus aucune attention à son jeu, eut le loisir

---

a. Le malvoisie et le lacryma-christi sont des vins célèbres ; le premier est un muscat cuit, le second est un produit des vignes situées au pied du Vésuve.

d'observer celui des autres, et le trouva déloyal. Cette découverte lui fit grand plaisir. Il pouvait dès lors vider en conscience les bourses de ses adversaires. Sa ruine avait été l'ouvrage de leur fraude, non de leur bien-jouer ou de leur fortune : il pouvait donc concevoir une meilleure opinion de sa force relative, opinion justifiée par des succès antérieurs. L'estime de soi (car à quoi ne s'accroche-t-elle pas ?), la certitude de la vengeance et celle du gain, sont trois sentiments bien doux au cœur de l'homme. Federigo les éprouva tous à la fois; mais songeant à sa fortune passée, il se rappela les douze fils de famille aux dépens desquels il s'était enrichi; et, persuadé que ces jeunes gens étaient les seuls honnêtes joueurs auxquels il eût jamais eu affaire, il se repentit, pour la première fois, des victoires remportées sur eux. Un nuage sombre succéda sur son visage aux rayons de la joie qui perçait, et [6] il poussa un profond soupir en gagnant la troisième partie.

Elle fut suivie de plusieurs autres, dont Federigo s'arrangea pour gagner le plus grand nombre, en sorte qu'il recueillit dans cette première soirée de quoi payer son dîner et un mois du loyer de son appartement. C'était tout ce qu'il voulait pour ce jour-là. Ses compagnons, désappointés, promirent, en le quittant, de revenir le lendemain.

Le lendemain et les jours suivants, Federigo sut gagner et perdre si à propos, qu'il acquit en peu de temps une fortune considérable, sans que personne en soupçonnât la véritable cause. Alors il quitta son hôtel pour aller habiter un grand palais où il donnait de temps à autre des fêtes magnifiques. Les plus belles femmes se disputaient un de ses regards; les vins les plus exquis couvraient tous les jours sa table, et le palais de Federigo était réputé le centre des plaisirs.

Au bout d'un an de jeu discret, il résolut de rendre sa vengeance complète, en mettant à sec les principaux seigneurs du pays. A cet effet, ayant converti en pierreries la plus grande partie de son or, il les invita huit jours d'avance à une fête extraordinaire pour laquelle il mit en réquisition les meilleurs musiciens, baladins, etc., et qui devait se terminer par un jeu des mieux nourris. Ceux qui manquaient d'argent en extorquèrent aux juifs; les autres apportèrent ce qu'ils avaient, et tout fut raflé. Federigo partit dans la nuit avec son or et ses diamants.

De ce moment, il se fit une règle de ne jouer à coup

sûr qu'avec les joueurs de mauvaise foi, se trouvant assez
fort pour se tirer d'affaire avec les autres. Il parcourut
ainsi toutes les villes de la terre, jouant partout, gagnant
toujours, et consommant en chaque lieu ce que le pays
produisait de plus excellent.

Cependant le souvenir de ses douze victimes se présentait sans cesse à son esprit, et empoisonnait toutes ses
joies. Enfin il résolut un beau jour de les délivrer ou de se
perdre avec elles.

Cette résolution prise, il partit pour les enfers un
bâton à la main, et un sac sur le dos, sans autre escorte
que sa levrette favorite, qui s'appelait Marchesella. Arrivé
en Sicile, il gravit le mont Gibel [a], et descendit ensuite
dans le volcan, autant au-dessous du pied de la montagne, que la montagne elle-même s'élève au-dessus de
Piamonte [7]. De là, pour aller chez Pluton, il faut traver-
ser une cour gardée par Cerbère. Federigo la franchit
sans difficulté, pendant que Cerbère faisait fête à sa
levrette [8], et vint frapper à la porte de Pluton.

Lorsqu'on l'eut conduit en sa présence : « Qui es-tu ?
lui demanda le roi de l'abîme.

— Je suis le joueur Federigo.

— Que diable viens-tu faire ici ?

— Pluton, répondit Federigo, si tu estimes que le
premier joueur de la terre soit digne de faire ta partie
d'hombre, voici ce que je te propose : nous jouerons
autant de parties que tu voudras ; que j'en perde une seule,
et mon âme te sera légitimement acquise, avec toutes
celles qui peuplent tes États ; mais si je gagne, j'aurai le
droit d'en choisir une parmi tes sujettes, pour chaque
partie que j'aurai gagnée, et de l'emporter avec moi.

— Soit, dit Pluton ; et il demanda un paquet de cartes.

— En voici un », dit aussitôt Federigo en tirant de sa
poche le jeu miraculeux, et ils commencèrent à jouer.

Federigo gagna une première partie, et demanda à
Pluton l'âme de Stefano Pagani, l'un des douze qu'il voulait sauver. Elle lui fut aussitôt livrée ; et l'ayant reçue, il la
mit dans son sac. Il gagna de même une seconde partie,
puis une troisième, et jusqu'à douze, se faisant livrer
chaque fois, et mettant dans son sac, une des âmes auxquelles il s'intéressait. Lorsqu'il eut complété la douzaine, il offrit à Pluton de continuer.

---

a. Gibel (de l'arabe *djebel* : montagne) est un nom donné à l'Etna.

« Volontiers, dit Pluton (qui pourtant s'ennuyait de perdre), mais sortons un instant ; je ne sais quelle odeur fétide vient de se répandre ici. »

Or il cherchait un prétexte pour se débarrasser de Federigo ; car à peine celui-ci était-il dehors avec son sac et ses âmes, que Pluton cria de toute sa force qu'on fermât la porte sur lui.

Federigo, ayant de nouveau traversé la cour des enfers, sans que Cerbère y prît garde, tant il était charmé de sa levrette, regagna péniblement la cime du mont Gibel. Il appela ensuite Marchesella, qui ne tarda pas à le rejoindre, et redescendit vers Messine, plus joyeux de sa conquête spirituelle, qu'il ne l'avait jamais été d'aucun succès mondain. Arrivé à Messine, il s'y embarqua pour retourner en terre ferme, et terminer sa carrière dans son antique manoir.

. . . .

(A quelques mois de là, Marchesella mit bas une portée de petits monstres, dont quelques-uns avaient jusqu'à trois têtes. On les jeta tous à l'eau.)

. . . .

Au bout de trente ans (Federigo en avait alors soixante-dix), la Mort entra chez lui et l'avertit de mettre sa conscience en règle, parce que son heure était venue. « Je suis prêt, dit le moribond ; mais avant de m'enlever, ô Mort, donne-moi, je te prie, un fruit de l'arbre qui ombrage ma porte. Encore ce petit plaisir, et je mourrai content.

— S'il ne te faut que cela, dit la Mort, je veux bien te satisfaire » ; et elle monta dans l'oranger pour cueillir une orange. Mais lorsqu'elle voulut descendre, elle ne le put pas ; Federigo s'y opposait.

« Ah ! Federigo, tu m'as trompée, s'écria-t-elle ; je suis maintenant en ta puissance ; mais rends-moi la liberté, et je te promets dix ans de vie.

— Dix ans ! voilà grand-chose ! dit Federigo. Si tu veux descendre, ma mie, il faut être plus libérale.

— Je t'en donnerai vingt.

— Tu te moques !

— Je t'en donnerai trente.

— Tu n'es pas tout à fait au tiers.

— Tu veux donc vivre un siècle ?

— Tout autant, ma chère.

— Federigo, tu n'es pas raisonnable.

— Que veux-tu ! j'aime à vivre.

— Allons, va pour cent ans, dit la Mort; il faut bien en passer par-là »; et elle put aussitôt descendre.

Dès qu'elle fut partie, Federigo se leva dans un état de santé parfaite, et commença une nouvelle vie avec la force d'un jeune homme et l'expérience d'un vieillard. Tout ce que l'on sait de cette nouvelle existence est qu'il continua à satisfaire curieusement toutes ses passions, et particulièrement ses appétits charnels, faisant un peu de bien quand l'occasion s'en présentait, mais sans plus songer à son salut que pendant sa première vie.

Les cent ans révolus, la Mort vint de nouveau frapper à sa porte, et le trouva dans son lit.

« Es-tu prêt ? lui dit-elle.

— J'ai envoyé chercher mon confesseur, répondit Federigo; assieds-toi près du feu jusqu'à ce qu'il vienne. Je n'attends que l'absolution pour m'élancer avec toi dans l'éternité. »

La Mort, qui était bonne personne, alla s'asseoir sur l'escabeau, et attendit une heure entière, sans voir arriver le prêtre. Commençant enfin à s'ennuyer, elle dit à son hôte : « Vieillard, pour la seconde fois, n'as-tu pas eu le temps de te mettre en règle, depuis un siècle que nous ne nous sommes vus ?

— J'avais, par ma foi, bien autre chose à faire, dit le vieillard avec un sourire moqueur.

— Eh bien! reprit la Mort indignée de son impiété, tu n'as plus une minute à vivre!

— Bah! dit Federigo, tandis qu'elle cherchait en vain à se lever; je sais par expérience que tu est rop accommodante pour ne pas m'accorder encore quelques années de répit.

— Quelques années, misérable! (et elle faisait d'inutiles efforts pour sortir de la cheminée).

— Oui sans doute; mais cette fois-ci, je ne serai point exigeant, et, comme je ne tiens plus à la vieillesse, je me contenterai de quarante ans pour ma troisième course. »

La Mort vit bien qu'elle était retenue sur l'escabeau, comme autrefois sur l'oranger, par une puissance surnaturelle; mais, dans sa fureur, elle ne voulait rien accorder.

« Je sais un moyen de te rendre raisonnable », dit Federigo; et il fit jeter trois fagots sur le feu. La flamme eut en un moment rempli la cheminée [9], en sorte que la Mort était au supplice.

« Grâce, grâce, s'écria-t-elle en sentant brûler ses vieux os ; je te promets quarante ans de santé. »

A ces mots, Federigo dénoua le charme, et la Mort s'enfuit à demi rôtie.

Au bout du terme, elle revint chercher son homme, qui l'attendait de pied ferme, un sac sur le dos.

« Pour le coup, ton heure est venue, lui dit-elle en entrant brusquement : il n'y a plus à reculer ; mais que veux-tu faire de ce sac ?

— Il contient les âmes de douze joueurs de mes amis, que j'ai autrefois délivrés de l'enfer.

— Qu'ils y rentrent avec toi ! » dit la Mort ; et saisissant Federigo par les cheveux, elle s'élança dans les airs, vola vers le midi, et s'enfonça avec sa proie dans les gouffres du mont Gibel. Arrivée aux portes de l'enfer, elle frappa trois coups.

« Qui est là ? dit Pluton.

— Federigo le joueur, répondit la Mort.

— N'ouvrez pas, s'écria Pluton, qui se rappela aussitôt les douze parties qu'il avait perdues : ce coquin-là dépeuplerait mon empire. »

Pluton refusant d'ouvrir, la Mort transporta son prisonnier aux portes du purgatoire ; mais l'ange de garde lui en interdit l'entrée, ayant reconnu qu'il se trouvait en état de péché mortel. Il fallut donc à toute force et au grand regret de la Mort, qui en voulait à Federigo, diriger le convoi vers les régions célestes.

« Qui es-tu ? » dit saint Pierre à Federigo, quand la Mort l'eut déposé à l'entrée du paradis.

« Votre ancien hôte, répondit-il, celui qui vous régala jadis du produit de sa chasse.

— Oses-tu bien te présenter ici dans l'état où je te vois ? s'écria saint Pierre. Ne sais-tu pas que le ciel est fermé à tes pareils ? Quoi ! tu n'es pas même digne du purgatoire, et tu veux une place dans le paradis !

— Saint Pierre, dit Federigo, est-ce ainsi que je vous reçus quand vous vîntes avec votre divin maître, il y a environ cent quatre-vingts ans, me demander l'hospitalité ?

— Tout cela est bel et bon, repartit saint Pierre d'un ton grondeur, quoique attendri ; mais je ne puis pas prendre sur moi de te laisser entrer. Je vais informer Jésus-Christ de ton arrivée : nous verrons ce qu'il dira. »

Notre-Seigneur, étant averti, vint à la porte du paradis, où il trouva Federigo à genoux sur le seuil, avec ses douze âmes, six de chaque côté. Lors, se laissant toucher de compassion : « Passe encore pour toi, dit-il à Federigo ; mais ces douze âmes que l'enfer réclame, je ne saurais en conscience les laisser entrer.

— Eh quoi ! Seigneur, dit Federigo, lorsque j'eus l'honneur de vous recevoir dans ma maison, n'étiez-vous pas accompagné de douze voyageurs, que j'accueillis, ainsi que vous, du mieux qu'il me fut possible ?

— Il n'y a pas moyen de résister à cet homme, dit Jésus-Christ : entrez donc, puisque vous voilà ; mais ne vous vantez pas de la grâce que je vous fais : elle serait de mauvais exemple. »

Notes

Abréviation : *RP : Revue de Paris.*

1. *RP :* christianisme et une peinture de la vie prise à la fin du Moyen Age.

2. Federigo est le nom d'un personnage de Boccace (5e journée, 5e histoire). C'est un jeune seigneur qui se ruine pour l'amour d'une dame vertueuse, puis se retire dans un petit manoir. Il lui reste un faucon, seul signe de son ancien état, mais lorsque la dame lui rend visite, il fait égorger le précieux oiseau pour en régaler son invitée. Celle-ci, touchée de cette générosité, lui donne sa main. *Le Faucon* de La Fontaine est une reprise de cette histoire.

3. *RP :* chasse, ordonna au métayer

4. L'origine de ces deux vers est inconnue.

5. *RP :* Il portait l'un à droite et l'autre à gauche.

6. *RP :* la joie qui perce, et

7. *RP :* Piemonte

8. *RP :* Cerbère s'amusait avec sa levrette,

9. *RP :* rempli toute la cheminée

LE VASE ÉTRUSQUE

Notice

Cette fois, les sources sont autobiographiques. « Ne m'en voulez pas pour la mort de mon héros. J'avais une vengeance personnelle à exercer contre lui. Il m'avait tant ennuyé que je n'ai pu m'empêcher de le tuer. Mais je n'en reviens pas que mon héroïne ne vous enchante pas. Au fond c'est une très honnête femme, puisqu'elle avait un amant pour le bon motif. Tout son tort c'est de n'avoir pas calculé assez exactement le temps de son veuvage et elle avait des remords si l'on m'a bien instruit. » De cette lettre adressée à Sophie Duvaucel le 3 mars 1830 (*Corr. gén.*, t. I, pp. 60-61), les commentateurs ont conclu que Mérimée s'identifie à Saint-Clair, et, en effet, la ressemblance de certains traits ainsi que de la position sociale est incontestable. (Nietzsche est le seul à être informé autrement : « J'ai lu une nouvelle de Mérimée, *Le Vase Etrusque*, dans laquelle se trouverait dépeint le caractère d'Henry Beyle; ce serait celui de St. Clair, si le renseignement est exact. Tout cela est ironique, distingué et profondément mélancolique. » Lettre à Peter Gast, 18 juillet 1880. *Lettres choisies*, Paris, Stock, 1931, p. 162.)

Le duel est aussi une donnée biographique : en 1827, Mérimée fait la connaissance de Mme Lacoste, et, en janvier 1828, le mari qui surprend leur correspondance, le provoque en duel. Mme Lacoste a été auparavant la maîtresse de Joseph Bonaparte, et on a voulu voir une analogie, à notre avis fort incertaine, entre la réaction de Saint-Clair lorsque ses commensaux lui racontent que Mme de Coursy a été la maîtresse de Massigny, et celle, supposée, de Mérimée, lorsqu'il avait dû apprendre — autre supposition — cette partie du passé de Mme Lacoste. Quant à l'attitude de Saint-Clair pendant

le duel, elle est proche, semble-t-il, de celle de Mérimée :
« Par respect pour son titre de mari, Mérimée qui avait
un mépris complet pour l'homme joua avec une simplicité
qui n'avait rien d'affecté le rôle passif d'une cible », écrivit
Victor Jacquemont du duel entre Mérimée et Félix
Lacoste. (Lettre du 25 août 1830 à Zoé Noizet de Saint-
Paul, rédigée en anglais. Publiée par Maurice Parturier
dans « Précisions sur Mérimée », *Revue de Paris*, 1ᵉʳ septembre 1932.)

Dans les autres personnages on a cru pouvoir reconnaître Thiers, Victor Jacquemont, Charles Lenormant
et, éventuellement, d'autres amis de Mérimée, mais les
traits pris à ces différents modèles sont si bien mélan-
gés et les masques si bien arrangés qu'aucune identifi-
cation n'est certaine.

Plus important est-il peut-être de remarquer que
Mérimée essaie, avec cette nouvelle, de changer de
manière : il donne une analyse psychologique plus explicite que d'habitude, et l'histoire se déroule dans le
milieu mondain de Paris, domaine qu'il explore rarement.
Comme le montreront *La Double Méprise* et *Arsène Guillot* par la suite, le choix de ce milieu semble aller de pair
avec une description plus détaillée de la vie intérieure des
personnages. Toutefois, comme nous y avons fait allusion
dans notre introduction, ces modifications ne changent
rien aux structures fondamentales communes aux nouvelles.

Le Vase étrusque est publié le 14 février 1830 dans la
Revue de Paris, puis intégré dans *Mosaïque* (Paris,
H. Fournier, 1833) et dans *Colomba suivi de la Mosaïque
et autres Contes et Nouvelles* (Paris, Charpentier, 1842),
recueil qui aura plusieurs impressions corrigées. Le texte
est fixé en 1850, état que suit notre édition.

Dans notre volume, *Le Vase étrusque* se trouve à sa
place chronologique, c'est-à-dire qu'il précède *La Partie
de trictrac* au lieu de lui succéder comme dans *Mosaïque*.
La date placée sous le titre manque dans l'édition de la
Revue de Paris et dans l'édition de 1833.

LE VASE ÉTRUSQUE

1830

Auguste Saint-Clair n'était point aimé dans ce qu'on appelle le monde; la principale raison, c'était qu'il ne cherchait à plaire qu'aux gens qui [1] lui plaisaient à lui-même. Il recherchait [2] les uns et fuyait les autres. D'ailleurs il était distrait et indolent. Un soir, comme il sortait du Théâtre-Italien, la marquise A*** lui demanda comment avait chanté Mlle Sontag [a]. « Oui, madame », répondit Saint-Clair en souriant agréablement, et pensant à tout autre chose. On ne pouvait [3] attribuer cette réponse ridicule à la timidité, car il parlait à un grand seigneur, à un grand homme, et même à une femme à la mode, avec autant d'aplomb [4] que s'il eût entretenu son égal. — La marquise décida que Saint-Clair était un prodige d'impertinence et de fatuité.

Mme B*** l'invita à dîner un lundi. Elle [5] lui parla souvent; et, en sortant de chez elle, il déclara que jamais il n'avait rencontré de femme plus aimable. Mme B*** amassait de l'esprit chez les autres pendant un mois, et le dépensait chez elle en une soirée. Saint-Clair la revit le jeudi [6] de la même semaine. Cette fois, il s'ennuya quelque peu. Une autre visite le détermina à ne plus reparaître dans son salon. Mme B*** publia que Saint-Clair était un jeune homme sans manières et du plus mauvais ton.

Il était né avec un cœur tendre et aimant; mais à un âge où l'on prend trop facilement des impressions qui durent toute la vie, sa sensibilité trop expansive lui avait attiré les [7] railleries de ses camarades. Il était fier, ambitieux; il tenait à l'opinion comme y tiennent les enfants. Dès lors il se fit une étude de cacher tous [8] les dehors

---

a. Henriette Sontag (1805-1854), cantatrice allemande.

de ce qu'il regardait comme une faiblesse déshonorante.
Il [9] atteignit son but, mais sa victoire lui coûta cher. Il
put celer aux autres [10] les émotions de son âme trop
tendre ; mais en les renfermant en lui-même, il se les
rendit cent fois plus cruelles. Dans le monde il obtint la
triste réputation d'insensible et d'insouciant ; et, dans la
solitude, son imagination inquiète lui créait des tourments
d'autant plus affreux qu'il n'aurait voulu en confier le
secret à personne [11].

Il est vrai qu'il est difficile [12] de trouver un ami !

— Difficile ! Est-ce possible ? Deux hommes ont-ils
existé qui n'eussent pas de secret l'un pour l'autre ? —
Saint-Clair ne croyait guère à l'amitié, et l'on s'en apercevait. On le trouvait froid et réservé avec les jeunes
gens de la société [13]. Jamais il ne les questionnait sur
leurs secrets ; mais toutes ses pensées et la plupart de ses
actions étaient des mystères pour eux. Les Français
aiment à parler d'eux-mêmes ; aussi Saint-Clair était-il,
malgré lui, le dépositaire de bien des confidences. Ses
amis, et ce mot désigne les personnes que nous voyons
deux fois par semaine, se plaignaient de sa méfiance à leur
égard ; en effet, celui qui, sans qu'on l'interroge, nous
fait part de son secret, s'offense ordinairement de ne pas
apprendre le nôtre. On s'imagine qu'il doit y avoir réciprocité [14] dans l'indiscrétion.

« Il est boutonné jusqu'au menton », disait un jour
le beau chef d'escadron Alphonse de Thémines : « jamais
je ne pourrai avoir la moindre confiance dans ce diable de
Saint-Clair.

— Je le crois un peu jésuite, reprit Jules Lambert ;
quelqu'un m'a juré sa parole qu'il l'avait rencontré deux
fois sortant de Saint-Sulpice. Personne ne sait ce qu'il
pense. Pour moi, je ne pourrai jamais être à mon aise
avec lui. »

Ils se séparèrent. Alphonse rencontra Saint-Clair sur
le boulevard Italien, marchant la tête baissée et sans voir
personne. Alphonse l'arrêta, lui prit le bras, et, avant
qu'ils fussent arrivés à la rue de la Paix, il lui avait raconté
toute l'histoire de ses amours avec Mme ***, dont le mari
est si jaloux et si brutal.

Le même soir [15], Jules Lambert perdit son argent à
l'écarté. Il se mit à danser. En dansant il coudoya un
homme qui, ayant aussi perdu tout son argent, était de
fort mauvaise humeur. De là quelques mots piquants :
rendez-vous pris. Jules pria Saint-Clair de lui servir de

second, et, par la même occasion, lui emprunta de l'argent, qu'il a toujours oublié de lui rendre.

Après tout, Saint-Clair était un homme assez facile à vivre. Ses défauts ne nuisaient qu'à lui seul. Il était obligeant, souvent aimable, rarement ennuyeux. Il avait beaucoup voyagé, beaucoup lu, et ne parlait de ses voyages et de ses lectures que lorsqu'on l'exigeait. D'ailleurs il était grand, bien fait; sa physionomie était noble et spirituelle, presque toujours trop grave; mais son sourire était plein de grâce [16].

J'oubliais un point important. Saint-Clair était attentif auprès de toutes les femmes [17], et recherchait leur conversation plus que celle des hommes. Aimait-il ? C'est ce qu'il était difficile de décider. Seulement si cet être si froid ressentait de l'amour, on savait que la jolie comtesse Mathilde de Coursy devait être l'objet de sa préférence. C'était une jeune veuve chez laquelle on le voyait assidu. Pour conclure leur intimité, on avait les présomptions suivantes. D'abord la politesse presque cérémonieuse de Saint-Clair pour la comtesse, et *vice versa*; puis son affectation de ne [18] jamais prononcer son nom dans le monde; ou, s'il était obligé de parler d'elle, jamais le moindre éloge; puis, avant que Saint-Clair ne lui fût présenté, il aimait passionnément la musique, et la comtesse avait autant de goût pour la peinture. Depuis qu'ils s'étaient vus leurs goûts avaient changé. Enfin, la comtesse ayant été aux eaux l'année passée, Saint-Clair était parti six jours après elle.

. . . .

Mon devoir d'historien m'oblige à déclarer qu'une nuit du mois de juillet, peu de moments avant le lever du soleil, la porte du parc d'une maison de campagne s'ouvrit, et qu'il en sortit un homme avec toutes les précautions d'un voleur qui craint d'être surpris. Cette maison de campagne appartenait à Mme de Coursy, et cet homme était Saint-Clair. Une femme, enveloppée dans une pelisse, l'accompagna jusqu'à la porte, et passa la tête en dehors pour le voir encore plus longtemps tandis qu'il s'éloignait en descendant le sentier qui longeait le mur du parc. Saint-Clair s'arrêta, jeta autour de lui un coup d'œil circonspect, et de la main fit signe à cette femme de rentrer. La clarté d'une nuit d'été lui permettait de distinguer sa figure pâle, toujours immobile à la même place. Il revint sur ses pas, s'approcha d'elle et la

serra tendrement dans ses bras. Il voulait l'engager à
rentrer; mais il avait encore cent choses à lui dire. Leur
conversation durait depuis dix minutes, quand on entendit
la voix d'un paysan qui sortait pour aller travailler aux
champs. Un baiser est pris et rendu, la porte est fermée,
et Saint-Clair, d'un saut, est au bout du sentier.

Il suivait un chemin qui lui semblait bien connu. —
Tantôt il sautait presque de joie, et courait en frappant
les buissons de sa canne; tantôt il s'arrêtait ou marchait
lentement, regardant le ciel qui se colorait de pourpre
du côté de l'orient. Bref, à le voir, on eût dit un fou
enchanté d'avoir brisé sa cage. Après une demi-heure de
marche il était à la porte d'une petite maison isolée qu'il
avait louée pour la saison. Il avait une clef : il entra; puis
il se jeta sur un grand canapé, et là, les yeux fixes, la
bouche courbée par un doux sourire, il pensait, il rêvait
tout éveillé. Son imagination ne lui présentait alors que
des pensées de bonheur. « Que je suis heureux! se disait-il
à chaque instant. Enfin je l'ai rencontré ce cœur qui comprend le mien!... — Oui, c'est mon idéal que j'ai trouvé...
J'ai tout à la fois un *ami* et une maîtresse... Quel caractère!... quelle âme passionnée!... Non, elle n'a jamais aimé
avant moi... » Bientôt [19], comme la vanité se glisse toujours dans les affaires de ce monde : « C'est la plus belle
femme de Paris », pensait-il; et son imagination lui retra-
çait à la fois tous ses charmes. — « Elle m'a choisi entre
tous. Elle avait pour admirateurs l'élite de la société. Ce
colonel de hussards si beau, si brave, — et pas trop fat; —
ce jeune auteur qui fait de si jolies aquarelles et qui joue
si bien les proverbes; — ce Lovelace [a] russe qui a vu le
Balkan et qui a servi sous Diébitch [b], — surtout Camille
T***, qui a de l'esprit certainement, de belles manières,
un beau coup de sabre sur le front... elle les a tous écon-
duits. Et moi!... » Alors venait son refrain : « Que je suis
heureux! que je suis heureux! » Et il se levait, ouvrait la
fenêtre, car il ne pouvait respirer; puis il se promenait,
puis il se roulait sur son canapé.

Un amant heureux est presque aussi ennuyeux qu'un
amant malheureux. Un de mes amis, qui se trouvait souvent dans l'une ou l'autre de ces deux positions, n'avait
trouvé d'autre moyen de se faire écouter que de me don-

  a. Lovelace, personnage de *Clarisse Harlowe* de Richardson, prototype du séducteur cynique.
  b. Diébitch-Zabalkansky, maréchal russe (1785-1831), combattait
contre les Turcs pour la libération de la Grèce.

ner un excellent déjeuner pendant lequel il avait la liberté
de parler de ses amours ; le café pris, il fallait absolument
changer de conversation [20].

Comme je ne puis donner à déjeuner à tous mes lec-
teurs, je leur ferai grâce des pensées d'amour de Saint-
Clair. D'ailleurs on ne peut pas toujours rester dans [21] la
région des nuages. Saint-Clair était fatigué, il bâilla,
étendit les bras, vit qu'il était grand jour ; il fallait enfin
penser à dormir. Lorsqu'il se réveilla, il vit à sa montre
qu'il avait à peine le temps de s'habiller et de courir à
Paris, où il était invité à un déjeuner-dîner avec plusieurs
jeunes gens de sa connaissance.. . . . .
. . . .

On venait de déboucher une autre bouteille de vin de
Champagne ; je laisse au lecteur à en déterminer le
numéro. Qu'il lui suffise de savoir qu'on en était venu à
ce moment, qui arrive assez vite dans un déjeuner de
garçons, où tout le monde veut parler à la fois, où les
bonnes têtes commencent à concevoir des inquiétudes
pour les mauvaises.

« Je voudrais », dit Alphonse de Thémines, qui ne
perdait jamais une occasion de parler de l'Angleterre,
« je voudrais que ce fût la mode à Paris comme à Londres
de porter chacun un toast à sa maîtresse. De la sorte nous
saurions au juste pour qui soupire notre ami Saint-
Clair » ; et, en parlant ainsi, il remplit son verre et ceux
de ses voisins.

Saint-Clair, un peu embarrassé, se préparait à
répondre ; mais Jules Lambert le prévint : « J'approuve
fort cet usage, dit-il, et je l'adopte ; et, levant son verre :
A toutes les modistes de Paris ! J'en excepte celles qui
ont trente ans, les borgnes et les boiteuses, etc.

— Hurra ! hurra ! » crièrent les jeunes anglomanes [22].

Saint-Clair se leva, son verre à la main : « Messieurs,
dit-il, je n'ai point un cœur aussi vaste que notre ami
Jules, mais il est plus constant. Or ma constance est
d'autant plus méritoire que, depuis longtemps [23], je suis
séparé de la dame de mes pensées. Je suis sûr cependant
que vous approuverez mon choix, si toutefois vous n'êtes
pas déjà mes rivaux. A Judith Pasta, messieurs ! Puis-
sions-nous revoir bientôt la première tragédienne de
l'Europe [a] ! »

a. Judith Pasta, née Guiditta Negri (1797-1865), cantatrice qui
possédait un grand sens du tragique.

Thémines voulait critiquer le toast; mais les acclamations l'interrompirent. Saint-Clair ayant paré cette botte se croyait hors d'affaire pour la journée.

La conversation tomba d'abord sur les théâtres. La censure dramatique servit de transition pour parler de la politique [24]. De lord Wellington [a] on passa aux chevaux anglais, et des chevaux anglais aux femmes par une liaison d'idées facile à saisir; car, pour des jeunes gens, un beau cheval d'abord et une jolie maîtresse ensuite sont les deux objets les plus désirables.

Alors on discuta les moyens d'acquérir ces objets si désirables. Les chevaux s'achètent, on achète aussi des femmes; mais de celles-là n'en parlons point. Saint-Clair, après avoir modestement allégué son peu d'expérience sur ce sujet délicat, conclut que la première condition pour plaire à une femme c'est de se singulariser, d'être différent des autres. Mais y a-t-il une formule générale de singularité ? Il ne le croyait pas.

« Si bien qu'à votre sentiment, dit Jules, un boiteux ou un bossu sont plus en passe de plaire qu'un homme droit et fait comme tout le monde ?

— Vous poussez les choses bien loin, répondit Saint-Clair; mais j'accepte, s'il le faut, toutes les conséquences de ma proposition. Par exemple, si j'étais bossu, je ne me brûlerais pas la cervelle et je voudrais faire [25] des conquêtes. D'abord je ne m'adresserais qu'à deux sortes de femmes, soit à celles qui ont une véritable sensibilité, soit aux femmes, et le nombre en est grand, qui ont la prétention d'avoir un caractère original, *eccentric*, comme on dit en Angleterre. Aux premières [26] je peindrais l'horreur de ma position, la cruauté de la nature à mon égard. Je tâcherais de les apitoyer sur mon sort, je saurais leur faire soupçonner que je suis capable d'un amour passionné. Je tuerais en duel un de mes rivaux, et je m'empoisonnerais avec une faible dose de laudanum. Au bout de quelques mois on ne verrait plus ma bosse, et alors ce serait mon affaire d'épier le premier accès de sensibilité. Quant aux femmes qui prétendent à l'originalité, la conquête en est facile. Persuadez-leur seulement que c'est une règle bien et dûment établie qu'un bossu ne

a. Le duc de Wellington (1769-1852), vainqueur de Waterloo, était à cette époque un personnage très important dans la vie politique de l'Angleterre et de l'Europe.

peut avoir de bonne fortune; elles voudront aussitôt
donner le démenti à la règle générale.

— Quel don Juan! s'écria Jules.

— Cassons-nous les jambes, messieurs, dit le colonel
Beaujeu, puisque nous avons le malheur de n'être pas
nés bossus.

— Je suis tout à fait de l'avis de Saint-Clair, dit
Hector Roquantin, qui n'avait pas plus de trois pieds
et demi de haut; on voit tous les jours les plus belles
femmes et les plus à la mode se rendre à des gens dont
vous autres beaux garçons vous ne vous méfieriez jamais...

— Hector, levez-vous, je vous en prie, et sonnez pour
qu'on nous apporte du vin », dit Thémines de l'air du
monde le plus naturel.

Le nain se leva, et chacun se rappela en souriant la
fable du renard qui a la queue coupée [27].

« Pour moi, dit Thémines reprenant la conversation,
plus je vis et plus je vois qu'une figure passable, et en
même temps il jetait un coup d'œil complaisant sur la
glace qui lui était opposée, une figure passable et du
goût dans la toilette sont la grande singularité qui séduit
les plus cruelles »; et, d'une chiquenaude, il fit sauter une
petite miette de pain qui s'était attachée au revers de son
habit.

« Bah! s'écria le nain, avec une jolie figure [28] et un
habit de Staub [a] on a des femmes que l'on garde huit jours
et qui vous ennuient au second rendez-vous. Il faut autre
chose pour se faire aimer, ce qui s'appelle aimer... Il
faut...

— Tenez, interrompit Thémines, voulez-vous un
exemple concluant ? Vous avez tous connu Massigny, et
vous savez quel homme c'était. Des manières comme un
groom anglais, de la conversation comme son cheval...
Mais il était beau comme Adonis et mettait sa cravate
comme Brummel [b]. Au total c'était l'être le plus
ennuyeux que j'aie connu.

— Il a pensé me tuer d'ennui, dit le colonel Beaujeu.
Figurez-vous que j'ai été obligé de faire deux cents lieues
avec lui.

— Savez-vous, demanda Saint-Clair, qu'il a causé la
mort de ce pauvre Richard Thornton que vous avez tous
connu ?

a. Tailleur à la mode à l'époque.
b. George Brummell (1778-1840), prototype du dandy.

— Mais, répondit Jules, ne savez-vous donc pas qu'il a été assassiné par les brigands auprès de Fondi [a] ?

— D'accord; mais vous allez voir que Massigny a été au moins complice du crime. Plusieurs voyageurs, parmi lesquels se trouvait Thornton, avaient arrangé d'aller à Naples tous ensemble de peur des brigands. Massigny voulut se joindre à la caravane. Aussitôt que Thornton le sut il prit les devants, d'effroi, je pense, d'avoir à passer quelques jours avec lui. Il partit seul, et vous savez le reste.

— Thornton avait raison, dit Thémines; et de deux morts il choisit la [29] plus douce. Chacun à sa place en eût fait autant. » Puis, après une pause : « Vous m'accordez donc, reprit-il, que Massigny était l'homme [30] le plus ennuyeux de la terre ?

— Accordé! » s'écria-t-on par acclamation.

« Ne désespérons personne, dit Jules; faisons une exception en faveur de ***, surtout quand il développe ses plans politiques.

— Vous m'accorderez présentement, poursuivit [31] Thémines, que Mme de Coursy est une femme d'esprit s'il en fut. »

Il y eut un moment de silence. Saint-Clair baissait la tête et s'imaginait que tous les yeux étaient fixés sur lui.

« Qui en doute ? » dit-il enfin, toujours penché sur son assiette et paraissant observer avec beaucoup de curiosité les fleurs peintes sur la porcelaine.

« Je maintiens, dit Jules élevant la voix, je maintiens que c'est une des trois plus aimables femmes de Paris.

— J'ai connu son mari, dit le colonel. Il m'a souvent montré des lettres charmantes de sa femme.

— Auguste, interrompit Hector Roquantin, présentez-moi donc à la comtesse. On dit que vous faites chez elle la pluie et le beau temps.

— A la fin de l'automne, murmura Saint-Clair, quand elle sera de retour à Paris... Je... je crois qu'elle ne reçoit pas à la campagne.

— Voulez-vous m'écouter ? » s'écria Thémines. Le silence se rétablit. Saint-Clair s'agitait sur sa chaise comme un prévenu devant une cour d'assises.

« Vous n'avez pas vu la comtesse il y a trois ans, vous étiez alors en Allemagne, Saint-Clair, reprit Alphonse de Thémines [32] avec un sang-froid désespérant. Vous ne

a. Petite ville proche de Naples sur la via Appia.

pouvez vous faire une idée de ce qu'elle était alors : belle, fraîche comme une rose, vive surtout, et gaie comme un papillon. Eh bien! savez-vous, parmi ses nombreux adorateurs, lequel a été honoré de ses bontés ? Massigny! Le plus bête des hommes et le plus sot a tourné la tête de la plus spirituelle des femmes. Croyez-vous qu'un bossu aurait pu en faire autant ? Allez, croyez-moi, ayez une jolie figure, un bon tailleur, et soyez hardi. »

Saint-Clair était dans une position atroce. Il allait donner un démenti formel au narrateur; mais la peur de compromettre la comtesse le retint. Il aurait voulu pouvoir dire quelque chose en sa faveur; mais sa langue était glacée. Ses lèvres tremblaient de fureur, et il cherchait en vain dans son esprit quelque moyen détourné d'engager une querelle.

« Quoi! s'écria Jules d'un air de surprise, Mme de Coursy s'est donnée à Massigny! *Frailty, thy name is woman* [a]!

— C'est une chose si peu importante que la réputation d'une femme! dit Saint-Clair [33] d'un ton sec et méprisant. Il est bien permis de la mettre en pièces pour faire un peu d'esprit, et... »

Comme il parlait, il se rappela avec horreur un certain vase étrusque qu'il avait vu cent fois sur la cheminée de la comtesse à Paris. Il savait que c'était un présent de Massigny à son retour d'Italie; et, circonstance accablante! ce vase avait été apporté de Paris à la campagne. Et tous les soirs, en ôtant son bouquet, Mathilde le posait dans le vase étrusque.

La parole expira sur ses lèvres; il ne vit plus qu'une chose, il ne pensa plus qu'à une chose : le vase étrusque!

La belle preuve! dira un critique : soupçonner sa maîtresse pour si peu de chose! « Avez-vous été amoureux, monsieur le critique ? »

Thémines était en trop belle humeur pour s'offenser du ton que Saint-Clair avait pris en lui parlant. Il répondit d'un air de légèreté et de bonhomie : « Je ne fais que répéter ce que l'on a dit dans le monde. La chose passait pour certaine quand [34] vous étiez en Allemagne. Au reste je connais assez peu Mme de Coursy; il y a dix-huit mois que je ne suis allé chez elle [35]. Il est possible qu'on se soit trompé et que Massigny m'ait fait un conte. Pour en revenir à ce qui nous occupe, quand l'exemple que je

---

a. Shakespeare, *Hamlet*, I, II. « Fragilité, ton nom est femme! »

viens de citer serait faux, je n'en aurais pas moins raison. Vous savez tous que la femme de France la plus spirituelle, celle [36] dont les ouvrages [37]... »

La porte s'ouvrit, et Théodore Néville entra. Il revenait d'Egypte.

« Théodore! sitôt de retour! » Il fut accablé de questions.

« As-tu rapporté un véritable costume turc? demanda [38] Thémines. As-tu un cheval arabe et un groom égyptien?

— Quel homme est le pacha? dit Jules. Quand se rend-il indépendant [a]? As-tu vu couper une tête d'un seul coup de sabre?

— Et les *Almés* [b]? dit Roquantin. Les femmes sont-elles belles au Caire?

— Avez-vous vu le général L***? demanda [39] le colonel Beaujeu. Comment a-t-il organisé l'armée du pacha [c]? — Le colonel [40] C*** vous [41] a-t-il donné un sabre pour moi?

— Et les pyramides? et les cataractes du Nil? et la statue de Memnon [d]? Ibrahim pacha [e]? etc., etc., etc. » Tous parlaient à la fois; Saint-Clair ne pensait qu'au vase étrusque.

Théodore s'étant assis les jambes croisées, car il avait pris cette habitude en Egypte et n'avait pu la perdre en France, attendit que les questionneurs se fussent lassés, et parla comme il suit, assez vite pour n'être pas facilement interrompu.

« Les pyramides! d'honneur [f], c'est un *regular humbug* [g]. C'est bien moins haut qu'on ne croit. Le Munster à Strasbourg n'a que quatre mètres de moins [42]. Les antiquités me sortent par les yeux. Ne m'en parlez pas. La

---

a. Il s'agit de Mohamed Ali (1769-1849), allié des Turcs lors de l'insurrection grecque, mais mécontent de sa dépendance du sultan.

b. Les almées (de l'arabe *alema* : savante) sont des danseuses qui improvisent aussi des chants.

c. L'armée égyptienne avait été réorganisée avec l'aide des officiers français.

d. Statue colossale de Memnon, érigée près de Thèbes. Selon la légende, à l'aube, frappée par les premiers rayons du soleil, elle rendait des sons harmonieux.

e. Ibrahim Pacha (1792-1848), fils de Mohamed Ali, avait commandé l'expédition de Morée. Il était célèbre pour sa cruauté.

f. Parole d'honneur. Cette forme elliptique était à la mode à l'époque.

g. Une mystification en règle. (De l'allemand *ein regulärer Humbug.*)

seule vue d'un hiéroglyphe me ferait évanouir [43]. Il y a tant de voyageurs qui s'occupent de ces choses-là! Moi, mon but a été d'étudier la physionomie et les mœurs de toute cette population bizarre qui se presse dans les rues d'Alexandrie et du Caire, comme des Turcs, des Bédouins, des Coptes, des Fellahs, des Môghrebins [a]. J'ai rédigé quelques notes à la hâte pendant que j'étais au lazaret [44]. Quelle infamie que ce lazaret! J'espère que vous ne croyez pas à la contagion, vous autres! Moi, j'ai fumé tranquillement ma pipe au milieu de trois cents pestiférés. Ah! colonel, vous verriez là une belle cavalerie, bien montée. Je vous montrerai des armes superbes que j'ai rapportées [45]. J'ai un djérid [b] qui a appartenu au fameux Mourad bey [c]. Colonel, j'ai un yataghan pour vous et un khandjar pour Auguste. Vous verrez [46] mon *metchlâ*, mon *bournous*, mon *khaïk* [d]. Savez-vous qu'il n'aurait tenu qu'à moi de rapporter des femmes? Ibrahim pacha en a tant envoyé de Grèce qu'elles sont pour rien... Mais à cause de ma mère... J'ai beaucoup causé avec le pacha. C'est un homme d'esprit, parbleu! sans préjugés. Vous ne sauriez croire comme il entend bien nos affaires. D'honneur, il est informé des plus petits mystères de notre cabinet. J'ai puisé dans sa conversation des renseignements bien précieux sur l'état des partis en France... Il s'occupe beaucoup de statistique en ce moment. Il est abonné à tous nos journaux. Savez-vous qu'il est bonapartiste enragé! Il ne parle que de Napoléon. Ah! quel grand homme que *Bounabardo* [47]! me disait-il. Bounabardo, c'est ainsi qu'ils appellent Bonaparte.

« *Giourdina, c'est-à-dire Jourdain* [48] », murmura tout bas Thémines.

« D'abord, continua Théodore, Mohamed Ali était fort réservé avec moi. Vous savez que tous les Turcs sont

a. Les Bédouins sont des Arabes nomades, les Coptes des chrétiens d'Egypte, les fellahs (de l'arabe *fallâh* : cultivateur) des paysans arabes; par Maghrébins, Mérimée entend ici les habitants de l'Egypte occidentale.

b. *Djérid* : javelot. *Yatagan* : sabre turc à lame recourbée. *Khandjar* : long poignard dont la poignée n'a pas de garde.

c. Mourad Bey (1750 ?-1801), chef mamelouk qui commandait en Egypte lors de l'expédition de Bonaparte (1798). Il se soumit à Kléber et devint l'allié de la France.

d. *Machlah* (du verbe *chalaha* : porter sur soi) : long manteau de poil de chameau. *Haïk* : pièce d'étoffe dont se drapent les femmes musulmanes, par-dessus leurs vêtements.

très méfiants. Il me prenait pour un espion, le diable m'emporte! ou pour un jésuite. — Il a les jésuites en horreur. Mais au bout de quelques visites il a reconnu que j'étais un voyageur sans préjugés, curieux de m'instruire à fond des coutumes, des mœurs et de la politique de l'Orient. Alors il s'est déboutonné et m'a parlé à cœur ouvert. A ma dernière audience, c'était la troisième qu'il m'accordait, je pris la liberté de lui dire : « Je ne conçois pas pourquoi Ton Altesse ne se rend pas indépendante de la Porte. — Mon Dieu! me dit-il, je le voudrais bien; mais je crains que les journaux libéraux, qui gouvernent tout dans ton pays, ne me soutiennent pas quand une fois j'aurai proclamé l'indépendance de l'Egypte. » C'est un beau vieillard, belle barbe blanche, ne riant jamais. Il m'a donné des confitures excellentes; mais de tout ce que je lui ai donné, ce qui lui a fait le plus de plaisir, c'est la collection des costumes de la garde impériale par Charlet [a].

— Le pacha est-il romantique ? demanda Thémines.

— Il s'occupe peu de littérature; mais vous n'ignorez pas que la littérature arabe est toute romantique. Ils ont un poète nommé Melek Ayatalnefous-Ebn-Esraf, qui a publié dernièrement des *Méditations* auprès desquelles celles de Lamartine paraîtraient de la prose classique [b]. A mon arrivée au Caire, j'ai pris un maître d'arabe, avec lequel je me suis mis à lire le *Coran* [c]. Bien que je n'aie pris que peu de leçons, j'en ai assez vu pour comprendre les sublimes beautés du style du prophète, et combien sont mauvaises toutes nos traductions. Tenez, voulez-vous voir de l'écriture arabe ? Ce mot en lettres d'or, c'est *Allah*, c'est-à-dire Dieu. »

En parlant ainsi il montrait une lettre fort sale qu'il avait tirée d'une bourse de soie parfumée.

« Combien de temps es-tu resté en Egypte ? » demanda Thémines.

« Six semaines. »

Et le voyageur continua de tout décrire, depuis le cèdre jusqu'à l'hysope [49]. Saint-Clair sortit presque aussitôt après son arrivée, et reprit le chemin de sa maison de campagne. Le galop impétueux de son cheval l'empêchait de suivre nettement ses idées. Mais il sentait

a. Nicolas Charlet (1792-1845), élève de Gros, s'était spécialisé dans la peinture d'histoire et dans les sujets militaires.

b. Nom et personnage paraissent être de l'invention de Mérimée.

c. Les musulmans apprennent à lire dans le *Coran*.

vaguement que son bonheur en ce monde était détruit à jamais, et qu'il ne pouvait s'en prendre qu'à un mort et à un vase étrusque.

Arrivé chez lui, il se jeta sur le canapé où la veille il avait si longuement et si délicieusement analysé son bonheur. L'idée qu'il avait caressée le plus amoureusement, c'était que sa maîtresse n'était pas une femme comme une autre, qu'elle n'avait aimé et ne pourrait jamais aimer que lui. Maintenant ce beau rêve disparaissait devant la triste et cruelle réalité. « Je possède une belle femme, et voilà tout. Elle a de l'esprit : elle en est plus coupable ; elle a pu aimer Massigny !... Il est vrai qu'elle m'aime maintenant... de toute son âme... comme elle peut aimer. Etre aimé comme Massigny l'a été !... Elle s'est rendue à mes soins, à mes cajoleries, à mes importunités. Mais je me suis trompé. Il n'y avait pas de sympathie entre nos deux cœurs. Massigny ou moi, ce lui est tout un. Il est beau, elle l'aime pour sa beauté. J'amuse quelquefois madame. Eh bien ! aimons Saint-Clair, s'est-elle dit, puisque l'autre est mort ! Et si Saint-Clair meurt ou m'ennuie, nous verrons. »

Je crois fermement que le diable est aux écoutes, invisible auprès d'un malheureux qui se torture ainsi lui-même. Le spectacle est amusant pour l'ennemi des hommes ; et quand la victime sent ses blessures se fermer, le diable est là pour les rouvrir.

Saint-Clair crut entendre une voix qui murmurait à ses oreilles :

> L'honneur singulier
> D'être le successeur [50].........

Il se leva sur son séant et jeta un coup d'œil farouche autour de lui. Qu'il eût été heureux de trouver quelqu'un dans sa chambre ! Sans doute il l'eût déchiré.

La pendule sonna huit heures. A huit heures et demie, la comtesse l'attend. — S'il manquait au rendez-vous ! « Au fait, pourquoi revoir la maîtresse de Massigny ? » Il se recoucha sur son canapé et ferma les yeux. « Je veux dormir », dit-il. Il resta immobile une demi-minute, puis sauta en pieds et courut à la pendule pour voir le progrès du temps. « Que je voudrais qu'il fût huit heures et demie ! pensa-t-il. Alors il serait trop tard pour me mettre en route. » Dans son cœur il ne se sentait pas le courage de rester chez lui ; il voulait avoir un prétexte. Il aurait voulu être bien malade. Il se promena

dans la chambre, puis s'assit, prit un livre, et ne put lire
une syllabe. Il se plaça devant son piano, et n'eut pas la
force de l'ouvrir. Il siffla, il regarda les nuages et voulut
compter les peupliers devant ses fenêtres. Enfin il
retourna consulter la pendule, et vit qu'il n'avait pu
parvenir à passer trois minutes. « Je ne puis m'empêcher
de l'aimer, s'écria-t-il en grinçant les dents et frappant
du pied, elle me domine, et je suis son esclave, comme
Massigny l'a été avant moi ! Eh bien, misérable, obéis,
puisque tu n'as pas assez de cœur pour briser une
chaîne que tu hais ! » Il prit son chapeau et sortit précipitamment.

Quand une passion nous emporte, nous éprouvons
quelque consolation d'amour-propre à contempler notre
faiblesse du haut de notre orgueil. — Il est vrai que je
suis faible, se dit-on, mais si je voulais !

Il montait à pas lents le sentier qui conduisait à la
porte du parc, et de loin il voyait une figure blanche qui
se détachait sur la teinte foncée des arbres. De sa main,
elle agitait un mouchoir comme pour lui faire signe.
Son cœur battait avec violence, ses genoux tremblaient ;
il n'avait pas la force de parler, et il était devenu si
timide qu'il craignait que la comtesse ne lût sa mauvaise
humeur sur sa physionomie.

Il prit la main qu'elle lui tendait, lui baisa le front,
parce qu'elle se jeta sur son sein, et il la suivit jusque
dans son appartement, muet, et étouffant avec peine des
soupirs qui semblaient devoir faire éclater sa poitrine.

Une seule bougie éclairait le boudoir de la comtesse.
Tous deux s'assirent. Saint-Clair remarqua la coiffure de
son amie ; une seule rose dans ses cheveux. La veille il
lui avait apporté une belle gravure anglaise, la duchesse
de Portland d'après Lesly (elle est coiffée de cette
manière [51]), et Saint-Clair n'avait dit que ces mots :
« J'aime mieux cette rose toute simple que vos coiffures
compliquées. » Il n'aimait pas les bijoux, et il pensait
comme ce lord qui disait brutalement : « A femmes
parées, à chevaux caparaçonnés, le diable ne connaîtrait
rien. » La nuit dernière, en jouant avec un collier de
perles de la comtesse (car, en parlant, il fallait toujours
qu'il eût quelque chose entre les mains), il avait dit :
« Les bijoux ne sont bons que pour cacher des défauts.
Vous êtes trop jolie, Mathilde, pour en porter. » Ce soir,
la comtesse, qui retenait jusqu'à ses paroles les plus
indifférentes, avait ôté bagues, colliers, boucles d'oreilles

et bracelets. — Dans la toilette d'une femme il remarquait, avant tout, la chaussure, et, comme bien d'autres, il avait ses manies sur ce chapitre. Une grosse averse était tombée avant le coucher du soleil. L'herbe était encore toute mouillée; cependant la comtesse avait marché sur le gazon humide avec des bas de soie et des souliers de satin noir... Si elle allait être malade ?

« Elle m'aime », se dit Saint-Clair, et il soupira sur lui-même et sur sa folie, et il regardait Mathilde en souriant malgré lui, partagé entre sa mauvaise humeur et le plaisir de voir une jolie femme qui cherchait à lui plaire par tous ces petits riens qui ont tant de prix pour des amants.

Pour la comtesse, sa physionomie radieuse exprimait un mélange d'amour et de malice enjouée qui la rendait encore plus aimable. Elle [52] prit quelque chose dans un coffre en laque du Japon, et, présentant sa petite main fermée et cachant l'objet qu'elle tenait : « L'autre soir, dit-elle, j'ai cassé votre montre. La voici raccommodée. » Elle lui remit la montre [53], et le regardait d'un air à la fois tendre et espiègle, en se mordant la lèvre inférieure, comme pour s'empêcher de rire. Vive Dieu! que ses dents étaient belles! comme elles brillaient blanches sur le rose ardent de ses lèvres! (Un homme a l'air bien sot quand il reçoit froidement les cajoleries d'une jolie femme.)

Saint-Clair la remercia, prit la montre et allait la mettre dans sa poche : « Regardez donc, continua-t-elle, ouvrez-la, et voyez si elle est bien raccommodée. Vous qui êtes si savant, vous qui avez été à l'Ecole polytechnique, vous devez voir cela. — Oh! je m'y connais fort peu », dit Saint-Clair; et il ouvrit la boîte de la montre d'un air distrait. Quelle fut sa surprise! le portrait en miniature de Mme de Coursy était peint sur le fond de la boîte. Le moyen de bouder encore ? Son front s'éclaircit; il ne pensa plus à Massigny; il se souvint seulement qu'il était auprès d'une femme charmante, et que cette femme l'adorait. . . . .

L'alouette, cette messagère de l'aurore [54], commençait à chanter, et de longues bandes de lumière pâle sillonnaient les nuages à l'orient. C'est alors que Roméo dit adieu à Juliette; c'est l'heure classique où tous les amants doivent se séparer.

Saint-Clair était debout devant une cheminée, la clef du parc à la main, les yeux attentivement fixés sur le

vase étrusque dont nous avons déjà parlé. Il lui gardait
encore rancune au fond de son âme. Cependant il était
en belle humeur, et l'idée bien simple que Thémines
avait pu mentir commençait à se présenter à son esprit.
Pendant que la comtesse, qui voulait le reconduire jusqu'à la porte du parc, s'enveloppait la tête d'un châle,
il frappait doucement de sa clef le vase odieux, augmentant progressivement la force de ses coups, de manière
à faire croire qu'il allait bientôt le faire voler en éclats.

« Ah! Dieu! prenez garde! s'écria Mathilde; vous allez
casser mon beau vase étrusque! » Et elle lui arracha la
clef des mains.

Saint-Clair était très mécontent, mais il était résigné.
Il tourna le dos à la cheminée pour ne pas succomber à
la tentation, et, ouvrant sa montre, il se mit à considérer
le portrait qu'il venait de recevoir.

« Quel est le peintre ? » demanda-t-il.

« Monsieur R... Tenez, c'est Massigny qui me l'a fait
connaître. Massigny, depuis son voyage à Rome, avait
découvert qu'il avait un goût exquis pour les beaux-arts,
et s'était fait le Mécène de tous les jeunes artistes. Vraiment, je trouve que ce portrait me ressemble, quoique
un peu flatté. »

Saint-Clair avait envie de jeter la montre contre la
muraille, ce qui l'aurait rendue bien difficile à raccom-
moder. Il se contint pourtant et la remit dans sa poche;
puis, remarquant qu'il était déjà jour, il sortit de la maison, supplia Mathilde de ne pas l'accompagner, traversa
le parc à grands pas, et dans un moment il fut seul [55]
dans la campagne.

« Massigny, Massigny! s'écriait-il avec une rage
concentrée, te retrouverai-je donc toujours!... Sans doute,
le peintre qui a fait ce portrait en a peint un autre pour
Massigny!... Imbécile que j'étais! J'ai pu croire un instant que j'étais aimé d'un amour égal au mien... et cela
parce qu'elle se coiffe avec une rose et qu'elle ne porte
pas de bijoux!... elle en a [56] plein un secrétaire... Massigny, qui ne regardait que la toilette des femmes, aimait
tant les bijoux!... Oui, elle a un bon caractère, il faut en
convenir. Elle sait se conformer aux goûts de ses amants.
Morbleu! j'aimerais mieux cent fois qu'elle fût une
courtisane et qu'elle se fût donnée pour de l'argent. Au
moins pourrais-je croire qu'elle m'aime, puisqu'elle est
ma maîtresse et que je ne la paye pas. »

Bientôt une autre idée encore plus affligeante vint

s'offrir à son esprit. Dans quelques semaines le deuil de la comtesse allait finir [57]. Saint-Clair devait l'épouser aussitôt que l'année de son veuvage serait révolue. Il l'avait promis. Promis ? Non. Jamais il n'en avait parlé. Mais telle avait été son intention, et la comtesse l'avait comprise. Pour lui, cela valait un serment. La veille, il aurait donné un trône pour hâter le moment où il pourrait avouer publiquement son amour; maintenant il frémissait à la seule idée de lier son sort à l'ancienne maîtresse [58] de Massigny. « Et pourtant JE LE DOIS ! se disait-il, et cela sera. Elle a cru sans doute, pauvre femme, que je connaissais son intrigue passée. Ils disent que la chose a été publique. Et puis, d'ailleurs, elle ne me connaît pas... Elle ne peut me comprendre. Elle pense que je ne l'aime que comme Massigny l'aimait. » Alors il se dit non sans orgueil : « Trois mois elle m'a rendu le plus heureux des hommes. Ce bonheur vaut bien le sacrifice de ma vie entière. »

Il ne se coucha pas, et se promena à cheval dans les bois pendant toute la matinée. Dans une allée du bois de Verrières, il vit un homme monté sur un beau cheval anglais, qui de très loin l'appela par son nom et l'accosta sur-le-champ. C'était Alphonse de Thémines [59]. Dans la situation d'esprit où se trouvait Saint-Clair, la solitude est particulièrement agréable : aussi la rencontre de Thémines changea-t-elle sa mauvaise humeur en une colère étouffée. Thémines ne s'en apercevait pas, ou bien se faisait un malin plaisir de le contrarier. Il parlait, il riait, il plaisantait sans s'apercevoir qu'on ne lui répondait pas. Saint-Clair voyant une allée étroite y fit entrer son cheval aussitôt, espérant que le fâcheux ne l'y suivrait pas; mais il se trompait; un fâcheux ne lâche pas facilement sa proie. Thémines tourna bride et doubla le pas pour se mettre en ligne avec Saint-Clair et continuer la conversation plus commodément.

J'ai dit que l'allée était étroite. A toute peine les deux chevaux pouvaient y marcher de front; aussi n'est-il pas extraordinaire que Thémines, bien que très bon cavalier, effleurât le pied de Saint-Clair en passant à côté de lui. Celui-ci, dont la colère était arrivée à son dernier période, ne put se contraindre plus longtemps. Il se leva sur ses étriers et frappa fortement de sa badine le nez du cheval de Thémines.

« Que diable avez-vous, Auguste ? s'écria Thémines. Pourquoi battez-vous mon cheval ?

— Pourquoi me suivez-vous ? » répondit Saint-Clair d'une voix terrible.

« Perdez-vous le sens, Saint-Clair ? Oubliez-vous que vous me parlez ?

— Je sais bien [60] que je parle à un fat.

— Saint-Clair !... vous êtes fou, je pense... Ecoutez : demain vous me ferez des excuses, ou bien vous me rendrez raison de votre impertinence.

— A demain donc, monsieur. »

Thémines arrêta son cheval; Saint-Clair poussa le sien; bientôt il disparut dans le bois.

Dans ce moment [61] il se sentit plus calme. Il avait la faiblesse de croire aux pressentiments. Il pensait qu'il serait tué le lendemain, et alors c'était un dénouement tout trouvé à sa position. Encore un jour à passer; demain plus d'inquiétudes, plus de tourments. Il rentra chez lui, envoya son domestique avec un billet au colonel Beaujeu, écrivit quelques lettres, puis il dîna de bon appétit, et fut exact à se trouver à huit heures et demie à la petite porte du parc.

. . . .

« Qu'avez-vous donc aujourd'hui, Auguste ? dit la comtesse. Vous êtes d'une gaieté étrange, et pourtant vous ne pouvez me faire rire avec toutes vos plaisanteries. Hier vous étiez tant soit peu maussade, et moi j'étais si gaie! Aujourd'hui, nous avons changé de rôle. — Moi, j'ai un mal de tête affreux.

— Belle amie, je l'avoue [62], oui, j'étais bien ennuyeux hier. Mais aujourd'hui je me suis promené, j'ai fait de l'exercice; je me porte à ravir.

— Pour moi, je me suis levée tard, j'ai dormi longtemps ce matin, et j'ai fait des rêves fatigants.

— Ah! des rêves ? Croyez-vous aux rêves ?

— Quelle folie!

— Moi, j'y crois. Je parie que vous avez fait un rêve qui annonce quelque événement tragique.

— Mon Dieu, jamais je ne me souviens de mes rêves. Pourtant, je me rappelle... dans mon rêve j'ai vu Massigny; ainsi vous voyez que ce n'était rien de bien amusant.

— Massigny! j'aurais cru, au contraire, que vous auriez beaucoup de plaisir à le revoir ?

— Pauvre Massigny!

— Pauvre Massigny ?

— Auguste, dites-moi, je vous en prie, ce que vous avez ce soir. Il y a dans votre sourire [63] quelque chose

de diabolique. Vous avez l'air de vous moquer de vous-
même [64].

— Ah! voilà que vous me traitez aussi mal que me
traitent les vieilles douairières, vos amies.

— Oui, Auguste, vous avez aujourd'hui la figure que
vous avez avec les gens que vous n'aimez pas.

— Méchante! allons, donnez-moi votre main. » Il lui
baisa la main avec une galanterie ironique, et ils se
regardèrent fixement pendant une minute. Saint-Clair
baissa les yeux le premier et s'écria : « Qu'il est difficile
de vivre en ce monde sans passer pour méchant! Il fau-
drait ne jamais parler d'autre chose que du temps ou de
la chasse, ou bien discuter avec vos vieilles amies le
budget de leurs comités de bienfaisance. »

Il prit un papier sur une table : « Tenez, voici le
mémoire de votre blanchisseuse de fin. Causons [65] là-dessus, mon ange; comme cela, vous ne direz pas que je
suis méchant.

— En vérité, Auguste, vous m'étonnez...

— Cette orthographe me fait penser à une lettre que
j'ai trouvée ce matin. Il faut vous dire que j'ai rangé
mes papiers, car j'ai de l'ordre de temps en temps. Or
donc, j'ai retrouvé une lettre d'amour que m'écrivait
une couturière dont j'étais amoureux quand j'avais seize
ans [66]. Elle a une manière à elle d'écrire chaque mot, et
toujours la plus compliquée. Son style est digne de son
orthographe. Eh bien! comme j'étais alors tant soit peu
fat, je trouvai indigne de moi d'avoir une maîtresse qui
n'écrivît pas comme Sévigné. Je la quittai brusquement.
Aujourd'hui, en relisant cette lettre, j'ai reconnu que
cette couturière devait avoir un amour véritable pour
moi.

— Bon! une femme que vous entreteniez ?...

— Très magnifiquement : à cinquante francs par mois.
Mais mon tuteur ne me faisait pas une pension trop
forte, car il disait qu'un jeune homme qui a de l'argent
se perd et perd les autres.

— Et cette femme, qu'est-elle devenue ?

— Que sais-je ?... Probablement elle est morte à l'hôpital.

— Auguste... si cela était vrai, vous n'auriez pas cet
air insouciant.

— S'il faut dire la vérité, elle s'est mariée à un *honnête homme*; et quand on m'a émancipé, je lui ai donné
une petite dot.

— Que vous êtes bon!... Mais pourquoi voulez-vous paraître méchant ?

— Oh! je suis très bon... Plus j'y songe, plus je me persuade que cette femme m'aimait réellement... Mais alors je ne savais pas distinguer un sentiment vrai sous une forme ridicule.

— Vous auriez dû m'apporter votre lettre. Je n'aurais pas été jalouse... Nous autres femmes nous avons plus de tact que vous, et nous voyons tout de suite au style d'une lettre si l'auteur est de bonne foi, ou s'il feint une passion qu'il n'éprouve pas.

— Et cependant combien de fois vous laissez-vous attraper par des sots ou des fats! »

En parlant il regardait le vase étrusque, et il y avait dans ses yeux et dans sa voix une expression sinistre que Mathilde ne remarqua point.

« Allons donc! vous autres hommes, vous voulez tous passer pour des don Juan. Vous [67] vous imaginez que vous faites des dupes, tandis que souvent vous ne trouvez que des *doña Juana*, encore [68] plus rouées que vous.

— Je conçois qu'avec votre esprit supérieur, mesdames, vous sentez un sot d'une lieue. Aussi je ne doute pas que notre ami Massigny, qui était sot et fat, ne soit mort vierge et martyr...

— Massigny ? Mais il n'était pas trop sot; et puis il y a des femmes sottes. Il faut que je vous conte une histoire sur Massigny... Mais ne vous l'ai-je pas déjà contée, dites-moi ?

— Jamais, répondit Saint-Clair d'une voix tremblante.

— Massigny, à son retour d'Italie, devint amoureux de moi. Mon mari le connaissait; il me le présenta comme un homme d'esprit et de goût. Ils étaient faits l'un pour l'autre. Massigny fut d'abord très assidu; il me donnait comme de lui des aquarelles qu'il achetait chez Schroth [a], et me parlait musique et peinture avec un ton de supériorité tout à fait divertissant. Un jour il m'envoya une lettre incroyable. Il me disait, entre autres choses, que j'étais la plus honnête femme de Paris; c'est pourquoi il voulait être mon amant. Je montrai la lettre à ma cousine Julie. Nous étions deux folles alors, et nous résolûmes de lui jouer un tour. Un soir, nous

---

a. Marchand de tableaux, 353, rue Saint-Honoré.

avions quelques visites, entre autres Massigny. Ma cousine me dit [69] : « Je vais vous lire une déclaration d'amour que j'ai reçue ce matin. » Elle prend la lettre et la lit au milieu des éclats de rire... Le pauvre Massigny!... »

Saint-Clair tomba à genoux en poussant un cri de joie. Il saisit la main de la comtesse, et la couvrit de baisers et de larmes. Mathilde était dans la dernière surprise, et crut d'abord qu'il se trouvait mal. Saint-Clair ne pouvait dire que ces mots : « Pardonnez-moi! pardonnez-moi! » Enfin [70] il se releva. Il était radieux. Dans ce moment, il était plus heureux que le jour où Mathilde lui dit pour la première fois : Je vous aime.

« Je suis le plus fou et le plus coupable des hommes, s'écria-t-il; depuis deux jours je te soupçonnais... et je n'ai pas cherché une explication avec toi...

— Tu me soupçonnais!... Et de quoi ?

— Oh! je suis un misérable!... On m'a dit que tu avais aimé Massigny, et...

— Massigny! » et elle se mit à rire; puis, reprenant aussitôt son sérieux : « Auguste, dit-elle, pouvez-vous être assez fou pour avoir de pareils soupçons, et assez hypocrite pour me les cacher! » Une larme roulait dans ses yeux.

« Je t'en supplie, pardonne-moi.

— Comment ne te pardonnerais-je pas, cher ami ?... Mais d'abord laisse-moi te jurer...

— Oh! je te crois, je te crois, ne me dis rien.

— Mais, au nom du ciel, quel motif a pu te faire soupçonner une chose aussi improbable ?

— Rien, rien au monde que ma maudite tête... et... vois-tu, ce vase étrusque, je savais qu'il t'avait été donné par Massigny... »

La comtesse joignit les mains d'un air d'étonnement, puis elle s'écria, en riant aux éclats : « Mon vase étrusque! mon vase étrusque! »

Saint-Clair ne put s'empêcher de rire lui-même, et cependant de grosses larmes coulaient le long de ses joues. Il saisit Mathilde dans ses bras, et lui dit : « Je ne te lâche pas que tu ne m'aies pardonné.

— Oui, je te pardonne, fou que tu es, dit-elle en l'embrassant tendrement. Tu me rends bien heureuse aujourd'hui; voici la première fois que je te vois pleurer, et je croyais que tu ne pleurais pas. »

Puis se dégageant de ses bras elle saisit le vase étrusque et le brisa en mille pièces sur le plancher. (C'était une pièce rare et inédite ª. On y voyait peint, avec trois couleurs, le combat d'un Lapithe contre un Centaure.)

Saint-Clair fut, pendant quelques heures, le plus honteux et le plus heureux des hommes.

. . . .

« Eh bien! dit Roquantin au colonel Beaujeu qu'il rencontra le soir chez Tortoni ᵇ, la nouvelle est-elle vraie ?

— Trop vraie [71], mon cher, répondit le colonel d'un air triste.

— Contez-moi donc comment cela s'est passé.

— Oh! fort bien. Saint-Clair a commencé par me dire qu'il avait tort, mais qu'il voulait essuyer le feu de Thémines avant de lui faire des excuses. Je ne pouvais que l'approuver. Thémines voulait que le sort décidât lequel tirerait le premier. Saint-Clair a exigé que ce fût Thémines [72]. Thémines a tiré; j'ai vu Saint-Clair tourner une fois sur lui-même, et il est tombé roide mort. J'ai déjà remarqué dans bien des soldats frappés de coups de feu ce tournoiement étrange qui précède la mort.

— C'est fort extraordinaire, dit Roquantin. Et Thémines, qu'a-t-il fait ?

— Oh! ce qu'il faut faire en pareille occasion. Il a jeté son pistolet à terre d'un air de regret. Il l'a jeté si fort qu'il en a cassé le chien. C'est un pistolet anglais de Manton ᶜ; je ne sais s'il pourra trouver à Paris un arquebusier qui soit capable de lui en refaire un [73]. »

. . . .

La comtesse fut trois ans entiers sans voir personne; hiver comme été, elle demeurait dans sa maison de campagne, sortant à peine de sa chambre, et servie par une mulâtresse qui connaissait sa liaison avec Saint-Clair, et à laquelle elle ne disait pas deux mots par jour. Au bout de trois ans sa cousine Julie revint d'un long voyage; elle força la porte et trouva la pauvre Mathilde si maigre et si pâle, qu'elle crut voir le cadavre de cette femme qu'elle avait laissée belle et pleine de vie. Elle parvint avec peine à la tirer de sa retraite, et à l'emmener à Hyères. La comtesse y languit encore trois ou quatre mois, puis elle mourut d'une maladie de poitrine causée par des chagrins domestiques, comme dit le docteur M..., qui [74] lui donna des soins.

a. Une pièce est inédite si sa description n'a pas été publiée.
b. Café-glacier à la mode à l'époque, situé à l'angle du boulevard des Italiens et de la rue Taitbout.
c. Célèbre armurier anglais.

Notes

Abréviations : *RP* : *Revue de Paris; 1833* : *Mosaïque; 1842* : *Colomba; 1845* : réimpression de *Colomba.*

1. *RP, 1833* : aux personnes qui

2. *RP* : à lui-même. Pour lui la société se divisait en aimables et en ennuyeux. Il recherchait

3. *RP* : en souriant agréablement. On ne pouvait

4. *RP* : à un grand seigneur et même à un grand homme avec autant d'aplomb

5. *RP, 1833* : l'invita un lundi à dîner. Elle

6. *1833* : la voit le jeudi

7. *RP* : lui attira les

8. *RP, 1833, 1842, 1845* : une étude de supprimer tous

9. *RP* : de ce qu'il se reprochait comme un vice. Il

10. *RP, 1833, 1842, 1845* : Il put cacher aux autres

11. Les commentateurs sont d'accord pour affirmer que Mérimée décrit ici lui-même, et évoquent souvent un petit incident de l'enfance de l'écrivain : puni pour une faute légère par sa mère, il lui a demandé pardon à genoux et sur un ton si pathétique qu'elle ne put s'empêcher d'éclater de rire ; l'enfant qui se sentait offensé, se releva et déclara que plus jamais il ne demanderait pardon. Selon la plupart des biographes, cet événement aurait eu une influence décisive sur l'évolution du caractère de Mérimée.

12. *RP* : il est si difficile

13. *RP, 1833* : de sa société.

14. *RP* : avoir une réciprocité

15. *RP, 1833, 1842, 1845* : Le soir,

16. On pense que c'est le portrait du naturaliste Victor Jacquemont (1801-1832) pour qui Mérimée avait une profonde amitié et une grande admiration.

17. *RP, 1833* : attentif avec toutes les femmes,

18. *RP* : son affectation à ne

19. *RP, 1833* : avant moi et elle n'aimera jamais que moi... » Bientôt,

20. On pense ici aux relations de Mérimée avec Stendhal.

21. *RP* : on ne peut pas rester toujours dans

22. *RP* : Hurra! Hurra! crièrent tous les jeunes Anglomanes.
1833 : Hurra! Hurra! crièrent les jeunes Anglomanes.
1842, 1845 : « Hurra! Hurra! » crièrent les jeunes anglomanes.

23. *RP* : depuis bien longtemps,

24. *RP, 1833, 1842, 1845* : pour passer à la politique.

25. *1833, 1842, 1845* : et voudrais faire

26. *RP* : *eccentric*. Aux premières

27. La Fontaine, *Fables*, V, v.

28. *RP* : avec votre jolie figure

29. *RP* : il a choisi la

30. *RP, 1833* : était, de son vivant, l'homme

31. *RP, 1833, 1842, 1845* : vous m'accorderez également, poursuivit

32. *RP* : Adolphe de Thémines

33. *RP* : dit enfin Saint-Clair

34. *RP* : passait pour sûre quand

35. *RP, 1833* : que je n'ai été chez elle.

36. *RP* : la femme la plus spirituelle de France, celle

37. Allusion à Mme de Staël, amoureuse du jeune de Rocca.

38. *RP* : turc ? lui demanda

39. *RP* : le général ★★★ ? demanda

40. *RP* : Comment a-t-il arrangé son armée ? — Le colonel

41. *RP* : Le colonel ★★★ vous

42. La tour de la cathédrale de Strasbourg a 142 m de haut, et la grande pyramide, selon Jean-Jacques Ampère, mesure 146 m.

43. *RP* : me fait évanouir.

44. Les voyageurs du XIXᵉ sont souvent obligés de passer une période au lazaret : ainsi Mérimée à son retour de Grèce en 1841, et aussi Charles Lenormant qui, ayant participé à l'expédition de Champollion, aurait servi de modèle, selon certains commentateurs, pour le personnage de Théodore Néville. Mais, s'il est vrai que quelques faits évoqués ici — le passage au lazaret, le peu d'admiration pour les pyramides — peuvent rappeler le voyage de Lenormant en Egypte, à notre avis le portrait de Néville ne montre aucune ressemblance avec ce prétendu modèle.

45. *RP* : les belles armes que j'ai rapportées.

46. *RP* : pour Auguste. J'ai aussi un costume superbe. Vous verrez

47. On rapproche ce mot à *Buonaberdi* de Hugo (*Orientales*, XXXIX), qui commence ainsi : « Souvent Buonaberdi, sultan des Francs d'Europe [...] »

48. Molière, *Le Bourgeois gentilhomme*, V, I. « Jordina, c'est-à-dire Jourdain. »

49. *Bible, Rois*, I, IV, 33. Mérimée emploie volontiers cette expression.

50. L'origine de cette citation est inconnue.

51. Les commentateurs pensent au portrait de la duchesse de Portsmouth par Charles Lesly (1794-1859), et supposent que Mérimée a dû confondre les noms Portland et Portsmouth. Notons que sur la gravure reproduite dans l'édition de Maurice Parturier des *Romans et Nouvelles* (t. I), il n'y a pas de rose dans les cheveux du modèle.

52. *RP, 1833* : encore plus piquante. Elle

53. *RP* : L'autre soir, dit-elle, vous avez cassé votre montre chez moi, et vous m'avez prié [*sic*] de l'envoyer à mon horloger. La voici. Elle lui remit la montre,
1833 : L'autre soir, dit-elle, vous avez cassé votre montre, et vous m'avez priée de l'envoyer à mon horloger. La voici. Elle lui remit la montre,

54. Shakespeare, *Roméo et Juliette*, III, v.

55. *RP* : dans un moment se vit seul

56. *RP, 1833* : de bijoux !... Des bijoux !... elle en a

57. *RP, 1833* : Dans peu, les mois de deuil de la comtesse allaient finir.

58. *RP, 1833, 1842, 1845* : lier son sort à jamais avec l'ancienne maîtresse

59. *RP* : C'était Adolphe de Thémines.

60. *RP, 1833, 1842, 1845* : Je sais fort bien

61. *RP, 1833* : bois. De ce moment

62. *RP* : je vous l'avoue,

63. *RP* : Il y a dans votre voix et dans votre sourire

64. *RP* : de vous moquer de moi et de vous-même.

65. *RP* : de votre blanchisseuse. Causons

66. Mérimée écrira à Jenny Dacquin : « Quand j'étais écolier, je reçus d'une couturière un billet surmonté de deux cœurs enflammés [...], de plus une déclaration fort tendre. Mon maître d'études commença par me prendre mon billet, et l'on me mit en prison. Puis l'objet de cette naissante passion se consola avec le cruel maître d'études. » (Août-septembre 1832. *Corr. gén.*, t. I, p. 179.)

67. *RP* : des dons Juans. Vous

68. *RP, 1833* : tandis que vous ne trouvez que des *doñas Juanas*, encore

69. *RP, 1833* : cousine nous dit

70. *RP* : mots : « Pardonne-moi ! pardonne-moi ! » Enfin

71. *RP* : vraie ? / — Que trop vraie,

72. Ce comportement rappelle celui de Mérimée lors de son duel avec Félix Lacoste (voir *Notice*, p. 118).

73. *RP, 1833, 1842, 1845* : refaire un aussi bon. »

74. *RP* : le docteur Mésentère, qui

LA PARTIE DE TRICTRAC

Notice

Aucune source de cette nouvelle n'est connue. Les commentateurs ont rappelé que Mérimée avait un cousin, Jean-Augustin Marc, officier de la marine, avec qui il était en relation, et qu'il est allé voir à Cherbourg probablement au printemps de 1828; mais si Marc pouvait lui parler de la vie des officiers de la marine, rien ne permet de supposer que l'histoire fût inspirée par ses récits.

La nouvelle est publiée le 13 juin 1830 dans la *Revue de Paris*, puis intégrée dans *Mosaïque* (Paris, H. Fournier, 1833), et, ensuite, dans *Colomba suivi de la Mosaïque et autres Contes et Nouvelles* (Paris, Charpentier, 1842), recueil qui aura plusieurs réimpressions corrigées. Le texte est fixé en 1850, état que suit notre édition.

Dans notre volume, *La Partie de trictrac* est à sa place chronologique; elle succède au *Vase étrusque* au lieu de le précéder, comme dans *Mosaïque*. La date placée sous le titre manque dans l'édition de la *Revue de Paris* et dans l'édition de 1833.

LA PARTIE DE TRICTRAC

1830

Les voiles sans mouvement pendaient collées contre les mâts; la mer était unie comme une glace; la chaleur était étouffante, le calme désespérant.

Dans un voyage sur mer, les ressources d'amusement que peuvent offrir les hôtes d'un [1] vaisseau sont bientôt épuisées. On se connaît trop bien, hélas! lorsqu'on a passé quatre mois ensemble dans une maison de bois longue de cent vingt pieds. Quand vous voyez venir le premier lieutenant, vous savez d'abord qu'il vous parlera de Rio-Janeiro, d'où il vient [2]; puis du fameux pont d'Essling [a], qu'il a vu faire par les marins de la garde, dont il faisait partie. Au bout de quinze jours, vous connaissez jusqu'aux expressions qu'il affectionne, jusqu'à la ponctuation de ses phrases, aux différentes intonations de sa voix. Quand jamais a-t-il manqué de s'arrêter tristement après avoir prononcé pour la première fois dans son récit ce mot, *l'empereur*... « Si vous l'aviez vu alors!!! » (trois points d'admiration) ajoute-t-il invariablement. Et l'épisode du cheval du trompette, et le boulet qui ricoche et qui emporte une giberne où il y avait pour sept mille cinq cents francs en or et en bijoux, etc., etc.! — Le second lieutenant est un grand politique; il commente tous les jours le [3] dernier numéro du *Constitutionnel* [b], qu'il a emporté de Brest; ou, s'il quitte les sublimités de la politique pour descendre à la littérature, il vous régalera de l'analyse du dernier vaudeville qu'il a vu jouer. Grand Dieu!... Le commissaire

a. Pont de bateaux qui, passant par l'île Lobau, reliait les deux rives du Danube lors de la bataille d'Essling (21 et 22 mai 1809).
b. Quotidien parisien, organe de l'opposition libérale pendant la Restauration.

de marine [a] possédait une histoire bien intéressante. Comme il nous enchanta la première fois qu'il nous raconta son évasion du ponton de Cadix [b]! mais à la vingtième répétition, ma foi, l'on n'y pouvait plus tenir [4]...
— Et les enseignes, et les aspirants!... Le souvenir de leurs conversations me fait dresser les cheveux à la tête. Quant au capitaine, généralement c'est le moins ennuyeux du bord. En sa qualité de commandant despotique, il se trouve en état d'hostilité secrète contre tout l'état-major; il vexe, il opprime quelquefois, mais il y a un certain plaisir à pester contre lui. S'il a quelque manie fâcheuse pour ses subordonnés, on a le plaisir de voir son supérieur ridicule, et cela console un peu.

A bord du vaisseau sur lequel j'étais embarqué, les officiers étaient les meilleures gens du monde, tous bons diables, s'aimant comme des frères, mais s'ennuyant à qui mieux mieux. Le capitaine était le plus doux des hommes, point tracassier (ce qui est une rareté). C'était toujours à regret qu'il faisait sentir son autorité dictatoriale. Pourtant, que le voyage [5] me parut long! surtout ce calme qui nous prit quelques jours seulement avant de voir la terre!...

Un jour, après le dîner, que le désœuvrement nous avait fait prolonger aussi longtemps qu'il était humainement possible, nous étions tous rassemblés sur le pont, attendant le spectacle monotone mais toujours majestueux d'un coucher de soleil en mer. Les uns fumaient, d'autres relisaient pour la vingtième fois un des trente volumes de notre triste bibliothèque; tous bâillaient à pleurer. Un enseigne assis à côté de moi s'amusait, avec toute la gravité digne d'une occupation sérieuse, à laisser tomber, la pointe en bas, sur les planches du tillac, le poignard que les officiers de marine portent ordinairement en petite tenue. C'est un amusement comme un autre, et qui exige de l'adresse pour que la pointe se pique bien perpendiculairement dans le bois. Désirant faire comme l'enseigne, et n'ayant point de poignard à moi, je voulus emprunter celui du capitaine, mais il me refusa. Il tenait singulièrement à cette arme, et même il aurait été fâché de la voir servir à un amusement aussi futile. Autrefois ce poignard avait appartenu à un brave

a. Officier chargé de l'intendance et des travaux administratifs.
b. Après la capitulation de Bailén (16 juillet 1808), dix à douze mille prisonniers français ont été gardés sur huit pontons en rade de Cadix; il y eut de nombreuses tentatives d'évasion.

officier mort malheureusement dans la dernière guerre...
Je devinai qu'une histoire allait suivre, je ne me trompais
pas. Le capitaine commença sans se faire prier; quant
aux officiers qui nous entouraient, comme chacun d'eux
connaissait par cœur les infortunes du lieutenant Roger,
ils firent aussitôt une retraite prudente. Voici à peu près
quel fut le récit du capitaine :

« Roger, quand je le connus, était plus âgé que moi
de trois ans; il était lieutenant; moi, j'étais enseigne.
Je vous assure que c'était un des meilleurs officiers de
notre corps; d'ailleurs un cœur excellent, de l'esprit, de
l'instruction, des talents, en un mot un jeune homme
charmant. Il était malheureusement un peu fier et sus-
ceptible; ce qui tenait, je crois, à ce qu'il était enfant
naturel, et qu'il craignait que sa naissance ne lui fît
perdre de la considération dans le monde; mais, pour
dire la vérité, de tous ses défauts le plus grand c'était un
désir violent et continuel de primer partout où il se
trouvait. Son père, qu'il n'avait jamais vu, lui faisait une
pension qui aurait été bien plus que suffisante pour ses
besoins, si Roger n'eût pas été [6] la générosité même.
Tout ce qu'il avait était à ses amis. Quand il venait de
toucher son trimestre, c'était à qui irait le voir avec une
figure triste et soucieuse : « Eh bien! camarade, qu'as-
« tu ? demandait-il; tu m'as l'air de ne pouvoir pas
« faire grand bruit en frappant sur tes poches; allons,
« voici ma bourse, prends ce qu'il te faut, et viens-t'en
« dîner avec moi. »

« Il vint à Brest une jeune actrice fort jolie, nommée
Gabrielle [7] qui ne tarda pas à faire des conquêtes parmi
les marins et les officiers de la garnison. Ce n'était pas
une beauté régulière, mais elle avait de la taille, de beaux
yeux, le pied petit, l'air passablement effronté : tout cela
plaît fort quand on est dans les parages de vingt à vingt-
cinq ans. On la disait par-dessus le marché la plus capri-
cieuse créature de son sexe, et sa manière de jouer ne
démentait pas cette réputation. Tantôt elle jouait à ravir,
on eût dit une comédienne du premier ordre; le lendemain, dans la même pièce, elle était froide, insensible;
elle débitait son rôle comme un enfant récite son caté-
chisme. Ce qui intéressa surtout nos jeunes gens, ce fut
l'histoire suivante que l'on racontait d'elle. Il paraît
qu'elle avait été entretenue très richement à Paris par
un sénateur qui faisait, comme l'on dit, des folies pour
elle. Un jour cet homme, se trouvant chez elle, mit son

chapeau sur sa tête ; elle le pria de l'ôter, et se plaignit
même qu'il lui manquât de [8] respect. Le sénateur se mit
à rire, leva les épaules, et dit en se carrant dans un fauteuil : « C'est bien le moins que je me mette à mon aise
« chez une fille que je paye. » Un bon soufflet de cro-
cheteur, détaché par la blanche main de la Gabrielle, le
paya aussitôt de sa réponse et jeta son chapeau à l'autre
bout de la chambre. De là, rupture complète. Des
banquiers, des généraux avaient fait des offres considé-
rables à la dame ; mais elle les avait toutes refusées, et
s'était faite actrice, afin, disait-elle, de vivre indépendante.

« Lorsque Roger la vit et qu'il apprit cette histoire, il
jugea que cette personne était son fait, et, avec la franchise un peu brutale qu'on nous reproche, à nous autres
marins, voici comment il s'y prit pour lui montrer combien il était touché de ses charmes. Il acheta les plus
belles fleurs et les plus rares [9] qu'il put trouver à Brest,
en fit un bouquet qu'il attacha avec un beau ruban rose,
et dans le nœud arrangea très proprement un rouleau
de vingt-cinq napoléons ; c'était tout ce qu'il possédait
pour le moment. Je me souviens que je l'accompagnai
dans les coulisses pendant un entracte. Il fit à la Gabrielle
un compliment fort court sur la grâce qu'elle avait à
porter son costume, lui offrit le bouquet et lui demanda
la permission d'aller la voir chez elle. Tout cela fut dit
en trois mots.

« Tant que Gabrielle ne vit que les fleurs et le beau
jeune homme qui les lui présentait, elle lui souriait,
accompagnant son sourire d'une révérence des plus gra-
cieuses ; mais quand elle eut le bouquet entre les mains
et qu'elle sentit le poids de l'or, sa physionomie changea
plus rapidement que la surface de la mer soulevée par
un [10] ouragan des tropiques ; et certes elle ne fut guère
moins méchante, car elle lança de toute sa force le bouquet et les napoléons à la tête de mon pauvre ami, qui
en porta les marques sur la figure pendant plus de huit
jours. La sonnette du régisseur se fit entendre, Gabrielle
entra en scène et joua tout de travers.

« Roger, ayant ramassé son bouquet et son rouleau
d'or d'un air bien confus, s'en alla au café offrir le bouquet [11] (sans l'argent) à la demoiselle du comptoir, et
essaya, en buvant du punch, d'oublier la cruelle. Il n'y
réussit pas ; et, malgré le dépit qu'il éprouvait de ne
pouvoir se montrer avec son œil poché, il devint amoureux fou de la colérique Gabrielle. Il lui écrivait vingt

lettres par jour, et quelles lettres! soumises, tendres, respectueuses, telles qu'on pourrait les adresser à une princesse. Les premières lui furent renvoyées sans avoir été décachetées; les autres n'obtinrent pas de réponse. Roger cependant conservait quelque espoir, quand nous découvrîmes que [12] la marchande d'oranges du théâtre enveloppait ses oranges avec les lettres d'amour de Roger, que Gabrielle [13] lui donnait par un raffinement de méchanceté [14]. Ce fut un coup terrible pour la fierté de notre ami. Pourtant sa passion ne diminua pas. Il parlait de demander l'actrice en mariage; et comme on lui disait que le ministre de la marine n'y donnerait jamais son consentement, il s'écriait qu'il se brûlerait la cervelle.

« Sur ces entrefaites, il arriva que les officiers d'un régiment de ligne en garnison à Brest voulurent faire répéter un couplet de vaudeville à Gabrielle [15], qui s'y refusa par pur caprice. Les officiers et l'actrice s'opiniâtrèrent si bien, que les uns firent baisser la toile par leurs sifflets, et que l'autre s'évanouit. Vous savez ce que c'est que le parterre d'une ville de garnison. Il fut convenu entre les officiers que le lendemain et les jours suivants la coupable serait sifflée sans rémission, qu'on ne lui permettrait pas de jouer un seul rôle avant qu'elle n'eût fait amende honorable avec l'humilité nécessaire pour expier son crime. Roger n'avait point assisté à cette représentation; mais il apprit le soir même le scandale qui avait mis tout le théâtre en confusion, ainsi que les projets de vengeance qui se tramaient pour le lendemain. Sur-le-champ son parti fut pris.

« Le lendemain, lorsque Gabrielle parut, du banc des officiers partirent des huées et des sifflets à fendre les oreilles. Roger, qui s'était placé à dessein tout auprès des tapageurs, se leva, et interpella les plus bruyants en termes si outrageux, que [16] toute leur fureur se tourna aussitôt contre lui. Alors, avec un grand sang-froid, il tira son carnet de sa poche, et inscrivait les noms qu'on lui criait de toutes parts; il aurait pris rendez-vous pour se battre avec tout le régiment, si, par esprit de corps, un grand nombre d'officiers de marine ne fussent survenus, et n'eussent provoqué la plupart de ses adversaires. La bagarre fut vraiment effroyable.

« Toute la garnison fut consignée pour plusieurs jours; mais quand on nous rendit la liberté il y eut un terrible compte à régler. Nous nous trouvâmes une soixantaine sur le terrain. Roger, seul, se battit successi-

vement contre [17] trois officiers; il en tua un, et blessa
grièvement les deux autres sans recevoir une égratignure.
Je fus moins heureux pour ma part : un maudit lieutenant, qui avait été maître d'armes, me donna dans la
poitrine un grand coup d'épée, dont je manquai mourir.
Ce fut, je vous assure, un beau spectacle que ce duel, ou
plutôt cette bataille. La marine eut tout l'avantage, et le
régiment fut obligé de quitter Brest.

« Vous pensez bien que nos officiers supérieurs n'ou-
blièrent pas l'auteur de la querelle. Il eut pendant
quinze jours une sentinelle à sa porte.

« Quand ses arrêts furent levés, je sortis de l'hôpital,
et j'allai le voir. Quelle fut ma surprise, en entrant chez
lui, de le voir assis à déjeuner tête à tête avec Gabrielle!
Ils avaient l'air d'être depuis longtemps en parfaite
intelligence. Déjà ils se tutoyaient et se servaient du
même verre. Roger me présenta à sa maîtresse comme
son meilleur ami, et lui dit que j'avais été blessé dans
l'espèce d'escarmouche dont elle avait été la première
cause. Cela me valut un baiser de cette belle personne.
Cette fille avait les inclinations toutes martiales.

« Ils passèrent trois mois ensemble parfaitement heureux, ne se quittant pas d'un instant. Gabrielle paraissait l'aimer jusqu'à la fureur, et Roger avouait qu'avant
de connaître Gabrielle il n'avait pas connu l'amour.

« Une frégate hollandaise entra dans le port [18]. Les
officiers nous donnèrent à dîner. On but largement de
toutes sortes de vins; et, la nappe ôtée, ne sachant que
faire, car ces messieurs parlaient très mal français, on se
mit à jouer. Les Hollandais paraissaient avoir beaucoup
d'argent; et leur premier lieutenant surtout voulait jouer
si gros jeu, que pas un de nous ne se souciait de faire sa
partie. Roger, qui ne jouait pas d'ordinaire, crut qu'il
s'agissait dans cette occasion de soutenir l'honneur de
son pays. Il joua donc, et tint tout ce que voulut le lieutenant hollandais. Il gagna d'abord, puis perdit. Après
quelques alternatives de gain et de perte, ils se séparèrent
sans avoir rien fait. Nous rendîmes le dîner aux officiers
hollandais. On joua encore. Roger et le lieutenant furent
remis aux prises. Bref, pendant plusieurs jours ils se
donnèrent rendez-vous, soit au café, soit à bord, essayant
toutes sortes de jeux, surtout le trictrac [a], et augmentant

a. Jeu de dés, où l'on fait avancer, suivant le hasard des coups,
mais aussi suivant des calculs, des pions sur un tablier appelé également « trictrac ».

toujours leurs paris, si bien qu'ils en vinrent à jouer vingt-cinq napoléons la partie. C'était une somme énorme pour de pauvres officiers comme nous : plus de deux mois de solde! Au bout d'une semaine, Roger avait perdu tout l'argent qu'il possédait, plus trois ou quatre mille francs empruntés à droite et à gauche.

« Vous vous doutez bien que Roger et Gabrielle avaient fini par faire ménage commun et bourse commune : c'est-à-dire que Roger, qui venait de toucher une forte part de prises [a], avait mis à la masse dix ou vingt fois plus que l'actrice. Cependant il considérait toujours que cette masse appartenait [19] principalement à sa maîtresse, et il n'avait gardé pour ses dépenses particulières qu'une cinquantaine de napoléons. Il avait été cependant [20] obligé de recourir à cette réserve pour continuer à jouer. Gabrielle ne lui fit pas la moindre observation.

« L'argent du ménage prit le même chemin que son argent de poche. Bientôt Roger fut réduit à jouer ses derniers vingt-cinq napoléons. Il s'appliquait horriblement; aussi la partie fut-elle longue et disputée. Il vint un moment où Roger, tenant le cornet, n'avait plus qu'une chance pour gagner : je crois qu'il lui fallait six quatre [b]. La nuit était avancée. Un officier qui les avait longtemps regardés jouer avait fini par s'endormir sur un fauteuil. Le Hollandais était fatigué et assoupi; en outre, il avait bu beaucoup de punch [21]. Roger seul était bien éveillé, et en proie au plus violent désespoir. Ce fut en frémissant qu'il jeta les dés. Il les jeta si rudement sur le damier, que de la secousse une bougie tomba sur le plancher. Le Hollandais tourna la tête d'abord vers la bougie, qui venait de couvrir de cire son pantalon neuf, puis il regarda les dés. — Ils marquaient six et quatre. Roger, pâle comme la mort, reçut les vingt-cinq napoléons. Ils continuèrent à jouer. La chance devint favorable à mon malheureux ami, qui pourtant faisait écoles sur écoles [c], et qui casait [d] comme s'il avait voulu perdre. Le lieutenant hollandais s'entêta, doubla, décu-

a. Butin fait sur les navires ennemis.
b. Six et quatre, points que les dés devraient marquer.
c. Le joueur de trictrac qui marque mal à propos ses points ou oublie de les marquer, est « envoyé à l'école ».
d. Au trictrac, « caser » signifie mettre deux dames sur une flèche. (Le tablier est composé de cases triangulaires, appelées « flèches ».)

pla les enjeux : il perdit toujours. Je crois le voir encore ;
c'était un grand blond, flegmatique, dont la figure semblait être de cire. Il se leva enfin, ayant perdu quarante
mille francs [22], qu'il paya sans que sa physionomie décé-
lât la moindre émotion.

« Roger lui dit : « Ce que nous avons fait ce soir ne
« signifie rien, vous dormiez à moitié ; je ne veux pas de
« votre argent.

« — Vous plaisantez », répondit le flegmatique Hollandais ; « j'ai très bien joué, mais les dés ont été contre
« moi. Je suis sûr de pouvoir toujours vous gagner en
« vous rendant quatre trous [a]. Bonsoir ! » et il le quitta.

« Le lendemain nous apprîmes que, désespéré de sa
perte, il s'était brûlé la cervelle dans sa chambre après
avoir bu un bol de punch.

« Les quarante mille francs [23] gagnés par Roger étaient
étalés sur une table, et Gabrielle les contemplait avec un
sourire de satisfaction. « Nous voilà bien riches », dit-
elle ; « que ferons-nous de tout cet argent ? »

« Roger ne répondit rien ; il paraissait comme hébété
depuis la mort du Hollandais. « Il faut faire mille folies »,
continua la Gabrielle : « argent gagné aussi facilement
« doit se dépenser de même. Achetons une calèche, et
« narguons le préfet maritime et sa femme. Je veux
« avoir des diamants, des cachemires. Demande un
« congé et allons à Paris ; ici nous ne viendrons jamais à
« bout de tant d'argent ! » Elle s'arrêta pour observer
Roger, qui, les yeux fixés sur le plancher, la tête appuyée
sur sa main, ne l'avait pas entendue, et semblait rouler
dans sa tête les plus sinistres pensées.

« — Que diable as-tu, Roger ? » s'écria-t-elle en
appuyant une main sur son épaule. « Tu me fais la moue,
« je crois ; je ne puis t'arracher une parole.

« — Je suis bien malheureux », dit-il enfin avec un
soupir étouffé.

« — Malheureux ! Dieu me pardonne, n'aurais-tu pas
« des remords pour avoir plumé ce gros mynheer ? »

« Il releva la tête et la regarda d'un œil hagard.

« — Qu'importe », poursuivit-elle, « qu'importe qu'il
« ait pris la chose au tragique et qu'il se soit brûlé ce
« qu'il avait de cervelle ! Je ne plains pas les joueurs qui

---

a. Aux bords de la table de jeu sont percés des trous, destinés à
recevoir des fichets qui marquent les gains. Gagner une partie de
trictrac, c'est faire douze trous. Rendre quatre trous, c'est donner
un avantage de quatre trous.

« perdent ; et certes son argent est mieux entre nos mains
« que dans les siennes : il l'aurait dépensé à boire et à
« fumer, au lieu que nous, nous allons faire mille extra-
« vagances toutes plus élégantes les unes que les autres. »

« Roger se promenait par la chambre, la tête penchée
sur sa poitrine, les yeux à demi fermés et remplis de
larmes. Il vous aurait fait pitié si vous l'aviez vu.

« — Sais-tu », lui dit Gabrielle, « que des gens qui ne
« connaîtraient pas ta sensibilité romanesque pourraient
« bien croire que tu as triché ?

« — Et si cela était vrai ? » s'écria-t-il d'une voix
sourde en s'arrêtant devant elle.

« — Bah ! » répondit-elle en souriant, « tu n'as pas
« assez d'esprit pour tricher au jeu.

« — Oui, j'ai triché, Gabrielle ; j'ai triché comme un
« misérable que je suis. »

« Elle comprit à son émotion qu'il ne disait que trop
vrai : elle s'assit sur un canapé et demeura quelque
temps sans parler : « J'aimerais mieux », dit-elle enfin
d'une voix très émue, « j'aimerais mieux que tu eusses
« tué dix hommes que d'avoir triché au jeu. »

« Il y eut un mortel silence d'une demi-heure. Ils
étaient assis tous les deux sur le même sofa, et ne se
regardèrent pas une seule fois. Roger se leva le premier,
et lui dit bonsoir d'une voix assez calme.

« — Bonsoir ! » lui répondit-elle d'un ton sec et froid.

« Roger m'a dit depuis qu'il se serait tué ce jour-là
même s'il n'avait craint que nos camarades ne devi-
nassent la cause de son suicide. Il ne voulait pas que sa
mémoire fût infâme.

« Le lendemain, Gabrielle fut aussi gaie qu'à l'ordinaire ; on eût dit qu'elle avait déjà oublié la confidence
de la veille. Pour Roger, il était devenu sombre, fantasque,
bourru ; il sortait à peine de sa chambre, évitait ses amis,
et passait souvent des journées entières sans adresser une
parole à sa maîtresse. J'attribuais sa tristesse à une sensibilité honorable, mais excessive, et j'essayai plusieurs
fois de le consoler ; mais il me renvoyait bien loin, en
affectant une grande indifférence pour son partner [24]
malheureux. Un jour même il fit une sortie violente
contre la nation hollandaise, et voulut me soutenir qu'il
ne pouvait pas y avoir en Hollande un seul honnête
homme. Cependant il s'informait en secret de la famille
du lieutenant hollandais, mais personne ne pouvait lui
en donner des nouvelles [25].

« Six semaines après cette malheureuse partie de trictrac, Roger trouva chez Gabrielle un billet écrit par un
aspirant qui paraissait la remercier de bontés qu'elle
avait eues pour lui. Gabrielle était le désordre en personne, et le billet en question avait été laissé par elle sur
sa cheminée. Je ne sais si elle avait été infidèle, mais
Roger le crut, et sa colère fut épouvantable. Son amour
et un reste d'orgueil étaient les seuls sentiments qui
pussent encore l'attacher à la vie, et le plus fort de ses
sentiments [26] allait être ainsi soudainement détruit. Il
accabla d'injures l'orgueilleuse comédienne; et, violent
comme il était, je ne sais comment il se fit qu'il ne la
battît pas.

« — Sans doute », lui dit-il, « ce freluquet vous a
« donné beaucoup d'argent ? C'est la seule chose que
« vous aimiez, et vous accorderiez vos faveurs au plus
« sale de nos matelots s'il avait de quoi les payer. »

« — Pourquoi pas ? » répondit froidement l'actrice.
« Oui, je me ferais payer par un matelot, mais... *je ne le*
« *volerais pas*. »

« Roger poussa un cri de rage. Il tira en tremblant
son poignard, et un instant regarda Gabrielle avec des
yeux égarés; puis rassemblant toutes ses forces, il jeta
l'arme à ses pieds et s'échappa de l'appartement pour ne
pas céder à la tentation [27] qui l'obsédait.

« Ce soir-là même je passai fort tard devant son loge-
ment, et voyant de la lumière chez lui, j'entrai pour lui
emprunter un livre. Je le trouvai fort occupé à écrire. Il
ne se dérangea point, et parut à peine s'apercevoir de
ma présence dans sa chambre. Je m'assis près de son
bureau et je contemplai ses traits; ils étaient tellement
altérés, qu'un autre que moi aurait eu de la peine à le
reconnaître. Tout d'un coup j'aperçus sur le bureau une
lettre déjà cachetée, et qui m'était adressée. Je l'ouvris
aussitôt. Roger m'annonçait qu'il allait mettre fin à ses
jours, et me chargeait de différentes commissions. Pendant que je lisais, il écrivait toujours sans prendre garde
à moi : c'était à Gabrielle qu'il faisait ses adieux... Vous
pensez quel fut mon étonnement, et ce que je dus lui
dire, confondu comme je l'étais de sa résolution : « Comment, tu veux te tuer, toi qui es si heureux ? »

« — Mon ami », me dit-il en cachetant sa lettre, « tu
« ne sais rien; tu ne me connais pas, je suis un fripon;
« je suis si méprisable, qu'une fille de joie m'insulte; et
« je sens si bien ma bassesse, que je n'ai pas la force de

« la battre. » Alors il me raconta l'histoire de la partie
de trictrac, et tout ce que vous savez déjà. En l'écoutant,
j'étais pour le moins aussi ému que lui; je ne savais que
lui dire; je lui serrais les mains, j'avais les larmes aux
yeux, mais je ne pouvais parler. Enfin l'idée me vint de
lui représenter qu'il n'avait pas à se reprocher d'avoir
causé volontairement la ruine du Hollandais, et qu'après
tout il ne lui avait fait perdre par sa... tricherie... que
vingt-cinq napoléons.

« — Donc! » s'écria-t-il avec une ironie amère, « je
« suis un petit voleur et non un grand. Moi qui avais
« tant d'ambition! N'être qu'un friponneau! » Et il
éclata de rire. Je fondis en larmes.

« Tout à coup la porte s'ouvrit; une femme entra et
se précipita dans ses bras : c'était Gabrielle. « Pardonne-
« moi », s'écria-t-elle en l'étreignant avec force, « par-
« donne-moi. Je le sens bien, je n'aime que toi. Je
« t'aime mieux maintenant que si tu n'avais pas fait ce
« que tu te reproches. Si tu veux, je volerai... j'ai déjà
« volé... Oui, j'ai volé... j'ai volé une montre d'or...
« Que peut-on faire de pis ? »

« Roger secoua la tête d'un air d'incrédulité; mais
son front parut s'éclaircir. « Non, ma pauvre enfant »,
dit-il en la repoussant avec douceur, « il faut absolument
« que je me tue. Je souffre trop, je ne puis résister à la
« douleur que je sens là. »

« — Eh bien! si tu veux mourir, Roger, je mourrai
« avec toi! Sans toi, que m'importe la vie! J'ai du cou-
« rage, j'ai tiré des fusils; je me tuerai tout comme un
« autre [28]. D'abord, moi qui ai joué la tragédie, j'en ai
« l'habitude. » Elle avait les larmes aux yeux en commençant, cette dernière idée la fit rire, et Roger lui-
même laissa échapper un sourire. « Tu ris, mon officier »,
s'écria-t-elle en battant des mains et en l'embrassant;
« tu ne te tueras pas! » Et elle l'embrassait toujours,
tantôt pleurant, tantôt riant, tantôt jurant comme un
matelot; car elle n'était pas de ces femmes qu'un gros
mot effraye.

« Cependant je m'étais emparé des pistolets et du
poignard de Roger, et je lui dis : « Mon cher Roger, tu
« as une maîtresse et un ami qui t'aiment. Crois-moi,
« tu peux encore avoir quelque bonheur en ce monde. »
Je sortis après l'avoir embrassé, et je le laissai seul avec
Gabrielle.

« Je crois que nous ne serions parvenus qu'à retarder

seulement son funeste dessein, s'il n'avait reçu du ministre l'ordre de partir, comme premier lieutenant, à bord d'une frégate qui devait aller croiser dans les mers de l'Inde, après avoir passé au travers de l'escadre anglaise qui bloquait le port [29]. L'affaire était hasardeuse. Je lui fis entendre qu'il valait mieux mourir noblement d'un boulet anglais que de mettre fin lui-même à ses jours, sans gloire et sans utilité pour son pays. Il promit de vivre. Des 40 000 francs [30], il en distribua la moitié à des matelots estropiés ou à des veuves et des enfants de marins. Il donna le reste à Gabrielle, qui d'abord jura de n'employer cet argent qu'en bonnes œuvres. Elle avait bien l'intention de tenir parole, la pauvre fille; mais l'enthousiasme était chez elle de courte durée. J'ai su depuis qu'elle donna quelques milliers de francs aux pauvres. Elle s'acheta des chiffons avec le reste.

« Nous montâmes, Roger et moi, sur une belle frégate, *La Galatée* [31] : nos hommes étaient braves, bien exercés, bien disciplinés; mais notre commandant était un ignorant, qui se croyait un Jean Bart [a] parce qu'il jurait mieux qu'un capitaine d'armes [b], parce qu'il écorchait le français et qu'il n'avait jamais étudié la théorie de sa profession, dont il entendait assez médiocrement la pratique. Pourtant le sort le favorisa d'abord. Nous sortîmes heureusement de la rade, grâce à un coup de vent qui força l'escadre de blocus de gagner le large, et nous commençâmes notre croisière par brûler une corvette anglaise et un vaisseau de la compagnie [c] sur les côtes de Portugal.

« Nous voguions lentement vers les mers de l'Inde, contrariés par les vents et par les fausses manœuvres de notre capitaine, dont la maladresse augmentait le danger de notre croisière. Tantôt chassés par des forces supérieures, tantôt poursuivant des vaisseaux marchands, nous ne passions pas un seul jour sans quelque aventure nouvelle. Mais ni la vie hasardeuse que nous menions, ni les fatigues que lui donnait le détail [d] de la frégate dont il était chargé, ne pouvaient distraire Roger des tristes pensées qui le poursuivaient sans relâche. Lui qui passait

a. Jean Bart (1650-1702), corsaire célèbre pour son intrépidité.
b. Le capitaine d'armes est le sous-officier chargé de la mousqueterie du navire.
c. Compagnie commerciale anglaise, appelée « Compagnie des Indes ».
d. Service concernant le gréement, les approvisionnements, la police du navire.

autrefois pour l'officier le plus actif et le plus brillant de notre port, maintenant il se bornait à faire seulement son devoir. Aussitôt que son service était fini, il se renfermait dans sa chambre, sans livres, sans papier; il passait des heures entières couché dans son cadre [a], et le malheureux ne pouvait dormir.

« Un jour, voyant son abattement, je m'avisai de lui dire : « Parbleu! mon cher, tu t'affliges pour peu de chose.
« Tu as escamoté vingt-cinq napoléons à un gros Hol-
« landais, bien! — et tu as des remords pour plus d'un
« million. Or, dis-moi, quand tu étais l'amant de la femme
« du préfet de..., n'en avais-tu point ? Pourtant elle
« valait mieux que vingt-cinq napoléons. »

« Il se retourna sur son matelas sans me répondre.

« Je poursuivis : « Après tout, ton crime, puisque tu
« dis que c'est un crime, avait un motif honorable, et
« venait d'une âme élevée. »

« Il tourna la tête et me regarda d'un air furieux.

« — Oui, car enfin, si tu avais perdu, que devenait
« Gabrielle ? Pauvre fille, elle aurait vendu sa dernière
« chemise pour toi... Si tu perdais, elle était réduite à
« la misère... C'est pour elle, c'est par amour pour elle
« que tu as triché. Il y a des gens qui tuent par amour...
« qui se tuent... Toi, mon cher Roger, tu as fait plus.
« Pour un homme comme nous, il y a plus de courage
« à... voler, pour parler net, qu'à se tuer. »

« Peut-être maintenant », me dit le capitaine, inter-
rompant [32] son récit, « vous semblé-je ridicule. Je vous assure que mon amitié pour Roger me donnait dans ce moment une éloquence que je ne retrouve plus aujour-d'hui; et, le diable m'emporte, en lui parlant de la sorte j'étais de bonne foi, et je croyais tout ce que je disais. Ah! j'étais jeune alors! »

« Roger fut quelque temps sans répondre; il me tendit la main : « Mon ami », dit-il en paraissant faire un grand effort sur lui-même, « tu me crois meilleur que je ne suis.
« Je suis un lâche coquin. Quand j'ai triché ce Hollan-
« dais [33], je ne pensais qu'à gagner vingt-cinq napoléons,
« voilà tout. Je ne pensais pas à Gabrielle, et voilà pour-
« quoi je me méprise... Moi, estimer mon honneur moins
« que vingt-cinq napoléons!... Quelle bassesse! Oui, je
« serais heureux de pouvoir me dire : J'ai volé pour tirer

a. Sorte de lit suspendu, monté sur un châssis de bois, qu'on uti-lise sur les navires.

« Gabrielle de la misère... Non!... non! je ne pensais pas
« à elle... Je n'étais pas amoureux dans ce moment...
« J'étais un joueur... j'étais un voleur... J'ai volé de l'ar-
« gent pour l'avoir à moi... et cette action m'a tellement
« abruti, avili, que je n'ai plus aujourd'hui de courage ni
« d'amour... je vis, et je ne pense plus à Gabrielle... je
« suis un homme fini. »

« Il paraissait si malheureux que, s'il m'avait demandé
mes pistolets pour se tuer, je crois que je les lui aurais
donnés.

« Un certain vendredi, jour de mauvais augure, nous
découvrîmes une grosse frégate anglaise, L'Alceste[34], qui
prit chasse sur nous. Elle portait cinquante-huit canons,
nous n'en avions que trente-huit. Nous fîmes force de
voiles pour lui échapper; mais sa marche était supérieure,
elle gagnait sur nous à chaque instant; il était évident
qu'avant la nuit nous serions contraints de livrer un
combat inégal. Notre capitaine appela Roger dans sa
chambre, où ils furent un grand quart d'heure à consulter
ensemble. Roger remonta sur le tillac, me prit par le bras,
et me tira à l'écart.

« — D'ici à deux heures », me dit-il, « l'affaire va s'en-
« gager; ce brave homme là-bas qui se démène sur le
« gaillard d'arrière a perdu la tête. Il y avait deux partis
« à prendre : le premier, le plus honorable, était de laisser
« l'ennemi arriver sur nous, puis de l'aborder vigoureu-
« sement en jetant à son bord une centaine de gaillards
« déterminés; l'autre parti, qui n'est pas mauvais, mais
« qui est assez lâche, serait de nous alléger en jetant à la
« mer une partie de nos canons. Alors nous pourrions
« serrer de très près la côte d'Afrique que nous décou-
« vrons là-bas à bâbord. L'Anglais, de peur de s'échouer,
« serait bien obligé de nous laisser échapper; mais notre
« ... capitaine[35] n'est ni un lâche ni un héros : il va se
« laisser démolir de loin à coups de canon, et après
« quelques heures de combat[36] il amènera honorablement
« son pavillon. Tant pis pour vous : les pontons de Ports-
« mouth[a] vous attendent. Quant à moi, je ne veux pas
« les voir. »

« — Peut-être », lui dis-je, « nos premiers coups de
« canon feront-ils à l'ennemi des avaries assez fortes pour
« l'obliger à cesser la chasse. »

a. Port anglais où étaient gardés, sur des pontons, les prisonniers de guerre.

« — Ecoute, je ne veux pas être prisonnier, je veux
« me faire tuer; il est temps que j'en finisse. Si par
« malheur je ne suis que blessé, donne-moi ta parole que
« tu me jetteras à la mer. C'est le lit où doit mourir un bon
« marin comme moi.

« — Quelle folie! » m'écriai-je, « et quelle commission
« me donnes-tu là! »

« — Tu rempliras le devoir d'un bon ami. Tu sais qu'il
« faut que je meure. Je n'ai consenti à ne pas me tuer que
« dans l'espoir d'être tué, tu dois t'en souvenir. Allons,
« fais-moi cette promesse; si tu me refuses, je vais deman-
« der ce service à ce contremaître [a], qui ne me refusera
« pas. »

« Après avoir réfléchi quelque temps, je lui dis : « Je
« te donne ma parole de faire ce que tu désires, pourvu
« que tu sois blessé à mort, sans espérance de [37] guérison.
« Dans ce cas je consens à t'épargner des souffrances. »

« — Je serai blessé à mort ou bien je serai tué. » Il
me tendit la main, je la serrai fortement. Dès lors il fut
plus calme, et même une certaine gaieté martiale brilla
sur son visage.

« Vers trois heures de l'après-midi, les canons de
chasse de l'ennemi commencèrent à porter dans nos
agrès. Nous carguâmes [b] alors une partie de nos voiles;
nous présentâmes le travers [c] à *L'Alceste*, et nous fîmes
un feu roulant auquel les Anglais répondirent avec
vigueur. Après environ une heure de combat, notre capitaine, qui ne faisait rien à propos, voulut essayer l'abor-
dage. Mais nous avions déjà beaucoup de morts et de
blessés, et le reste de notre équipage avait perdu de son
ardeur; enfin nous avions beaucoup souffert dans nos
agrès, et nos mâts étaient fort endommagés [38]. Au moment
où nous déployâmes nos voiles pour nous rapprocher de
l'Anglais, notre grand mât, qui ne tenait plus à rien [39],
tomba avec un fracas horrible. *L'Alceste* profita de la
confusion où nous jeta d'abord cet accident. Elle vint
passer à notre poupe en nous lâchant à demi-portée de
pistolet toute sa bordée; elle traversa de l'avant à l'arrière notre malheureuse frégate, qui ne pouvait lui opposer sur ce point que deux petits canons. Dans ce moment
j'étais auprès de Roger, qui s'occupait à faire couper les

a. Ancien grade de sous-officier de marine.
b. Carguer : serrer les voiles contre les vergues ou les mâts, au
moyen de cordages.
c. Le travers, c'est-à-dire le flanc.

haubans [a] qui retenaient encore le mât abattu. Je le sens
qui me serrait le bras avec force ; je me retourne, et je le
vois renversé sur le tillac et tout couvert de sang. Il venait
de recevoir un coup de mitraille [b] dans le ventre.

« Le capitaine courut à lui : « Que faire, lieutenant ? »
s'écria-t-il.

« — Il faut clouer notre pavillon à ce tronçon de mât
« et nous faire couler. » Le capitaine le quitta aussitôt,
goûtant fort peu ce conseil.

« Allons », me dit Roger, « souviens-toi de ta promesse.

« — Ce n'est rien », lui dis-je, « tu peux en revenir.

« — Jette-moi par-dessus le bord », s'écria-t-il en
jurant horriblement et me saisissant par la basque de mon
habit ; « tu vois bien que je n'en puis réchapper ; jette-
« moi [40] à la mer, je ne veux pas voir amener notre pavil-
« lon. »

« Deux matelots s'approchèrent de lui pour le porter
à fond de cale. « A vos canons, coquins », s'écria-t-il avec
force ; « tirez à mitraille et pointez au tillac. Et toi, si tu
« manques à ta parole, je te maudis, et je te tiens pour le
« plus lâche et le plus vil de tous les hommes ! »

« Sa blessure était certainement mortelle. Je vis le
capitaine appeler un aspirant et lui donner l'ordre d'amener notre pavillon. « Donne-moi une poignée de main »,
dis-je à Roger.

« Au moment même où notre pavillon fut amené... »

. . . .

« — Capitaine, une baleine à bâbord ! » interrompit
un enseigne accourant à nous.

« — Une baleine ! » s'écria le capitaine transporté de
joie et laissant là son récit ; « vite, la chaloupe à la mer !
la yole à la mer ! toutes les chaloupes à la mer ! — Des
harpons, des cordes ! etc., etc. »

Je ne pus savoir comment mourut le pauvre lieutenant
Roger.

a. Cordages qui servent à assujettir les mâts.
b. Charge faite de ferraille ou de fonte.

Notes

1. *RP, 1833 :* les habitants d'un

2. *RP, 1833 :* vous savez qu'il vous parlera d'abord de Rio de
Janeiro, dont il vient;

3. *RP, 1833 :* il disserte tous les jours sur le

4. *RP, 1833 :* l'on n'y peut plus tenir...

5. *RP, 1833, 1842, 1845 :* que ce voyage

6. *RP, 1833, 1842, 1845 :* si Roger n'avait pas été

7. Jean Mallion et Pierre Salomon notent que le navire où servait
à l'époque de la publication de cette nouvelle le lieutenant Marc,
cousin de Mérimée, qui semble être le modèle du capitaine, s'appelait *La Belle-Gabrielle.*

8. *RP, 1833 :* qu'il lui manquait de

9. *RP :* et des plus rares

10. *RP, 1833, 1842, 1845 :* de la mer que soulève un

11. *RP, 1833 :* s'en alla au café, offrit le bouquet

12. *RP, 1833, 1842, 1845 :* quand nous lui montrâmes que

13. *RP, 1833, 1842, 1845 :* avec ces lettres d'amour, que Gabrielle

14. *RP :* lui avait sans doute données par méchanceté.

15. *RP, 1833 :* à la Gabrielle,

16. *RP, 1833 :* si outrageants, que

17. *RP, 1833 :* se battit contre

18. Ce navire avait dû forcer le blocus anglais. La Hollande était
sous domination napoléonienne, ce qui explique l'accueil cordial
que les officiers français font aux Hollandais.

19. *RP :* que la somme totale appartenait

20. *RP, 1833 :* il fut cependant

21. *RP, 1833 :* il avait beaucoup bu de punch.

22. *RP, 1833 :* quatre-vingt mille francs,

23. *RP, 1833 :* Les quatre-vingt mille francs

24. Mérimée emploie l'orthographe anglaise. « Partenaire » ne fut introduit dans la langue française qu'en 1835.

25. *1842, 1845 :* lui en donner de nouvelles.

26. *RP, 1833 :* de ces sentiments

27. *RP, 1833, 1842, 1845 :* céder à l'horrible tentation

28. *RP :* comme une autre.

29. Le 16 mai 1806, l'Angleterre a proclamé l'état du blocus pour les côtes du continent de l'embouchure de l'Elbe à Brest. Napoléon donna plusieurs fois l'ordre à des frégates de se rendre dans les mers de l'Inde.

30. *RP, 1833 :* Des 80 000 francs,

31. Il existait à l'époque — probablement quelques années avant le moment de l'action — une frégate française appelée *La Galatée.*

32. *RP, 1833, 1842, 1845 :* le capitaine, en interrompant

33. L'emploi transitif du verbe « tricher » existait encore à l'époque.

34. Il y eut, à la fin du XVIIIᵉ siècle, une frégate française appelée *L'Alceste.* Elle fut capturée par les Anglais.

35. *RP, 1833, 1842, 1845 :* notre brave capitaine

36. *RP, 1833 :* après une heure de combat

37. *RP, 1833 :* sans espoir de

38. *RP, 1833 :* étaient fortement endommagés.

39. *RP :* qui ne tenait à rien,

40. *1842, 1845 :* je n'en puis échapper; jette-moi

LA DOUBLE MÉPRISE

Notice

Les sources semblent être autobiographiques, comme dans *Le Vase étrusque*. Darcy, le jeune diplomate qui quitte la France lorsqu'il s'éprend d'une jeune fille qu'il ne peut épouser, ressemble à son créateur par certains de ses traits ainsi que par sa position sociale. Rappelons que Mérimée aussi voulait être un moment attaché d'ambassade, et qu'il avait dans sa jeunesse un projet de mariage impossible, il voulait épouser Mélanie Double, mais devait laisser la place à des prétendants plus riches. Dans l'aventure de Darcy avec Julie de Chaverny, on croit reconnaître le souvenir de la brève rencontre de Mérimée avec George Sand, de ce « fiasco » (cf. Maurice Parturier : *Une expérience de Lélia ou le Fiasco du comte Gazul*. Paris, Le Divan, 1934) que l'écrivain tenterait d'arranger ici à sa façon, transformant l'échec amoureux en triomphe de séducteur. Et si Julie de Chaverny ne ressemble guère à George Sand, on pourrait voir en elle Aurore Dudevant, la femme mal mariée; quant au personnage du mari, il paraît être copié sur l'époux indigne de Lélia. Ce sont, encore une fois, des hypothèses qu'il faut utiliser, à notre avis, avec beaucoup de prudence. La scène d'amour dans la voiture — produit de l'imagination de l'écrivain, souvenir laissé par une lecture, ou expérience personnelle ? — semble inspirer Mérimée bien plus qu'une quelconque rencontre déterminée : « Vous avez le plus grand tort de ne pas trouver ma petite histoire naturelle », écrit-il à Mary Clarke en septembre 1833. « Parce que *they don't order these matters so in England*, ce n'est pas une raison pour que le sentiment n'aille pas vite en voiture sur le continent et dans les parties policées du monde chrétien. Demandez à Mme la duchesse d'Abrantès comment les aides de camp de son auguste

époux procédaient à leurs déclarations quand ils la
reconduisaient. » (*Corr. gén.*, t. I, p. 251.)

La nouvelle, écrite, probablement, à la hâte — le grand
nombre de corrections tend à le prouver — parut en
volume chez Hippolyte Fournier en automne 1833. Mérimée presse son éditeur parce que — ceci est un fait biographique incontestable — il destine ses honoraires à
Céline Cayot, sa « lorette » (cf. *Notice* pour *Arsène Guillot*,
dans *La Vénus d'Ille et autres nouvelles*, Garnier-Flammarion, p. 66) : « Je vous serais obligé de m'écrire le plus tôt
que vous pourrez les époques de paiement. Cela me serait
d'autant plus utile que, comme je vous l'ai déjà dit, cet
argent n'est pas pour moi », écrit-il à Fournier le 19 avril
1833. (*Corr. gén.*, t. XVI, p. 66.) Fût-ce à cause de cette
destination des gains de la production, à cause de la
composition hâtive, ou pour d'autres raisons peu pré-
cises (pour en avoir dit trop long ?), Mérimée n'aime pas
ce récit. Un quart de siècle plus tard, il en écrit ainsi :
« Je commence par vous parler de cette *Méprise*. [...]
Veuillez ne pas le lire. C'est un de mes péchés, faits pour
gagner de l'argent, lequel fut offert à quelqu'un qui ne
valait pas grand-chose. » (Lettre à Mme de La Rochejaquelein, 3 août 1857. *Corr. gén.*, t. VIII, p. 345.)

La *Revue de Paris* du 25 août 1833 publie deux extraits
précédés d'une note dont nous citons quelques phrases
qui éclairent la position de Mérimée dans la vie littéraire
de son époque : « Toujours Français de style et d'idées,
M. Pʳ Mérimée s'est mis (à son insu toutefois) en opposition directe avec cette école de métaphysique bâtarde
qu'on veut depuis quelque temps nous importer d'Allemagne ; école qui croit faire de la philosophie et ne fait
que de l'illuminisme [...] M. Pʳ Mérimée va publier un
petit roman où le *monstre* au moral comme au physique,
l'*homme exceptionnel* de la nouvelle littérature ne jouera
aucun rôle, et où toutes les situations seront naturelles. »

Parue d'abord chez Fournier, *La Double Méprise* sera
éditée chez Charpentier en 1842 dans la *Chronique du règne
de Charles IX suivie de la Double Méprise et de la Guzla*,
volume qui aura plusieurs réimpressions corrigées. Le
texte est fixé en 1853, état qu'adopte notre édition. La
date placée sous le titre manque dans l'édition de la *Revue
de Paris* et dans l'édition de 1833.

LA DOUBLE MÉPRISE

> Zagala, mas que las flores
> Blanca, rubia y ojos verdes,
> Si piensas seguir amores
> Piérdete bien, pues te pierdes [a][1].

1833

I

Julie de Chaverny était mariée depuis six ans environ, et depuis à peu près cinq ans et six mois elle avait reconnu non seulement l'impossibilité d'aimer [2] son mari, mais encore la difficulté d'avoir pour lui quelque estime.

Ce [3] mari n'était [4] point un malhonnête homme; ce n'était pas une bête ni un sot. Peut-être cependant y avait-il bien en lui quelque chose de tout cela. En consultant ses souvenirs [5], elle aurait pu se rappeler qu'elle l'avait trouvé aimable autrefois; mais maintenant il l'ennuyait. Elle trouvait tout en lui repoussant. Sa [6] manière de manger, de prendre du café, de parler, lui donnait des crispations nerveuses. Ils ne se voyaient et ne se parlaient guère qu'à table; mais ils dînaient ensemble plusieurs fois par semaine, et c'en était assez pour entretenir l'aversion de Julie [7].

Pour Chaverny, c'était un assez bel homme, un peu trop gros pour son âge, au teint frais, sanguin, qui [8], par caractère, ne se donnait pas de ces inquiétudes vagues qui tourmentent souvent les gens à imagination. Il croyait pieusement que sa femme avait pour lui une amitié douce (il était trop philosophe pour se croire aimé comme au premier jour de son mariage), et cette persuasion ne lui

---

a. « Jeune fille, plus blanche que les fleurs, blonde aux yeux verts, si tu songes à chercher des amours, perds-toi bien, puisque tu te perds. »

causait ni plaisir ni peine ; il se serait également accom-
modé du contraire. Il avait servi plusieurs années dans
un régiment de cavalerie ; mais, ayant hérité d'une fortune
considérable, il s'était dégoûté de la vie de garnison, avait
donné sa démission et s'était marié. Expliquer le mariage
de deux personnes qui n'avaient pas une idée commune
peut paraître assez difficile. D'une part, de grands-parents
et de ces officieux qui, comme Phrosine, marieraient la
république de Venise avec le Grand Turc [9], s'étaient
donné beaucoup de mouvement pour régler les affaires
d'intérêt. D'un autre côté, Chaverny appartenait à une
bonne famille ; il n'était point trop gras alors ; il avait de
la gaieté, et était, dans toute l'acception du mot, ce qu'on
appelle un *bon enfant*. Julie le voyait avec plaisir venir
chez sa mère, parce qu'il la faisait rire en lui contant des
histoires de son régiment d'un comique qui n'était pas
toujours de bon goût [10]. Elle le trouvait aimable parce
qu'il dansait avec elle dans tous les bals, et qu'il ne manquait jamais de bonnes raisons pour persuader à la mère
de Julie d'y rester tard, d'aller [11] au spectacle ou au bois
de Boulogne. Enfin Julie le croyait un héros, parce qu'il
s'était battu en duel honorablement deux ou trois fois.
Mais ce qui acheva le triomphe de Chaverny, ce fut la
description d'une certaine voiture qu'il devait faire exécuter sur [12] un plan à lui, et dans laquelle il conduirait
lui-même Julie lorsqu'elle aurait consenti à lui donner sa
main.

Au [13] bout de quelques mois de mariage, toutes les
belles qualités de Chaverny avaient perdu beaucoup de
leur mérite. Il ne dansait plus avec sa femme, — cela
va sans dire. Ses histoires gaies, il les avait toutes contées
trois ou quatre fois. Maintenant il disait que les bals se
prolongeaient [14] trop tard. Il bâillait au spectacle, et trouvait une contrainte insupportable l'usage de s'habiller le
soir. Son défaut capital était la paresse ; s'il avait cherché
à plaire, peut-être aurait-il pu réussir ; mais la gêne [15] lui
paraissait un supplice : il avait cela de commun avec
presque tous les gens gros. Le monde l'ennuyait parce
qu'on n'y est bien reçu qu'à proportion des efforts que
l'on y fait pour plaire. La grosse joie lui paraissait bien
préférable à tous les amusements plus délicats ; car, pour
se distinguer parmi les personnes de son goût, il n'avait
d'autre peine à se donner qu'à crier plus fort que les
autres, ce qui ne lui était pas difficile avec des poumons
aussi vigoureux que les siens. En outre, il se piquait de

boire plus de vin de Champagne qu'un homme ordinaire, et faisait parfaitement sauter à son cheval une barrière de quatre pieds. Il jouissait en conséquence d'une estime légitimement acquise parmi ces êtres difficiles à définir que l'on appelle les jeunes gens, dont nos boulevards abondent vers cinq heures [16] du soir. Parties de chasse, parties de campagne, courses, dîners de garçons, soupers de garçons, étaient recherchés par lui avec empressement [17]. Vingt fois par jour il disait qu'il était le plus heureux des hommes; et toutes les fois que Julie l'entendait, elle levait les yeux au ciel, et sa petite bouche prenait une indicible expression de dédain.

Belle, jeune, et mariée à un homme qui lui déplaisait, on conçoit qu'elle devait être entourée d'hommages fort intéressés. Mais, outre la protection de sa mère, femme très prudente [18], son orgueil, c'était son défaut, l'avait [19] défendue jusqu'alors contre les séductions du monde. D'ailleurs le désappointement qui avait suivi son mariage, en lui donnant une espèce d'expérience, l'avait rendue difficile à s'enthousiasmer. Elle était fière de se voir plaindre dans la société, et citer comme un modèle de résignation. Après tout, elle se trouvait presque heureuse [20], car elle n'aimait personne, et son mari la laissait entièrement libre de [21] ses actions. Sa coquetterie (et il faut l'avouer, elle aimait un peu à prouver [22] que son mari ne connaissait pas le trésor qu'il possédait), sa coquetterie, toute d'instinct comme celle d'un enfant, s'alliait [23] fort bien avec une certaine réserve dédaigneuse qui n'était pas de la pruderie. Enfin elle savait [24] être aimable avec tout le monde, mais avec tout le monde également. La médisance ne pouvait trouver le plus petit reproche à lui faire [25].

II

Les deux époux avaient dîné chez Mme de Lussan, la mère de Julie, qui allait partir pour Nice. Chaverny, qui s'ennuyait mortellement chez sa belle-mère, avait été obligé d'y passer la soirée, malgré toute son envie d'aller rejoindre ses amis sur le boulevard. Après avoir dîné, il s'était établi sur un canapé commode, et avait passé deux heures sans dire un mot. La raison était simple : il dormait; décemment d'ailleurs, assis, la tête penchée de côté et comme écoutant avec intérêt la conversation ; il se réveillait même de temps en temps et plaçait son mot.

Ensuite il avait fallu s'asseoir à une table de whist, jeu qu'il détestait parce qu'il exige une certaine application. Tout cela l'avait mené assez tard. Onze heures et demie venaient de sonner. Chaverny n'avait pas d'engagement pour la soirée : il ne savait absolument que faire. Pendant qu'il était dans cette perplexité, on annonça sa voiture. S'il rentrait chez lui, il devait ramener sa femme. La perspective d'un tête-à-tête de vingt minutes avait de quoi l'effrayer ; mais il n'avait pas de cigares dans sa poche, et il mourait d'envie d'entamer une boîte qu'il avait reçue du Havre, au moment même où il sortait pour aller dîner. Il se résigna.

Comme il enveloppait sa femme dans son châle, il ne put s'empêcher de sourire en se voyant dans une glace remplir ainsi les fonctions d'un mari de huit jours. Il considéra aussi sa femme, qu'il avait à peine regardée. Ce soir-là elle lui parut plus jolie que de coutume [26] aussi fut-il quelque temps à ajuster ce châle sur ses épaules. Julie était aussi contrariée que lui du tête-à-tête conjugal qui se préparait. Sa bouche faisait une petite moue boudeuse, et ses sourcils arqués se rapprochaient involontairement. Tout cela donnait à sa physionomie une expression si agréable, qu'un mari même n'y pouvait rester insensible. Leurs yeux se rencontrèrent dans la glace pendant l'opération dont je viens de parler. L'un et l'autre furent embarrassés. Pour [27] se tirer d'affaire, Chaverny baisa en souriant la main de sa femme, qu'elle levait pour arranger son châle. — Comme ils s'aiment ! dit tout bas Mme de Lussan, qui ne remarqua ni le froid dédain de la femme ni l'air d'insouciance du mari.

Assis tous les deux dans leur voiture et se touchant presque, ils furent d'abord quelque temps sans parler. Chaverny sentait bien qu'il était convenable de dire quelque chose, mais rien ne lui venait à l'esprit [28]. Julie, de son côté, gardait un silence désespérant. Il bâilla trois ou quatre fois, si bien qu'il en fut honteux lui-même, et que la dernière fois il se crut obligé d'en demander pardon à sa femme. — La soirée a été longue, ajouta-t-il pour s'excuser.

Julie ne vit dans cette phrase que l'intention de critiquer les soirées de sa mère et de lui dire quelque chose de désagréable. Depuis longtemps elle avait pris l'habitude d'éviter toute explication avec son mari : elle continua donc de garder le silence.

Chaverny, qui ce soir-là se sentait malgré lui en humeur [29] causeuse, poursuivit au bout de deux minutes :

— J'ai bien dîné aujourd'hui ; mais je suis bien aise de vous dire que le champagne de votre mère est trop sucré.

— Comment ? demanda Julie en tournant la tête de son côté avec beaucoup de nonchalance et feignant de n'avoir rien entendu.

— Je disais que le champagne de votre mère est trop sucré. J'ai oublié de le lui dire. C'est une chose étonnante, mais on s'imagine qu'il est facile de choisir du champagne. Eh bien ! il n'y a rien de plus difficile. Il y a vingt qualités de champagne qui sont mauvaises, et il n'y en a qu'une qui soit bonne.

— Ah ! Et Julie, après avoir accordé cette interjection à la politesse, tourna la tête et regarda par la portière de son côté. Chaverny se renversa en arrière et posa les pieds sur le coussin du devant de la calèche, un peu mortifié [30] que sa femme se montrât aussi insensible à toutes les peines qu'il se donnait pour engager la conversation.

Cependant, après avoir bâillé encore deux ou trois fois, il continua en se rapprochant de Julie : — Vous avez là une robe qui vous sied à ravir [31], Julie. Où l'avez-vous achetée ?

— Il veut sans doute en acheter une semblable à sa maîtresse, pensa Julie. — Chez Burty [a], répondit-elle en souriant légèrement.

— Pourquoi riez-vous ? demanda Chaverny, ôtant ses pieds du coussin et se rapprochant davantage. En même temps [32] il prit une manche de sa robe et se mit à la toucher un peu [33] à la manière de Tartufe [34].

— Je ris, dit Julie, de ce que vous remarquez ma toilette. Prenez garde, vous chiffonnez mes manches. Et elle retira sa manche de la main de Chaverny.

— Je vous assure que je fais une grande attention à votre toilette, et que j'admire singulièrement votre goût. Non, d'honneur [b], j'en parlais l'autre jour à... une femme qui s'habille toujours mal... bien qu'elle dépense horriblement pour sa toilette... Elle ruinerait... Je lui disais... Je vous citais... — Julie jouissait de son embarras, et ne cherchait pas à le faire cesser en l'interrompant.

a. Magasin de mode, situé 29, rue de Richelieu.
b. Parole d'honneur. Forme elliptique à la mode à l'époque.

— Vos chevaux sont bien mauvais. Ils ne marchent pas! Il faudra que je vous les change, dit Chaverny, tout à fait déconcerté.

Pendant le reste de la route la conversation ne prit pas plus de vivacité; de part et d'autre on n'alla pas plus loin que la réplique.

Les deux époux arrivèrent enfin rue ***, et [35] se séparèrent en se souhaitant une bonne nuit.

Julie commençait à se déshabiller, et sa femme de chambre venait de sortir, je ne sais pour quel motif, lorsque la porte de sa chambre à coucher s'ouvrit assez brusquement, et Chaverny entra. Julie se couvrit précipitamment les épaules. — Pardon [36], dit-il; je voudrais bien pour m'endormir le dernier volume de Scott... N'est-ce pas *Quentin Durward* [37]?

— Il doit être chez vous, répondit Julie; il n'y a pas de livres ici.

Chaverny contemplait sa femme dans ce demi-désordre si favorable à la beauté. Il la trouvait *piquante*, pour me servir d'une de ces expressions [38] que je déteste. C'est vraiment une fort belle femme! pensait-il. Et il restait debout, immobile, devant elle, sans dire un mot et son bougeoir à la main. Julie, debout aussi en face de lui, chiffonnait son bonnet et semblait attendre avec impatience qu'il la laissât seule.

— Vous êtes charmante ce soir, le diable m'emporte! s'écria enfin Chaverny en s'avançant d'un pas et posant son bougeoir. Comme j'aime les femmes avec les cheveux en désordre! Et en parlant il saisit d'une main les longues tresses de cheveux qui couvraient les épaules de Julie, et lui passa presque tendrement un bras autour de la taille.

— Ah! Dieu! vous sentez le tabac à faire horreur! s'écria Julie en se détournant. Laissez mes cheveux, vous allez les imprégner de cette odeur-là, et je ne pourrai plus m'en débarrasser.

— Bah! vous dites cela à tout hasard et parce que vous savez que je fume quelquefois. Ne faites donc pas tant la difficile, ma petite femme. Et elle ne put se débarrasser de ses bras assez vite pour éviter un baiser qu'il lui donna sur l'épaule.

Heureusement pour Julie, sa femme de chambre rentra; car il n'y a rien de plus odieux pour [39] une femme que ces caresses qu'il est presque aussi ridicule de refuser que d'accepter.

— Marie, dit Mme de Chaverny, le corsage de ma robe
bleue est beaucoup trop long. J'ai vu aujourd'hui
Mme de Bégy, qui a toujours un goût parfait; son corsage
était certainement de deux bons doigts plus court. Tenez,
faites un rempli avec des épingles tout de suite pour voir
l'effet que cela fera.

Ici s'établit entre la femme de chambre et la maîtresse
un dialogue des plus intéressants sur les dimensions pré-
cises que doit avoir un corsage. Julie savait bien que Chaverny ne haïssait rien tant que d'entendre parler de
modes, et qu'elle allait le mettre en fuite. Aussi, après
cinq minutes d'allées et venues, Chaverny, voyant que
Julie était tout occupée de son corsage, bâilla d'une
manière effrayante, reprit son bougeoir et sortit cette fois
pour ne plus revenir.

III

Le commandant Perrin était assis devant une petite
table et lisait avec attention. Sa redingote parfaitement
brossée, son bonnet de police, et surtout la roideur
inflexible de sa poitrine, annonçaient un vieux militaire.
Tout était propre dans sa chambre, mais de la plus grande
simplicité. Un encrier et deux plumes toutes taillées
étaient sur sa table à côté d'un cahier de papier à lettres
dont on n'avait pas usé une feuille depuis un an au moins.
Si le commandant Perrin n'écrivait pas, en revanche il
lisait beaucoup. Il lisait alors les *Lettres persanes* en
fumant sa pipe d'écume de mer, et ces deux occupations
captivaient tellement [40] toute son attention, qu'il ne
s'aperçut pas d'abord de l'entrée dans sa chambre du
commandant de Châteaufort. C'était un jeune officier
de son régiment, d'une figure charmante, fort aimable,
un peu fat, très protégé du ministre de la Guerre; en un
mot, l'opposé du commandant Perrin sous presque tous
les rapports. Cependant ils étaient amis, je ne sais pourquoi, et se voyaient tous les jours.

Châteaufort frappa sur l'épaule du commandant Perrin. Celui-ci tourna la tête sans quitter sa pipe. Sa première expression fut de joie en voyant son ami; la seconde,
de regret, le digne homme! parce qu'il allait quitter son
livre; la troisième indiquait qu'il avait pris son parti et
qu'il allait faire de son mieux les honneurs de son appartement. Il fouillait à sa poche pour chercher une clef

ouvrant une [41] armoire où était renfermée une précieuse
boîte de cigares que le commandant ne fumait pas lui-
même, et qu'il donnait un à un à son ami ; mais Châteaufort, qui l'avait vu cent [42] fois faire le même geste, s'écria :
— Restez donc, papa Perrin, gardez vos cigares ; j'en ai sur
moi ! Puis, tirant d'un élégant étui de paille du Mexique
un cigare couleur de cannelle, bien effilé des deux bouts, il
l'alluma et s'étendit sur un petit canapé, dont le commandant Perrin ne se servait jamais, la tête sur un oreiller,
les pieds sur le dossier opposé. Châteaufort commença
par s'envelopper d'un nuage de fumée, pendant que, les
yeux fermés, il paraissait méditer profondément sur ce
qu'il avait à dire. Sa figure était rayonnante de joie, et il
paraissait renfermer avec peine dans sa poitrine le secret
d'un bonheur qu'il brûlait d'envie de laisser deviner. Le
commandant Perrin, ayant placé sa chaise en face du
canapé, fuma quelque temps sans rien dire ; puis, comme
Châteaufort ne se pressait pas de parler, il lui dit : —
Comment se porte Ourika [43] ?

Il s'agissait d'une jument noire que Châteaufort avait
un peu surmenée et qui était menacée de devenir pous-
sive. — Fort bien, dit Châteaufort, qui n'avait pas écouté
la question. — Perrin ! s'écria-t-il en étendant vers lui la
jambe qui reposait sur le dossier du canapé, savez-vous
que vous êtes heureux [44] de m'avoir pour ami ?...

Le vieux commandant cherchait en lui-même quels
avantages lui avait procurés la connaissance de Châteaufort, et il ne trouvait guère que le don de quelques livres
de Kanaster [a] et quelques jours d'arrêts forcés qu'il avait
subis pour s'être mêlé d'un duel où Châteaufort avait
joué le premier [45] rôle. Son ami lui donnait, il est vrai, de
nombreuses marques de confiance. C'était toujours à lui
que Châteaufort s'adressait [46] pour se faire remplacer
quand il était de service ou [47] quand il avait besoin d'un
second.

Châteaufort ne le laissa pas longtemps à ses recherches
et lui tendit une petite lettre écrite sur du papier anglais
satiné, d'une jolie écriture en pieds de mouche. Le
commandant Perrin fit une grimace qui chez lui équi-
valait à un sourire. Il avait vu souvent de ces lettres sati-
nées et couvertes de pieds de mouche, adressées à son ami.

— Tenez, dit celui-ci, lisez. C'est à moi que vous
devez cela. Perrin lut ce qui suit :

a. Tabac d'Amérique.

« Vous seriez bien aimable, cher monsieur, de venir
« dîner avec nous. M. de Chaverny serait allé vous en
« prier, mais il a été obligé de se rendre à une partie de
« chasse. Je ne connais pas l'adresse de M. le comman-
« dant Perrin, et je ne puis lui écrire pour le prier de vous
« accompagner. Vous m'avez donné beaucoup d'envie de
« le connaître, et je vous aurai une double obligation si
« vous nous l'amenez [48].

                          « JULIE DE CHAVERNY. »

« *P. S.* J'ai bien des remerciements à vous faire pour
« la musique que vous avez pris la peine de copier pour
« moi. Elle [49] est ravissante, et il faut toujours admirer
« votre goût. Vous ne venez plus à nos jeudis ; vous savez
« pourtant tout le plaisir que nous avons à vous voir. »

— Une jolie écriture, mais bien fine, dit Perrin en
finissant. Mais diable ! son dîner me scie le dos ; car il
faudra se mettre en bas de soie, et pas de fumerie après le
dîner !

— Beau malheur, vraiment ! préférer la plus jolie
femme de Paris à une pipe !... Ce que j'admire, c'est votre
ingratitude. Vous ne me remerciez pas du bonheur que
vous me devez.

— Vous remercier ! Mais ce n'est pas à vous que j'ai
l'obligation de ce dîner... si obligation il y a [50].

— A qui donc ?

— A Chaverny, qui a été capitaine chez nous. Il aura
dit à sa femme : Invite Perrin, c'est un bon diable. Comment voulez-vous qu'une jolie femme que je n'ai vue
qu'une fois pense à inviter une vieille culotte de peau
comme moi ?

Châteaufort sourit en se regardant dans la glace très
étroite qui décorait la chambre du commandant.

— Vous n'avez pas de perspicacité aujourd'hui, papa
Perrin. Relisez-moi ce billet, et vous y trouverez peut-
être quelque chose que vous n'y avez pas vu.

Le commandant tourna, retourna le billet et ne vit rien.

— Comment, vieux dragon ! s'écria Châteaufort, vous
ne voyez pas qu'elle vous invite afin de me faire plaisir,
seulement pour me prouver qu'elle fait cas de mes amis...
qu'elle veut me donner la preuve... de... ?

— De quoi ? interrompit Perrin.

— De... vous savez bien de quoi.

— Qu'elle vous aime ? demanda le commandant d'un
air de doute.

Châteaufort siffla sans répondre.

— Elle est donc amoureuse de vous ?

Châteaufort sifflait toujours.

— Elle vous l'a dit ?

— Mais... cela se voit, ce me semble.

— Comment ?... dans cette lettre ?

— Sans doute.

Ce fut le tour de Perrin à siffler. Son sifflet fut aussi significatif que le fameux *Lillibulero* de mon oncle Toby [51].

— Comment! s'écria Châteaufort, arrachant la lettre des mains de Perrin, vous ne voyez pas tout ce qu'il y a de... tendre... oui, de tendre là-dedans ? Qu'avez-vous à dire à ceci : *Cher monsieur ?* Notez bien que dans un autre billet elle m'écrivait *monsieur*, tout court. *Je vous aurai une double obligation*, cela est positif. Et voyez-vous, il y a un mot effacé après, c'est *mille;* elle voulait mettre *mille amitiés*, mais elle n'a pas osé; *mille compliments*, ce n'était pas assez... Elle n'a pas fini son billet... Oh! mon ancien! voulez-vous par hasard qu'une femme bien née comme Mme de Chaverny aille se jeter à la tête de votre serviteur comme ferait une petite grisette ?... Je vous dis, moi, que sa lettre est charmante, et qu'il faut être aveugle pour ne pas y voir de la passion... Et les reproches de la fin, parce que je manque à un seul jeudi, qu'en dites-vous ?

— Pauvre petite femme! s'écria Perrin, ne t'amourache pas de celui-là : tu t'en repentirais bien vite!

Châteaufort ne fit pas attention à la prosopopée de son ami : mais, prenant un ton de voix bas et insinuant :

— Savez-vous, mon cher, dit-il, que vous pourriez me rendre un grand service ?

— Comment ?

— Il faut que vous m'aidiez dans cette affaire. Je sais que son mari est très mal pour elle, — c'est un animal qui la rend malheureuse... vous l'avez connu, vous, Perrin; dites bien à sa femme que c'est un brutal, un homme qui a la réputation la plus mauvaise....

— Oh!...

— Un libertin... vous le savez. Il avait des maîtresses lorsqu'il était au régiment; et quelles maîtresses! Dites tout cela à sa femme.

— Oh! comment dire cela ? Entre l'arbre et l'écorce...

— Mon Dieu! il y a manière de tout dire!... Surtout dites du bien de moi.

— Pour cela, c'est plus facile. Pourtant...

— Pas si facile, écoutez; car, si je vous laissais dire, vous feriez tel éloge de moi qui n'arrangerait pas mes affaires... Dites-lui que *depuis quelque temps* vous remarquez que je suis triste, que je ne parle plus, que je ne mange plus...

— Pour le coup! s'écria Perrin avec un gros rire qui faisait faire à sa pipe les mouvements les plus ridicules, jamais je ne pourrai dire cela en face à Mme de Chaverny. Hier soir encore, il a presque fallu vous emporter après le dîner que les camarades nous ont donné.

— Soit, mais il est inutile de lui conter cela. Il est bon qu'elle sache que je suis amoureux d'elle; et ces faiseurs de romans ont persuadé aux femmes qu'un homme qui boit et mange ne peut être amoureux.

— Quant à moi, je ne connais rien qui me fasse perdre le boire ou le manger.

— Eh bien, mon cher Perrin, dit Châteaufort en mettant son chapeau et arrangeant les boucles de ses cheveux, voilà qui est convenu; jeudi prochain je viens vous prendre; souliers et bas de soie, tenue de rigueur! Surtout n'oubliez pas de dire des horreurs du mari, et beaucoup de bien de moi.

Il sortit en agitant sa badine avec beaucoup de grâce, laissant le commandant Perrin fort préoccupé de l'invitation qu'il venait de recevoir, et encore plus perplexe en songeant aux bas de soie et à la tenue de rigueur.

IV

Plusieurs personnes invitées chez [52] Mme de Chaverny s'étant excusées, le dîner se trouva quelque peu triste. Châteaufort était à côté de Julie, fort empressé à la servir, galant et aimable à son ordinaire. Pour Chaverny, qui avait fait une longue promenade à cheval le matin, il avait un appétit prodigieux. Il mangeait donc et buvait de manière à en donner envie aux plus malades. Le commandant Perrin lui tenait compagnie, lui versant souvent à boire, et riant à casser les verres toutes les fois que la grosse gaieté de son hôte lui en fournissait l'occasion. Chaverny, se retrouvant avec des militaires, avait repris aussitôt sa bonne humeur et ses manières du régiment; d'ailleurs il n'avait jamais été des plus délicats dans le choix de

ses plaisanteries. Sa femme prenait un air froidement
dédaigneux à chaque saillie incongrue : alors elle se tournait du côté de Châteaufort, et commençait un aparté
avec lui, pour n'avoir pas l'air d'entendre une conversation qui lui déplaisait souverainement.

Voici un échantillon de l'urbanité de ce modèle des
époux. Vers la fin du dîner, la conversation étant tombée
sur l'Opéra, on discutait le mérite relatif de plusieurs
danseuses, et entre autres on vantait beaucoup Mademoiselle ***. Sur quoi Châteaufort renchérit sur les autres,
louant surtout sa grâce, sa tournure, son air décent [53].

Perrin, que Châteaufort avait mené à l'Opéra quelques
jours auparavant, et qui n'y était allé que cette seule fois,
se souvenait fort bien de Mademoiselle ***.

— Est-ce, dit-il, cette petite en rose, qui saute comme
un cabri ?... qui a des jambes dont vous parliez tant,
Châteaufort ?

— Ah! vous parliez de ses jambes! s'écria Chaverny;
mais savez-vous que, si vous en parlez trop, vous vous
brouillerez avec votre général le duc de J***! Prenez
garde à vous, mon camarade!

— Mais je ne le suppose pas tellement jaloux, qu'il
défende de les regarder au travers d'une lorgnette.

— Au contraire, car il en est aussi fier que s'il les avait
découvertes. Qu'en [54] dites-vous, commandant Perrin ?

— Je ne me connais guère qu'en jambes de chevaux,
répondit modestement le vieux soldat.

— Elles sont, en vérité, admirables, reprit Chaverny,
et il n'y en a pas de plus belles à Paris, excepté celles...
Il s'arrêta et se mit à friser sa moustache d'un air gogue-
nard en regardant sa femme, qui rougit aussitôt jusqu'aux
épaules.

— Excepté celles de Mlle D*** ? interrompit Châteaufort en citant une autre danseuse.

— Non, répondit Chaverny du ton tragique de Hamlet : — *mais regarde ma femme* [55].

Julie devint pourpre d'indignation. Elle lança à son
mari un regard rapide comme l'éclair, mais où se pei-
gnaient le [56] mépris et la fureur. Puis, s'efforçant de se
contraindre, elle se tourna brusquement vers Châteaufort : — Il faut, dit-elle d'une voix légèrement tremblante,
il faut que nous étudiions le duo de *Maometto* [57]. Il doit
être parfaitement dans votre voix.

Chaverny n'était pas aisément démonté. — Châteaufort, poursuivit-il, savez-vous que j'ai voulu faire mouler

autrefois les jambes dont je parle ? mais on n'a jamais voulu le permettre.

Châteaufort, qui éprouvait une joie très vive de cette impertinente révélation, n'eut pas l'air d'avoir entendu, et parla de *Maometto* avec Mme de Chaverny.

— La personne que je veux dire, continua [58] l'impitoyable mari, se scandalisait ordinairement quand on lui rendait justice sur cet article, mais au fond elle n'en était pas fâchée. Savez-vous qu'elle se fait prendre mesure par son marchand de bas ?... — Ma femme, ne vous fâchez pas... *sa marchande*, veux-je dire. Et lorsque j'ai été à Bruxelles, j'ai emporté trois pages de son écriture contenant les instructions les plus détaillées pour des emplettes de bas.

Mais il avait beau parler, Julie était déterminée à ne rien entendre. Elle causait avec Châteaufort, et lui parlait avec une affectation de gaieté, et son sourire gracieux cherchait à lui persuader qu'elle n'écoutait que lui. Châteaufort, de son côté, paraissait tout entier au *Maometto* ; mais il ne perdait rien des impertinences de Chaverny.

Après le dîner, on fit de la musique, et Mme de Chaverny chanta au piano avec Châteaufort. Chaverny disparut au moment où le piano s'ouvrit. Plusieurs visites survinrent, mais n'empêchèrent pas Châteaufort de parler bas très souvent à Julie. En sortant, il déclara à Perrin qu'il n'avait pas perdu sa soirée, et que ses affaires avançaient.

Perrin trouvait tout simple qu'un mari parlât des jambes de sa femme : aussi, quand il fut seul dans la rue avec Châteaufort, il lui dit d'un ton pénétré : — Comment vous sentez-vous le cœur de troubler un si bon ménage ! il aime tant sa petite femme !

V

Depuis un mois Chaverny était fort préoccupé de l'idée de devenir gentilhomme de la chambre.

On s'étonnera peut-être qu'un homme gros, paresseux, aimant ses aises, fût accessible à une pensée d'ambition ; mais il ne manquait pas de bonnes raisons pour justifier la sienne. D'abord, disait-il à ses amis, je dépense beaucoup d'argent en loges que je donne à des femmes. Quand j'aurai un emploi à la cour, j'aurai, sans qu'il m'en coûte un sou, autant de loges que je voudrai. Et l'on sait tout ce que l'on obtient avec des loges. En outre, j'aime beaucoup la chasse : les chasses royales seront à moi. Enfin, maintenant que je n'ai plus d'uniforme, je ne sais comment m'habiller pour aller aux bals de Madame; je n'aime pas les habits de marquis; un habit de gentil-homme de la chambre m'ira très bien. En conséquence, il sollicitait. Il aurait voulu que sa femme sollicitât aussi, mais elle s'y était refusée obstinément, bien qu'elle eût plusieurs amies très puissantes. Ayant rendu quelques petits services au duc de H***, qui était alors fort bien en cour, il attendait beaucoup de son crédit. Son ami Châteaufort, qui avait aussi de très belles connaissances, le servait avec un zèle et un dévouement tels que vous en rencontrerez peut-être si vous êtes le mari d'une jolie femme.

Une circonstance avança beaucoup les affaires de Chaverny, bien qu'elle pût avoir pour lui des conséquences assez funestes. Mme de Chaverny s'était procuré, non sans quelque peine, une loge à l'Opéra un certain jour de première représentation. Cette loge était à six places. Son mari, par extraordinaire et après de vives remon-trances, avait consenti à l'accompagner. Or, Julie voulait offrir une place à Châteaufort, et, sentant qu'elle ne pou-vait aller seule avec lui à l'Opéra, elle avait obligé son mari à venir à cette représentation.

Aussitôt après le premier acte, Chaverny sortit, laissant sa femme en tête à tête avec son ami. Tous les deux gar-dèrent d'abord le silence d'un air un peu contraint : Julie [59], parce qu'elle était embarrassée elle-même depuis quelque temps quand elle se trouvait seule avec Château-fort; celui-ci, parce qu'il avait ses projets et qu'il avait trouvé bienséant de paraître ému. Jetant à la dérobée un coup d'œil sur la salle, il vit avec plaisir plusieurs lor-gnettes de connaissance dirigées sur la loge [60]. Il éprou-vait une vive satisfaction à penser que plusieurs de ses amis enviaient son bonheur, et, selon toute apparence, le supposaient [61] beaucoup plus grand qu'il n'était en réalité.

Julie, après avoir senti sa cassolette [a] et son bouquet à plusieurs reprises, parla de la chaleur, du spectacle,

a. Petite boîte d'orfèvrerie où l'on mettait des parfums et que l'on portait suspendue à une chaîne fixée à une bague; très à la mode sous l'Empire et la Restauration.

des toilettes. Châteaufort écoutait avec distraction, soupirait, s'agitait sur sa chaise, regardait Julie et soupirait
encore. Julie commençait à s'inquiéter. Tout d'un coup
il s'écria :

— Combien je regrette le temps de la chevalerie!

— Le temps de la chevalerie! Pourquoi donc?
demanda Julie. Sans doute parce qu'un costume [62] du
Moyen Age vous irait bien?

— Vous me croyez bien fat, dit-il d'un ton d'amertume et de tristesse. — Non, je regrette ce temps-là...
parce qu'un homme qui se sentait du cœur... pouvait
aspirer à... bien des choses... En définitive, il ne s'agissait
que de pourfendre un géant pour plaire à une dame...
Tenez, vous voyez ce grand colosse au balcon? je voudrais que vous m'ordonnassiez d'aller lui demander sa
moustache... pour me donner ensuite la permission de
vous dire trois petits mots sans vous fâcher.

— Quelle folie! s'écria Julie, rougissant jusqu'au blanc
des yeux, car elle devinait déjà ces trois petits mots. —
Mais voyez donc Mme de Sainte-Hermine : décolletée
à son âge et en toilette de bal!

— Je ne vois qu'une chose, c'est que vous ne voulez
pas m'entendre, et il y a longtemps que je m'en aperçois...
Vous le voulez, je me tais; mais... ajouta-t-il très bas et en
soupirant, vous m'avez compris...

— Non, en vérité, dit sèchement Julie. Mais où donc
est allé mon mari?

Une visite survint fort à propos pour la tirer d'embarras. Châteaufort n'ouvrit pas la bouche. Il était pâle et
paraissait profondément affecté. Lorsque le visiteur sortit,
il fit quelques remarques indifférentes sur le spectacle. Il y avait de longs intervalles de silence entre
eux.

Le second acte allait commencer, quand la porte de
la loge s'ouvrit, et Chaverny parut, conduisant une
femme [63] très jolie et très parée, coiffée de magnifiques
plumes roses. Il était suivi du duc de H***.

— Ma chère amie, dit-il à sa femme, j'ai trouvé monsieur le duc et madame dans une horrible loge de côté
d'où l'on ne peut voir les décorations. Ils ont bien voulu
accepter une place dans la nôtre.

Julie s'inclina froidement; le duc de H*** lui déplaisait. Le duc et la dame aux plumes roses se confondaient [64] en excuses et craignaient de la déranger. Il se fit
un mouvement et un combat de générosité pour se placer.

Pendant le désordre qui s'ensuivit, Châteaufort se pencha
à l'oreille de Julie et lui dit très bas et très vite : — Pour
l'amour de Dieu, ne vous placez pas sur le devant de la
loge. Julie fut fort étonnée et resta à sa place. Tous étant
assis, elle se tourna vers Châteaufort et lui demanda d'un
regard un peu sévère l'explication de cette énigme. Il
était assis, le cou roide, les lèvres pincées, et toute son
attitude annonçait qu'il était prodigieusement contrarié.
En y réfléchissant, Julie interpréta assez mal la recommandation de Châteaufort. Elle pensa qu'il voulait lui
parler bas pendant la représentation et continuer ses
étranges discours, ce qui lui était impossible si elle restait
sur le devant. Lorsqu'elle reporta ses regards vers la
salle, elle remarqua que plusieurs femmes dirigeaient [65]
leurs lorgnettes vers sa loge; mais il en est toujours ainsi
à l'apparition d'une figure nouvelle. — On chuchotait,
on souriait; mais qu'y avait-il d'extraordinaire ? On est
si petite ville à l'Opéra !

La dame inconnue se pencha vers le bouquet de Julie,
et dit avec un sourire charmant : — Vous avez là un
superbe bouquet, madame ! Je suis sûre qu'il a dû coûter
bien cher dans cette saison : au moins dix francs. Mais
on vous l'a donné ! c'est un cadeau sans doute ? Les dames
n'achètent jamais leurs bouquets.

Julie ouvrait de grands yeux et ne savait avec quelle
provinciale elle se trouvait. — Duc, dit la dame d'un air
languissant, vous ne m'avez pas donné de bouquet. Chaverny se précipita vers la porte. Le duc voulait l'arrêter,
la dame aussi; elle n'avait plus envie du bouquet. —
Julie échangea un coup d'œil avec Châteaufort. Il voulait dire : Je vous remercie, mais il est trop tard. — Pourtant elle n'avait pas encore deviné juste.

Pendant toute la représentation, la dame aux plumes
tambourinait des doigts à contre-mesure et parlait
musique à tort et à travers [66]. Elle questionnait Julie sur
le prix de sa robe, de ses bijoux, de ses chevaux. Jamais
Julie n'avait vu des manières semblables. Elle conclut
que l'inconnue devait être une parente du duc, arrivée
récemment de la basse Bretagne. Lorsque Chaverny
revint avec un énorme bouquet, bien plus beau que celui
de sa femme, ce fut une admiration, et des remerciements, et des excuses à n'en pas finir.

— Monsieur de Chaverny, je ne suis pas ingrate, dit
la provinciale prétendue après [67] une longue tirade; —
pour vous le prouver, *faites-moi penser à vous promettre*

quelque chose, comme dit Potier [a]. Vrai, je vous broderai une bourse quand j'aurai achevé celle [68] que j'ai promise au duc.

Enfin l'opéra finit, à la grande satisfaction de Julie, qui se sentait mal à l'aise à côté de sa singulière voisine. Le duc lui offrit le bras, Chaverny prit celui de l'autre dame. Châteaufort, l'air sombre et mécontent, marchait derrière Julie, saluant d'un air contraint les personnes de sa connaissance qu'il rencontrait sur l'escalier.

Quelques femmes passèrent [69] auprès d'eux. Julie les connaissait de vue. Un jeune homme leur parla bas et en ricanant; elles regardèrent aussitôt avec un air de très vive curiosité Chaverny et sa femme, et l'une d'elles s'écria : — Est-il possible!

La voiture du duc parut; il salua Mme de Chaverny en lui renouvelant avec chaleur tous ses remerciements pour sa complaisance. Cependant Chaverny voulait reconduire la dame inconnue jusqu'à la voiture du duc, et Julie et Châteaufort [70] restèrent seuls un instant.

— Quelle est donc cette femme? demanda [71] Julie.

— Je ne dois pas vous le dire... car cela est bien extraordinaire!

— Comment?

— Au reste, toutes les personnes qui vous connaissent sauront bien à quoi s'en tenir... Mais Chaverny!... Je ne l'aurais jamais cru [72].

— Mais enfin qu'est-ce donc? Parlez, au nom du ciel! Quelle est cette femme?

Chaverny [73] revenait. Châteaufort répondit à voix basse : — La [74] maîtresse du duc de H***, Mme Mélanie R***.

— Bon Dieu! s'écria Julie en regardant Châteaufort d'un air stupéfait, cela est impossible!

Châteaufort haussa les épaules, et, en la conduisant à sa voiture, il ajouta : — C'est ce que disaient ces dames que nous avons rencontrées sur l'escalier. Pour l'autre, c'est une personne comme il faut dans son genre. Il lui faut des soins, des égards... Elle a même un mari.

— Chère amie [75], dit Chaverny d'un ton joyeux, vous n'avez pas besoin de moi pour vous reconduire. Bonne nuit. Je vais souper chez le duc.

Julie ne répondit rien.

a. Charles Potier (1775-1838), acteur comique jouissant d'une grande popularité, célèbre aussi par ses mots d'esprit.

— Châteaufort, poursuivit Chaverny, voulez-vous venir avec moi chez le duc ? Vous êtes invité, on vient de me le dire. On vous a remarqué. Vous avez plu, bon sujet!

Châteaufort remercia froidement. Il salua Mme de Chaverny, qui mordait son mouchoir avec rage lorsque sa voiture partit.

— Ah çà, mon cher, dit Chaverny, au moins vous me mènerez dans votre cabriolet jusqu'à la porte de cette infante.

— Volontiers, répondit gaiement Châteaufort; mais, à propos, savez-vous que votre femme a compris à la fin à côté de qui elle était ?

— Impossible.

— Soyez-en sûr, et ce n'était pas bien de votre part.

— Bah! elle a très bon ton; et puis on ne la connaît pas encore beaucoup. Le duc la mène partout.

VI

Mme [76] de Chaverny passa une nuit fort agitée. La conduite de son mari à l'Opéra mettait le comble à tous ses torts, et lui semblait exiger [77] une séparation immédiate. Elle aurait le lendemain une explication avec lui, et lui signifierait son intention de ne plus vivre sous le même toit avec un homme qui l'avait compromise d'une manière si cruelle [78]. Pourtant cette explication l'effrayait. Jamais elle n'avait eu une conversation sérieuse avec son mari. Jusqu'alors elle n'avait exprimé son mécontentement que par des bouderies auxquelles Chaverny n'avait fait aucune attention; car, laissant à sa femme une entière liberté, il ne se serait jamais avisé de croire qu'elle pût lui refuser l'indulgence [79] dont au besoin il était disposé à user envers elle [80]. Elle craignait surtout de pleurer au milieu de cette explication, et que Chaverny n'attribuât ces larmes à un amour blessé. C'est alors qu'elle regrettait vivement l'absence de sa mère, qui aurait pu lui donner un bon conseil, ou se charger de prononcer la sentence de séparation. Toutes ces réflexions la jetèrent dans une grande incertitude, et quand elle s'endormit elle avait pris la résolution de consulter une femme de [81] ses amies qui l'avait connue fort jeune, et de s'en remettre à sa prudence pour la conduite à tenir à l'égard de Chaverny.

Tout en se livrant à son indignation, elle n'avait pu s'empêcher de faire involontairement un parallèle entre son mari et Châteaufort. L'énorme inconvenance du premier faisait ressortir la délicatesse du second, et elle reconnaissait avec un certain plaisir, mais en se le reprochant toutefois [82], que l'amant était plus soucieux de sa réputation que le mari. Cette comparaison morale l'entraînait malgré elle à constater l'élégance des manières de Châteaufort et la tournure médiocrement distinguée de Chaverny. Elle voyait son mari, avec son ventre un peu proéminent, faisant lourdement l'empressé auprès de la maîtresse du duc de H***, tandis que Châteaufort, plus respectueux encore que de coutume [83], semblait chercher à retenir autour d'elle la considération que son mari pouvait lui faire perdre. Enfin, comme nos pensées nous entraînent loin malgré [84] nous, elle se représenta plus d'une fois qu'elle pouvait devenir [85] veuve, et qu'alors jeune, riche, rien ne s'opposerait à ce qu'elle couronnât légitimement l'amour constant du jeune chef d'escadron. Un essai malheureux ne concluait rien contre le mariage, et si l'attachement de Châteaufort était véritable... Mais alors elle chassait ces pensées dont elle rougissait, et se promettait de mettre plus de réserve que jamais dans ses relations avec lui.

Elle se réveilla avec un grand mal de tête, et encore plus éloignée que la veille d'une [86] explication décisive. Elle ne voulut pas descendre pour déjeuner de peur de rencontrer son mari, se fit apporter du thé dans sa chambre, et demanda sa voiture pour aller chez Mme Lambert [87], cette amie qu'elle voulait consulter. Cette dame était alors à sa campagne à P...

En déjeunant elle ouvrit un journal. Le premier article qui tomba sous ses yeux était ainsi conçu : « M. Darcy, « premier secrétaire de l'ambassade de France à Con- « stantinople, est arrivé avant-hier à Paris chargé de « dépêches. Ce jeune diplomate a eu, immédiatement « après son arrivée, une longue conférence avec S. Exc. « M. le ministre des Affaires étrangères. »

— Darcy à Paris ! s'écria-t-elle. J'aurai du plaisir à le revoir. Est-il changé ? Est-il devenu bien raide ? — *Ce jeune diplomate !* Darcy, jeune diplomate ! Et elle ne put s'empêcher de rire toute seule de ce mot : *Jeune diplomate.*

Ce Darcy venait autrefois fort assidûment aux soirées de Mme de Lussan ; il était alors *attaché* au ministère

des Affaires étrangères. Il avait quitté Paris quelque
temps avant le mariage de Julie, et [88] depuis elle ne
l'avait pas revu. Seulement elle savait qu'il avait beaucoup voyagé, et qu'il avait obtenu un avancement rapide.

Elle [89] tenait encore le journal à la main lorsque son
mari entra. Il paraissait d'une humeur charmante.
A son aspect elle se leva pour sortir; mais, comme il
aurait fallu passer tout près de lui pour entrer dans son
cabinet de toilette, elle demeura debout à la même place,
mais tellement émue, que sa main, appuyée sur la table [90]
à thé, faisait distinctement trembler le cabaret de porcelaine.

— Ma chère amie, dit Chaverny, je viens vous dire
adieu pour quelques jours. Je vais chasser chez le duc
de H***. Je vous dirai qu'il est enchanté de votre hospitalité d'hier [91] soir. — Mon affaire marche bien, et il m'a
promis de me recommander au roi de la manière la plus
pressante.

Julie pâlissait et rougissait tour à tour en l'écoutant.

— M. le duc de H*** vous doit cela..., dit-elle d'une
voix tremblante. Il ne peut faire moins pour quelqu'un
qui compromet sa femme de la manière la plus scanda-
leuse avec les maîtresses de son protecteur.

Puis, faisant un effort désespéré, elle traversa la
chambre d'un pas majestueux, et entra dans son cabinet
de toilette dont elle ferma la porte avec force.

Chaverny resta un moment la tête basse et l'air confus.

— D'où diable sait-elle cela ? pensa-t-il. Qu'importe
après tout ? ce qui est fait est fait! — Et, comme ce
n'était pas son habitude de s'arrêter longtemps sur une
idée désagréable, il fit une pirouette, prit un morceau de
sucre dans le sucrier, et cria la bouche pleine à la femme
de chambre qui entrait : — Dites à ma femme que je
resterai quatre à cinq jours chez le duc de H***, et que
je lui enverrai du gibier.

Il sortit ne pensant plus qu'aux faisans et aux che-
vreuils qu'il [92] allait tuer.

VII [93]

Julie partit pour P... avec un redoublement de colère
contre son mari; mais, cette fois, c'était pour un motif
assez léger. Il [94] avait pris, pour aller au château du duc
de H***, la calèche neuve, laissant à sa femme une autre

voiture qui, au dire du cocher, avait besoin de réparations.

Pendant la route, Mme de Chaverny s'apprêtait à raconter son aventure à Mme Lambert. Malgré son chagrin, elle n'était pas insensible à la satisfaction que donne à tout narrateur une histoire bien contée, et elle se préparait à son récit en cherchant des exordes, et commençant tantôt d'une manière, tantôt d'une autre. Il en résulta qu'elle vit les énormités de son mari sous toutes leurs faces, et que son ressentiment s'en augmenta en proportion.

Il y a, comme chacun sait, plus de quatre [95] lieues de Paris à P..., et, quelque long que fût le réquisitoire de Mme de Chaverny, on conçoit qu'il est impossible, même à la haine la plus envenimée, de retourner la même idée pendant quatre lieues de suite. Aux sentiments violents que les torts de son mari lui inspiraient venaient se joindre des souvenirs doux et mélancoliques, par cette étrange faculté de la pensée humaine qui associe souvent une image riante à une sensation pénible.

L'air pur et vif, le beau soleil, les figures insouciantes des passants, contribuaient aussi à la tirer de ses réflexions haineuses. Elle se rappela les scènes de son enfance et les jours où elle allait se promener à la campagne avec des jeunes personnes de son âge. Elle revoyait ses compagnes de couvent; elle assistait à leurs jeux, à leurs repas. Elle s'expliquait des confidences mystérieuses qu'elle avait surprises aux *grandes*, et ne pouvait s'empêcher de sourire en songeant à cent petits traits qui trahissent de si bonne heure l'instinct de la coquetterie chez les femmes.

Puis elle se représentait son entrée dans le monde. Elle dansait de nouveau aux bals les plus brillants qu'elle avait vus dans l'année qui suivit sa sortie du couvent. Les autres bals, elle les avait oubliés; on se blase si vite; mais ces bals lui rappelèrent son mari. — Folle que j'étais! se dit-elle. Comment ne me suis-je pas aperçue à la première vue que je serais malheureuse avec lui? Tous les disparates, toutes les platitudes de fiancé que le pauvre Chaverny lui débitait avec tant d'aplomb un mois avant son mariage, tout cela se trouvait noté, enregistré soigneusement dans sa mémoire. En même temps, elle ne pouvait s'empêcher de penser aux nombreux admirateurs que son mariage avait réduits au désespoir, et qui ne s'en étaient pas moins mariés eux-mêmes ou consolés autrement peu de mois après. — Aurais-je été heureuse avec un autre que lui ? se demanda-t-elle. A... est décidément un sot; mais il n'est pas offensif, et Amélie le gouverne à son gré. Il y a toujours moyen de vivre avec un mari qui obéit. — B... a des maîtresses, et sa femme a la bonté de s'en affliger. D'ailleurs, il est rempli d'égards pour elle, et... je n'en demanderais pas davantage. — Le jeune comte de C..., qui toujours lit des pamphlets, et qui se donne tant de peine pour devenir un jour un bon député, peut-être fera-t-il un bon mari. Oui, mais tous ces gens-là sont ennuyeux, laids, sots... Comme elle passait ainsi en revue tous les jeunes gens qu'elle avait connus étant demoiselle, le nom de Darcy se présenta à son esprit pour la seconde fois.

Darcy était autrefois dans la société de Mme de Lussan un être sans conséquence, c'est-à-dire que l'on savait... les mères savaient — que sa fortune ne lui permettait pas de songer à leurs filles [96]. Pour elles, il n'avait rien en lui qui pût faire tourner leurs jeunes têtes. D'ailleurs [97] il avait la réputation d'un galant homme. Un peu misanthrope et caustique, il se plaisait beaucoup, seul homme au milieu d'un cercle de demoiselles, à se moquer des ridicules et des prétentions des autres jeunes gens. Lorsqu'il parlait bas à une demoiselle, les mères ne s'alarmaient pas, car leurs filles riaient tout haut, et les mères de celles qui avaient de belles dents disaient même que M. Darcy était fort aimable.

Une conformité de goûts et une crainte réciproque de leur talent de médire avaient rapproché Julie et Darcy. Après quelques escarmouches, ils avaient fait un traité [98] de paix, une alliance offensive et défensive; ils se ménageaient mutuellement, et ils étaient toujours unis pour faire les honneurs de leurs connaissances.

Un soir, on avait prié Julie de chanter je ne sais quel morceau. Elle avait une belle voix, et elle le savait. En s'approchant du piano, elle regarda [99] les femmes d'un air un peu fier avant de chanter, et comme si elle voulait les défier. Or, ce soir-là, quelque indisposition ou une fatalité malheureuse la privait de presque tous ses moyens. La première note qui sortit de ce gosier ordinairement si mélodieux se trouva décidément fausse. Julie se troubla, chanta tout de travers, manqua tous les traits; bref, le fiasco fut éclatant. Tout effarée, près de fondre en larmes, la pauvre Julie quitta le piano; et [100], en retournant à sa place, elle ne put s'empêcher de

remarquer la joie maligne que cachaient mal ses compagnes en voyant humilier son orgueil. Les hommes
mêmes semblaient comprimer avec peine un sourire
moqueur. Elle baissa les yeux de honte et de colère, et
fut quelque temps sans oser les lever. Lorsqu'elle releva
la tête, la première figure amie qu'elle aperçut fut [101] celle
de Darcy. Il était pâle, et ses yeux roulaient des larmes;
il paraissait plus touché de sa mésaventure qu'elle ne
l'était elle-même. — Il m'aime! pensa-t-elle; il m'aime
véritablement. La nuit elle ne dormit guère, et la figure
triste de Darcy était toujours devant ses yeux. Pendant
deux jours, elle ne songea qu'à lui et à la passion secrète
qu'il devait nourrir pour elle. Le roman avançait déjà
lorsque Mme de Lussan trouva chez elle une carte de
M. Darcy avec ces trois lettres : P. P. C. — Où va donc
M. Darcy? demanda Julie à un jeune homme qui le
connaissait [102]. — Où il va? Ne le savez-vous pas?
A Constantinople. Il part cette nuit en courrier.

— Il ne m'aime donc pas! pensa-t-elle. Huit jours
après, Darcy était oublié. De son côté, Darcy, qui était
alors assez romanesque, fut huit mois sans oublier Julie.
Pour excuser celle-ci et expliquer la prodigieuse différence de constance, il faut réfléchir que Darcy vivait au
milieu des barbares, tandis que Julie était à Paris entourée d'hommages et de plaisirs.

Quoi qu'il en soit, six ou sept ans après leur séparation, Julie, dans sa voiture, sur la route de P..., se rappelait l'expression mélancolique de Darcy le jour où elle
chanta si mal; et, s'il [103] faut l'avouer, elle pensa à l'amour
probable qu'il avait alors pour elle, peut-être bien même
aux sentiments qu'il pouvait conserver encore. Tout [104]
cela l'occupa assez vivement pendant une demi-lieue.
Ensuite M. Darcy fut oublié pour la troisième fois.

VIII

Julie ne fut pas peu contrariée lorsqu'en entrant à
P... elle vit dans la cour de Mme Lambert une voiture
dont on dételait les chevaux, ce qui annonçait une visite
qui devait se prolonger. Impossible, par conséquent,
d'entamer la discussion de ses griefs contre M. de Chaverny.

Mme Lambert, lorsque Julie entra dans le salon, était
avec une femme que [105] Julie avait rencontrée dans le

monde, mais qu'elle connaissait à peine de nom. Elle dut
faire un effort sur elle-même pour cacher [106] l'expression
du mécontentement qu'elle éprouvait d'avoir fait inutilement le voyage de P...

— Eh! bonjour donc, chère belle! s'écria Mme Lambert en l'embrassant; que je suis contente de voir que
vous ne m'avez pas oubliée! Vous ne pouviez venir plus
à propos, car j'attends aujourd'hui je ne sais combien de
gens qui vous aiment à la folie.

Julie répondit d'un air un peu contraint qu'elle avait
cru trouver Mme Lambert toute seule.

— Ils vont être ravis de vous voir, reprit Mme Lambert. Ma maison est si triste depuis le mariage de ma
fille, que je suis trop heureuse quand mes amis veulent
bien s'y donner rendez-vous. Mais, chère enfant,
qu'avez-vous [107] fait de vos belles couleurs? Je vous
trouve toute pâle aujourd'hui.

Julie inventa un petit mensonge : la longueur de la
route... la poussière... le soleil...

— J'ai précisément aujourd'hui à dîner un de vos
adorateurs, à qui je vais faire une agréable surprise,
M. de Châteaufort, et probablement son fidèle Achate [108],
le commandant Perrin.

— J'ai eu le plaisir de recevoir dernièrement le
commandant Perrin, dit Julie en rougissant un peu, car
elle pensait à Châteaufort.

— J'ai aussi M. de Saint-Léger. Il faut absolument
qu'il organise ici une soirée de proverbes pour le mois
prochain; et vous y jouerez un rôle, mon ange : vous
étiez notre premier sujet pour les proverbes, il y a deux ans.

— Mon Dieu, madame, il y a si longtemps que je
n'ai joué de proverbes, que je ne pourrais plus retrouver
mon assurance d'autrefois. Je serais obligée d'avoir
recours au « *J'entends quelqu'un* [a] ».

— Ah! Julie, mon enfant, devinez qui nous attendons
encore. Mais celui-là, ma chère, il faut de la mémoire
pour se rappeler son nom...

Le nom de Darcy se présenta sur-le-champ à Julie.
— Il m'obsède, en vérité, pensa-t-elle. — De la mémoire,
madame ?... j'en ai beaucoup.

---

a. Moyen souvent employé par les acteurs de proverbes pour
sortir d'un embarras en faisant appel à un autre comédien qui se
trouvait encore dans les coulisses. (Ces comédies ayant été improvisées
dans la plupart des cas, il n'y avait pas d'inconvénient à faire entrer
en scène un nouveau personnage à n'importe quel moment.)

— Mais je dis une mémoire de six ou sept ans... Vous souvenez-vous d'un de vos attentifs [109] lorsque vous étiez petite fille et que vous portiez les cheveux en bandeau ?

— En vérité, je ne devine pas.

— Quelle horreur! ma chère... Oublier ainsi un homme charmant, qui, ou je me trompe fort, vous plaisait tellement autrefois, que votre mère s'en alarmait presque. Allons, ma belle, puisque vous oubliez ainsi vos adorateurs, il faut bien vous rappeler leurs noms : c'est M. Darcy que vous allez voir.

— M. Darcy ?

— Oui; il est enfin revenu de Constantinople depuis quelques jours seulement. Il est venu me voir avant-hier, et je l'ai invité. Savez-vous, ingrate que vous êtes, qu'il m'a demandé de vos nouvelles avec un empressement tout à fait significatif ?

— M. Darcy ?... dit Julie en hésitant, et avec une distraction affectée, M. Darcy ?... N'est-ce pas un grand jeune homme blond... qui est secrétaire d'ambassade ?

— Oh! ma chère, vous ne le reconnaîtrez pas : il est bien changé; il est pâle, ou plutôt couleur olive, les yeux enfoncés; il a perdu beaucoup de cheveux à cause de la chaleur, à ce qu'il dit. Dans deux ou trois ans, si cela continue, il sera chauve par devant. Pourtant il n'a pas trente ans encore [110].

Ici la dame qui écoutait ce récit de la mésaventure de Darcy conseilla fortement l'usage du kalydor [a], dont elle s'était bien trouvée après une maladie qui lui avait fait perdre beaucoup de cheveux. Elle passait ses doigts, en parlant, dans des boucles nombreuses d'un beau châtain cendré.

— Est-ce que M. Darcy est resté tout ce temps à Constantinople ? demanda Mme de Chaverny.

— Pas tout à fait, car il a beaucoup voyagé : il a été en Russie, puis il a parcouru toute la Grèce. Vous ne savez pas son bonheur ? Son oncle est mort, et lui a laissé une belle fortune. Il [111] a été aussi en Asie mineure, dans la... comment dit-il ?... la Caramanie [b]. Il est ravissant, ma chère; il a des histoires charmantes qui vous enchanteront. Hier il m'en a conté de si jolies, que je lui disais toujours : Mais gardez-les donc pour demain;

a. Eau de toilette fabriquée par un parfumeur londonien, recommandée contre les affections de la peau.
b. Région de Turquie.

vous les direz à ces dames [112], au lieu de les perdre avec
une vieille maman comme moi.

— Vous a-t-il conté son histoire de la femme turque
qu'il a sauvée ? demanda Mme Dumanoir, la patron-
nesse du kalydor [113].

— La femme turque qu'il a sauvée ? Il a sauvé une
femme turque ? Il ne m'en a pas dit un mot.

— Comment! mais c'est une action admirable, un
véritable roman.

— Oh! contez-nous cela, je vous en prie.

— Non, non; demandez-le à lui-même. Moi, je ne
sais l'histoire que de ma sœur, dont le mari, comme
vous savez, a été consul à Smyrne. Mais elle la tenait
d'un Anglais qui avait été témoin de toute l'aventure.
C'est merveilleux.

— Contez-nous cette histoire, madame. Comment
voulez-vous que nous puissions attendre jusqu'au dîner ?
Il n'y a rien de si désespérant que d'entendre parler
d'une histoire qu'on ne sait pas.

— Eh bien, je vais vous la gâter; mais enfin la voici
telle qu'on me l'a contée : — M. Darcy était en Turquie
à examiner je ne sais quelles ruines sur le bord de la
mer, quand il vit venir à lui une procession fort lugubre.
C'étaient des muets [a] qui [114] portaient un sac, et ce sac,
on le voyait remuer comme s'il y avait eu dedans quelque
chose de vivant...

— Ah! [115] mon Dieu! s'écria Mme Lambert, qui avait
lu le *Giaour*, c'était une femme qu'on allait jeter à la
mer [116]!

— Précisément, poursuivit Mme Dumanoir, un peu
piquée de se voir enlever ainsi le trait le plus dramatique
de son conte. M. Darcy regarde le sac, il entend un
gémissement sourd, et devine aussitôt l'horrible vérité.
Il demande aux muets ce [117] qu'ils vont faire : pour
toute réponse, les muets tirent [118] leurs poignards.
M. Darcy était heureusement fort bien armé. Il met en
fuite les esclaves et tire enfin de ce vilain sac une femme
d'une beauté ravissante, à demi évanouie, et la ramène
dans la ville, où il la conduit dans une maison sûre.

— Pauvre femme! dit Julie, qui commençait à s'intéresser à l'histoire.

— Vous la croyez sauvée ? pas du tout. Le mari

a. En réalité ces serviteurs n'étaient pas privés de la parole,
mais obligés de s'exprimer par des signes.

jaloux, car c'était un mari, ameuta toute la populace, qui
se porta à la maison de M. Darcy avec des torches, voulant le brûler vif. Je ne sais pas trop bien la fin de l'affaire ;
tout ce que je sais, c'est qu'il a soutenu un siège et qu'il
a fini par mettre la femme en sûreté. Il paraît même,
ajouta Mme Dumanoir, changeant tout à coup son
expression et prenant un *ton de nez fort dévot* [119], il paraît
que M. Darcy a pris soin qu'on la convertît, et qu'elle a
été baptisée.

— Et M. Darcy l'a-t-il épousée ? demanda Julie en
souriant.

— Pour cela, je ne puis vous le dire. Mais la femme
turque... elle avait un singulier nom ; elle s'appelait
Eminé... Elle avait une passion violente pour M. Darcy.
Ma sœur me disait qu'elle l'appelait toujours *Sôtir*...
Sôtir... cela veut dire *mon sauveur* en turc ou en grec.
Eulalie m'a dit que c'était une des plus belles personnes
qu'on pût voir.

— Nous lui ferons la guerre sur sa Turque ! s'écria
Mme Lambert ; n'est-ce pas, mesdames ? il faut le tour-
menter un peu... Au reste, ce trait de Darcy ne me surprend pas du tout : c'est un des hommes les plus généreux que je connaisse, et je sais des actions de lui qui
me font venir les larmes aux yeux toutes les fois que je
les raconte. — Son oncle est mort laissant une fille
naturelle qu'il n'avait jamais reconnue. Comme il n'a
pas fait de testament, elle n'avait aucun droit à sa suc-
cession. Darcy, qui était l'unique héritier, a voulu
qu'elle y eût une part, et probablement cette part a été
beaucoup plus forte que son oncle ne l'aurait faite lui-
même.

— Etait-elle jolie cette fille naturelle ? demanda
Mme de Chaverny d'un air assez méchant, car elle commençait à sentir le besoin de dire du mal de ce M. Darcy,
qu'elle ne pouvait chasser de ses pensées.

— Ah [120] ! ma chère, comment pouvez-vous supposer ?... Mais d'ailleurs M. Darcy [121] était encore à
Constantinople lorsque son oncle est mort, et vraisemblablement il n'a pas vu [122] cette créature.

L'arrivée de Châteaufort, du commandant Perrin et
de quelques autres personnes, mit fin à cette conversation. Châteaufort s'assit auprès de Mme de Chaverny, et profitant d'un moment où l'on parlait très
haut :

— Vous paraissez triste, madame, lui dit-il ; je serais

bien malheureux si ce que je vous ai dit hier en était la cause.

Mme de Chaverny ne l'avait pas entendu, ou plutôt n'avait pas voulu l'entendre. Châteaufort éprouva donc la mortification de répéter sa phrase, et la mortification plus grande encore d'une réponse un peu sèche, après laquelle Julie se mêla aussitôt à la conversation générale; et, changeant de place, elle s'éloigna de son malheureux admirateur.

Sans se décourager, Châteaufort faisait inutilement beaucoup d'esprit. Mme de Chaverny, à qui seulement il voulait plaire, l'écoutait avec distraction : elle pensait à l'arrivée prochaine de M. Darcy, tout en se demandant pourquoi elle s'occupait tant d'un homme qu'elle devait avoir oublié, et qui probablement l'avait aussi oubliée depuis longtemps.

Enfin, le bruit d'une voiture se fit entendre; la porte du salon s'ouvrit. — Eh! le voilà! s'écria Mme Lambert. Julie n'osa pas tourner la tête, mais pâlit extrêmement. Elle éprouva une vive et subite sensation de froid, et elle eut besoin de rassembler toutes ses forces pour se remettre et empêcher Châteaufort de remarquer le changement de ses traits.

Darcy baisa la main de Mme Lambert et lui parla debout quelque temps, puis il s'assit auprès d'elle. Alors il se fit un grand silence : Mme Lambert paraissait attendre et ménager une reconnaissance. Châteaufort et les hommes, à l'exception du bon commandant Perrin, observaient Darcy avec une curiosité un peu jalouse. Arrivant [123] de Constantinople, il avait de grands avantages sur eux, et c'était un motif suffisant pour qu'ils se donnassent cet air de raideur compassée que l'on prend d'ordinaire avec les étrangers. Darcy, qui n'avait fait attention à personne, rompit le silence le premier. Il parla du temps ou de la route, peu importe [124]; sa voix était douce et musicale. Mme de Chaverny se hasarda à le regarder : elle le vit de profil. Il lui parut maigri, et son expression avait changé... En somme, elle le trouva bien.

— Mon cher Darcy, dit Mme Lambert, regardez bien autour de vous, et voyez si vous ne trouverez pas ici une de vos anciennes connaissances. Darcy tourna la tête, et aperçut Julie, qui s'était cachée [125] jusqu'alors sous son chapeau. Il se leva précipitamment avec une exclamation de surprise, s'avança vers elle en étendant la main; puis, s'arrêtant tout à coup et comme se repentant de son excès

de familiarité, il salua Julie très profondément, et lui
exprima en termes *convenables* tout le plaisir qu'il avait
à la revoir. Julie balbutia quelques mots de politesse, et
rougit beaucoup en voyant que Darcy se tenait toujours
debout devant elle et la regardait fixement.

Sa présence d'esprit lui revint bientôt, et elle le regarda
à son tour avec ce regard à la fois distrait et observateur
que les gens du monde prennent quand ils veulent. C'était
un grand jeune homme pâle, et dont les traits exprimaient
le calme, mais un calme qui semblait provenir moins d'un
état habituel de l'âme que de l'empire qu'elle était parvenue à prendre sur l'expression de la physionomie. Des
rides déjà marquées sillonnaient son front. Ses yeux étaient
enfoncés, les coins de sa bouche abaissés, et ses tempes
commençaient à se dégarnir de cheveux. Cependant il
n'avait pas plus de trente ans. Darcy était très simplement
habillé, mais avec cette élégance qui indique les habitudes [126] de la bonne compagnie et l'indifférence sur un
sujet qui occupe les méditations de tant de jeunes gens.
Julie fit toutes ces observations avec plaisir. Elle remarqua encore qu'il avait au front une cicatrice assez longue
qu'il cachait mal avec une mèche de cheveux, et qui
paraissait avoir été faite par un coup de sabre.

Julie était assise à côté de Mme Lambert. Il y avait
une chaise entre elle et Châteaufort; mais aussitôt que
Darcy s'était levé, Châteaufort avait mis sa main sur le
dossier de la chaise, l'avait placée sur un seul pied, et
la tenait en équilibre. Il était évident qu'il prétendait la
garder comme le chien du jardinier gardait le coffre
d'avoine [127]. Mme Lambert eut pitié de Darcy qui se
tenait toujours debout devant Mme de Chaverny. Elle
fit une place à côté d'elle sur le canapé où elle était assise,
et l'offrit à Darcy, qui se trouva de la sorte auprès de
Julie. Il s'empressa de profiter de cette position avanta-
geuse, en commençant avec elle une conversation suivie.

Pourtant il eut à subir de Mme Lambert et de quelques
autres personnes un interrogatoire en règle sur ses
voyages; mais il s'en tira assez laconiquement, et il sai-
sissait toutes les occasions de reprendre son espèce
d'aparté avec Mme de Chaverny. — Prenez le bras de
Mme de Chaverny, dit Mme Lambert à Darcy au
moment où la cloche du château annonça le dîner. Châteaufort se mordit les lèvres, mais il trouva moyen de se
placer à table assez près de Julie pour bien l'observer.

IX

Après le dîner, la soirée étant belle et le temps chaud, on se réunit dans le jardin autour d'une table rustique pour prendre le café.

Châteaufort avait remarqué avec un dépit croissant les attentions de Darcy pour Mme de Chaverny. A mesure qu'il observait l'intérêt qu'elle paraissait prendre à la conversation du nouveau venu, il devenait moins aimable lui-même, et la jalousie qu'il ressentait n'avait d'autre effet que de lui ôter ses moyens [128] de plaire. Il se promenait sur la terrasse où l'on était assis, ne pouvant rester en place, suivant l'ordinaire des gens inquiets, regardant souvent de gros nuages noirs qui se formaient à l'horizon et annonçaient un orage, plus souvent encore son rival, qui causait à voix basse avec Julie. Tantôt il la voyait sourire, tantôt elle devenait sérieuse, tantôt elle baissait les yeux timidement; enfin il voyait que Darcy ne pouvait pas lui dire un mot qui ne produisît un effet marqué; et ce qui le chagrinait surtout, c'est que les expressions variées que prenaient les traits de Julie semblaient n'être que l'image et comme la réflexion de la physionomie mobile de Darcy. Enfin, ne pouvant plus tenir à cette espèce de supplice, il s'approcha d'elle, et, se penchant sur le dos de sa chaise au moment où Darcy donnait à quelqu'un des renseignements sur la barbe du sultan Mahmoud [129] : — Madame, dit-il d'un ton amer, M. Darcy paraît être un homme bien aimable !

— Oh oui ! répondit Mme de Chaverny avec une expression d'enthousiasme qu'elle ne put réprimer.

— Il y paraît, continua Châteaufort, car il vous fait oublier vos anciens amis.

— Mes anciens amis ! dit Julie d'un accent un peu sévère. Je ne sais ce que vous voulez dire. Et elle lui tourna le dos. Puis, prenant un coin du mouchoir que Mme Lambert tenait à la main : — Que la broderie de ce mouchoir est de bon goût ! dit-elle. C'est un ouvrage merveilleux.

— Trouvez-vous, ma chère ? C'est un cadeau de M. Darcy, qui m'a rapporté je ne sais combien de mouchoirs brodés de Constantinople. — A propos, Darcy, est-ce votre Turque qui vous les a brodés ?

— Ma Turque ! quelle Turque ?

— Oui, cette belle sultane à qui vous avez sauvé la vie,

qui vous appelait... oh! nous savons tout... qui vous
appelait... son... sauveur enfin. Vous devez savoir comment cela se dit en turc.

Darcy se frappa le front en riant. Est-il possible,
s'écria-t-il, que la renommée de ma mésaventure soit
déjà parvenue à Paris!

— Mais il n'y a pas de mésaventure là-dedans; il n'y
en a peut-être que pour le Mamamouchi [130] qui a perdu
sa favorite.

— Hélas! répondit Darcy, je vois bien que vous ne
savez que la moitié de l'histoire, car c'est une aventure
aussi triste pour moi que celle des moulins à vent le fut
pour don Quichotte [131]. Faut-il que, après avoir tant
donné à rire aux Francs, je sois encore persiflé à Paris
pour le seul fait de chevalier errant dont je me sois jamais
rendu coupable!

— Comment [132]! mais nous ne savons rien. Contez-
nous cela! s'écrièrent [133] toutes les dames à la fois.

— Je devrais, dit Darcy, vous laisser sur le récit que
vous connaissez déjà [134], et me dispenser de la suite, dont
les souvenirs n'ont rien de bien agréable pour moi; mais
un de mes amis... je vous demande la permission de vous
le présenter, Mme Lambert, — sir John Tyrrel... un
de mes amis, acteur aussi dans cette scène tragi-comique,
va bientôt venir à Paris. Il pourrait bien se donner le
malin plaisir de me prêter dans son récit un rôle encore
plus ridicule que celui que j'ai joué. Voici le fait:

— « Cette malheureuse femme, une fois installée dans
le consulat de France... »

— Oh! mais commencez par le commencement!
s'écria Mme Lambert.

— Mais vous le savez déjà.

— Nous ne savons rien, et nous voulons que vous nous
contiez toute l'histoire d'un bout à l'autre.

— « Eh bien! vous saurez, mesdames, que j'étais à
Larnaca [a] en 18... Un jour je sortis de la ville pour dessiner. Avec moi était un jeune Anglais très aimable, bon
garçon, bon vivant, nommé sir John Tyrrel, un de ces
hommes précieux en voyage, parce qu'ils pensent au
dîner, qu'ils n'oublient pas les provisions et qu'ils sont
toujours de bonne humeur. D'ailleurs il voyageait sans
but et ne savait ni la géologie ni la botanique, sciences
bien fâcheuses dans un compagnon de voyage.

a. Ville de l'île de Chypre.

« Je m'étais assis à l'ombre d'une masure à deux cents pas environ de la mer, qui dans cet endroit est dominée par des rochers à pic. J'étais fort occupé à dessiner ce qui restait d'un sarcophage antique, tandis que sir John, couché sur l'herbe, se moquait de ma passion malheureuse pour les beaux-arts en [135] fumant de délicieux tabac de Latakié [a]. A côté de nous, un drogman turc [136], que nous avions pris à notre service, nous faisait du café. C'était le meilleur faiseur de café et le plus poltron de tous les Turcs que j'aie connus.

« Tout d'un coup sir John s'écria avec joie : — Voici des gens qui descendent de la montagne avec de la neige; nous allons leur en acheter et faire du sorbet avec des oranges.

« Je levai les yeux, et je vis venir à nous un âne sur lequel était chargé en travers un gros paquet; deux esclaves le soutenaient de chaque côté. En avant, un ânier conduisait l'âne, et derrière, un Turc vénérable, à barbe blanche, fermait la marche, monté sur un assez bon cheval. Toute cette procession s'avançait lentement et avec beaucoup de gravité.

« Notre Turc, tout en soufflant son feu, jeta un coup d'œil de côté sur la charge de l'âne, et nous dit avec un singulier sourire : « Ce [137] n'est pas de la neige. » Puis il s'occupa de notre café avec son flegme habituel. — « Qu'est-ce donc ? demanda Tyrrel. Est-ce quelque chose à manger ? »

« — Pour *les poissons*, répondit le Turc.

« En ce moment l'homme à cheval partit au galop; et, se dirigeant vers la mer, il passa auprès de nous, non sans nous jeter un de ces regards méprisants [138] que les musulmans adressent volontiers aux chrétiens. Il poussa son cheval jusqu'aux rochers à pic dont je vous ai parlé, et l'arrêta court à l'endroit le plus escarpé. Il regardait la mer, et paraissait chercher le meilleur endroit pour se précipiter.

« Nous examinâmes alors avec plus d'attention le paquet que portait l'âne, et nous fûmes frappés de la forme étrange du sac. Toutes les histoires de femmes noyées par des maris jaloux nous revinrent aussitôt à la mémoire. Nous nous communiquâmes nos réflexions.

« — Demande à ces coquins, dit sir John à notre Turc, si ce n'est pas une femme qu'ils portent ainsi.

a. Ville syrienne (l'ancienne Laodicée).

« Le Turc ouvrit de grands yeux effarés, mais non la bouche. Il était évident qu'il trouvait notre question par trop inconvenante.

« En ce moment le sac étant près de nous, nous le vîmes distinctement remuer, et nous entendîmes même une espèce de gémissement ou de grognement qui en sortait.

« Tyrrel, quoique gastronome, est fort chevaleresque. Il se leva comme un furieux, courut à l'ânier et lui demanda en anglais, tant il était troublé par la colère, ce qu'il conduisait ainsi et ce qu'il prétendait faire de son sac. L'ânier n'avait garde de répondre : mais le sac s'agita violemment, des cris de femme se firent entendre : sur quoi les deux esclaves se mirent à donner sur le sac de grands coups de courroies dont ils se servaient pour faire marcher l'âne. Tyrrel était poussé à bout. D'un vigoureux et scientifique coup de poing il jeta l'ânier à terre et saisit [139] un esclave à la gorge : sur quoi le sac, poussé violemment dans la lutte, tomba lourdement sur l'herbe.

« J'étais accouru. L'autre esclave se mettait en devoir de ramasser des pierres, l'ânier se relevait. Malgré mon aversion pour me mêler des affaires des autres, il m'était impossible de ne pas venir au secours de mon compagnon. M'étant saisi d'un piquet qui me servait à tenir mon parasol quand je dessinais, je le brandissais en menaçant les esclaves et l'ânier de l'air le plus martial qu'il m'était possible. Tout allait bien, quand ce diable de Turc à cheval, ayant fini de contempler la mer et s'étant retourné au bruit que nous faisions, partit comme une flèche et fut sur nous avant que nous y eussions pensé : il avait à la main une espèce de vilain coutelas... »

— Un ataghan [a] ? dit Châteaufort qui aimait la couleur locale.

« — Un ataghan, reprit Darcy avec un sourire d'approbation. Il passa auprès de moi, et me donna sur la tête un coup de cet ataghan qui me fit voir trente-six... *bougies*, comme disait si élégamment mon ami M. le marquis de Roseville. Je ripostai [140] pourtant en lui assenant un bon coup de piquet sur les reins, et je fis ensuite le moulinet de mon mieux, frappant ânier, esclaves, cheval et Turc, devenu moi-même dix fois plus furieux que mon ami sir John Tyrrel. L'affaire aurait sans doute tourné

a. Long poignard à lame recourbée. (Dans *Le Vase étrusque* aussi, la mention de cette arme renforce la couleur locale traitée avec ironie.)

mal pour nous. Notre drogman observait [141] la neutralité,
et nous ne pouvions nous défendre longtemps avec un
bâton contre trois hommes d'infanterie, un de cavalerie
et un ataghan. Heureusement sir John se souvint d'une
paire de pistolets que nous avions apportée. Il s'en saisit,
m'en jeta un, et prit l'autre qu'il dirigea aussitôt contre le
cavalier qui nous donnait tant d'affaires. La vue de ces
armes et le léger claquement du chien du pistolet produi-
sirent un [142] effet magique sur nos ennemis. Ils prirent
honteusement la fuite, nous laissant maîtres du champ
de bataille, du sac et même de l'âne. Malgré toute notre
colère, nous n'avions pas fait feu, et ce fut un bonheur,
car on ne tue pas impunément un bon musulman, et il
en coûte cher pour le rosser.

« Lorsque je me fus un peu essuyé, notre premier
soin fut, comme vous le pensez bien, d'aller au sac et
de l'ouvrir. Nous y trouvâmes une assez jolie femme, un
peu grasse, avec de beaux cheveux noirs, et n'ayant pour
tous vêtements qu'une chemise de laine bleue un peu
moins transparente que l'écharpe de Mme de Chaverny.

« Elle se tira lestement [143] du sac, et, sans paraître fort
embarrassée, nous [144] adressa un discours très pathétique
sans doute, mais dont nous ne comprîmes pas un mot;
à la suite de quoi elle me baisa la main. C'est la seule fois,
mesdames, qu'une dame m'ait fait cet honneur.

« Le sang-froid nous était revenu cependant. Nous
voyions notre drogman s'arracher [145] la barbe comme un
homme désespéré. Moi, je m'accommodais la tête de
mon mieux avec mon mouchoir. Tyrrel disait : — « Que
diable faire de cette femme ? Si nous restons ici, le mari
va revenir en force et nous assommera; si nous retour-
nons à Larnaca avec elle dans ce bel équipage, la canaille
nous lapidera infailliblement. » Tyrrel, embarrassé de
toutes ces réflexions, et ayant recouvré son flegme britannique [146], s'écria : « Quelle diable d'idée avez-vous eue
d'aller dessiner aujourd'hui! » Son exclamation me fit
rire, et la femme, qui n'y avait rien compris, se mit à rire
aussi.

« Il fallut pourtant prendre un parti. Je pensai que
ce que nous avions de mieux à faire, c'était de nous mettre
tous sous la protection du consul [147] de France; mais le
plus difficile était de rentrer à Larnaca. Le jour tombait,
et ce fut une circonstance heureuse pour nous. Notre
Turc nous fit prendre un grand détour, et nous arrivâmes,
grâce à la nuit et à cette précaution, sans encombre à la

maison du consul, qui est hors de la ville. J'ai oublié de vous dire que nous avions composé à la femme un costume presque décent avec le sac et le turban de notre interprète.

« Le consul nous reçut fort mal, nous dit que nous étions des fous, qu'il fallait respecter les us et coutumes des pays où [148] l'on voyage, qu'il ne fallait pas mettre le doigt entre l'arbre et l'écorce... Enfin, il nous tança d'importance ; et il avait raison, car nous en avions fait assez pour occasionner une violente émeute, et faire massacrer tous les Francs de l'île de Chypre.

« Sa femme fut plus humaine ; elle avait lu beaucoup de romans, et trouva notre conduite très généreuse. Dans le fait, nous nous étions conduits en héros de roman. Cette excellente dame était fort dévote ; elle pensa qu'elle convertirait facilement l'infidèle que nous lui avions amenée, que cette conversion serait mentionnée au *Moniteur*, et que son mari serait nommé consul général. Tout ce plan se fit en un instant dans sa tête. Elle embrassa la femme turque, lui donna une robe, fit honte à monsieur le consul de sa cruauté, et l'envoya chez le pacha pour arranger l'affaire.

« Le pacha était fort en colère Le mari jaloux était un personnage, et jetait feu et flamme. C'était [149] une horreur, disait-il, que des chiens de chrétiens empêchassent un homme comme lui de jeter son esclave à la mer. Le consul était fort en peine ; il parla beaucoup du roi son maître, encore plus d'une frégate de soixante canons qui venait de paraître dans les eaux de Larnaca. Mais l'argument qui produisit le plus d'effet, ce fut la proposition qu'il fit en notre nom de payer l'esclave à juste prix.

« Hélas ! si vous saviez ce que c'est que le juste prix d'un Turc ! Il fallut payer le mari, payer le pacha, payer l'ânier à qui Tyrrel avait cassé deux dents, payer pour le scandale, payer pour tout. Combien de fois Tyrrel s'écria douloureusement : « Pourquoi diable aller dessiner sur le bord de la mer ! »

— Quelle aventure, mon pauvre Darcy ! s'écria Mme Lambert, c'est donc là que vous avez reçu cette terrible balafre ? De grâce, relevez donc [150] vos cheveux. Mais c'est un miracle qu'il ne vous ait pas fendu la tête ! »

Julie, pendant tout ce récit, n'avait pas détourné les yeux du front du narrateur ; elle demanda enfin d'une voix timide : « Que devint la femme ?

— C'est là justement la partie de l'histoire que je n'aime pas trop à raconter. La suite est si triste pour moi, qu'à l'heure où je vous parle, on se moque encore de notre équipée chevaleresque.

— Etait-elle [151] jolie cette femme ? demanda Mme de Chaverny en rougissant un peu.

— Comment se nommait-elle ? demanda Mme Lambert.

— Elle se nommait Emineh. — Jolie ?... Oui, elle était assez jolie, mais trop grasse et toute barbouillée de fard, suivant l'usage de son pays. Il faut beaucoup d'habitude pour apprécier les charmes d'une beauté turque. — Emineh fut donc installée dans la maison du consul. Elle était Mingrélienne [a], et dit à Mme C***, la femme du consul, qu'elle était fille de prince. Dans ce pays, tout coquin qui commande à dix autres coquins est un prince. On la traita donc en princesse : elle dînait à table, mangeait comme quatre ; puis, quand on lui parlait religion, elle s'endormait régulièrement. Cela dura quelque temps. Enfin on prit jour pour le baptême. Mme C*** se nomma sa marraine, et voulut que je fusse parrain avec elle. Bonbons, cadeaux et tout ce qui s'ensuit !... Il était écrit que cette malheureuse Emineh me ruinerait. Mme C*** disait qu'Emineh m'aimait mieux [152] que Tyrrel, parce qu'en me présentant du café elle en laissait toujours tomber sur mes habits. Je me préparais à ce baptême avec une componction vraiment évangélique, lorsque, la veille de la cérémonie, la belle Emineh disparut. Faut-il vous dire tout ? Le consul avait pour cuisinier un Mingrélien, grand coquin certainement, mais admirable pour le pilaf. Ce [153] Mingrélien avait plu à Emineh, qui avait sans doute du patriotisme à sa manière. Il l'enleva, et en même temps une somme assez forte à M. C***, qui ne put jamais le retrouver. Ainsi le consul en fut pour son argent, sa femme pour le trousseau qu'elle avait donné à Emineh, moi pour mes gants, mes bonbons, outre les coups que j'avais reçus. Le pire, c'est qu'on me rendit en quelque sorte responsable de l'aventure. On prétendit que c'était moi qui avais délivré cette vilaine femme, que je voudrais savoir au fond de la mer, et qui avais attiré tant de malheurs sur mes amis. Tyrrel sut se tirer d'affaire ; il passa pour victime, tandis que lui seul était cause de toute

---

a. La Mingrélie était une province russe située au bord de la mer Noire.

la bagarre, et moi je restai avec une réputation de don Quichotte et la balafre que vous voyez, qui nuit beaucoup à mes succès. »

L'histoire contée, on rentra dans le salon. Darcy causa encore quelque temps avec Mme de Chaverny, puis il fut obligé de la quitter pour se voir présenter un jeune homme fort savant en économie politique, qui étudiait pour être député, et qui désirait avoir des renseignements statistiques sur l'empire ottoman [154].

X

Julie, depuis que Darcy l'avait quittée, regardait souvent la pendule. Elle écoutait Châteaufort avec distraction, et ses yeux cherchaient involontairement Darcy, qui causait à l'autre extrémité du salon. Quelquefois il la regardait tout en parlant à son amateur de statistique, et elle ne pouvait supporter son regard pénétrant, quoique calme. Elle sentait qu'il avait déjà pris un empire extraordinaire sur elle, et elle ne pensait plus à [155] s'y soustraire.

Enfin elle demanda sa voiture, et, soit à dessein, soit par préoccupation, elle la demanda en regardant Darcy d'un regard qui voulait dire : — Vous avez perdu une demi-heure que nous aurions pu passer ensemble. La voiture était prête. Darcy causait toujours, mais il paraissait fatigué et ennuyé du questionneur qui ne le lâchait pas. Julie se leva lentement, serra la main de Mme Lambert, puis elle se dirigea vers la porte du salon, surprise et presque piquée de voir Darcy demeurer toujours à la même place. Châteaufort était auprès d'elle; il lui offrit son bras qu'elle prit machinalement sans l'écouter, et presque sans s'apercevoir de sa présence. Elle traversa le vestibule, accompagnée de Mme Lambert et de quelques personnes qui la reconduisirent jusqu'à sa voiture. Darcy était resté dans le salon. Quand elle fut assise dans sa calèche, Châteaufort lui demanda en souriant si elle n'aurait pas peur toute seule la nuit par les chemins, ajoutant qu'il allait la suivre de près dans son tilbury, aussitôt que le commandant Perrin aurait fini sa partie de billard. Julie, qui était toute rêveuse, fut rappelée à elle-même par le son de sa voix, mais elle n'avait rien compris. Elle fit ce qu'aurait fait toute autre femme en pareille circonstance : elle sourit. Puis, d'un signe de tête, elle dit adieu aux

personnes réunies sur le perron, et ses chevaux l'entraî-
nèrent rapidement.

Mais précisément au moment où la voiture s'ébranlait,
elle avait vu Darcy sortir du salon, pâle, l'air triste et
les yeux fixés sur elle comme s'il lui demandait un adieu
distinct. Elle partit, emportant le regret de n'avoir pu
lui faire un signe de tête pour lui seul, et elle pensa même
qu'il en serait piqué. Déjà elle avait oublié qu'il avait
laissé à un autre le soin de la conduire à sa voiture ; maintenant les torts étaient de son côté, et elle se les reprochait
comme un grand crime. Les sentiments qu'elle avait
éprouvés pour Darcy quelques années auparavant, en le
quittant après cette soirée où elle avait chanté faux, étaient
bien moins vifs que ceux qu'elle emportait cette fois. C'est
que non seulement les années avaient donné de la force
à ses impressions, mais encore elles s'augmentaient de
toute la colère accumulée contre son mari. Peut-être
même l'espèce d'entraînement qu'elle avait ressenti pour
Châteaufort, qui, d'ailleurs, dans ce moment, était
complètement oublié, l'avait-il préparée à se laisser
aller, sans trop de remords, au sentiment [156] bien plus vif
qu'elle éprouvait pour Darcy.

Quant à lui, ses pensées étaient d'une nature plus
calme. Il avait rencontré avec plaisir une jolie femme
qui lui rappelait des souvenirs heureux, et dont la connaissance lui serait probablement agréable pour l'hiver qu'il
allait passer à Paris. Mais, une fois qu'elle n'était plus
devant ses yeux, il ne lui restait tout au plus que le souvenir de quelques heures écoulées gaiement, souvenir
dont la douceur était encore altérée par la perspective de
se coucher tard et de faire quatre lieues pour retrouver
son lit. Laissons-le, tout entier à ses idées prosaïques,
s'envelopper soigneusement dans son manteau, s'établir
commodément et en biais dans son coupé de louage,
égarant ses pensées du salon de Mme Lambert à Constantinople, de Constantinople à Corfou, et de Corfou à
un demi-sommeil.

Cher lecteur, nous suivrons, s'il vous plaît, Mme de
Chaverny.

XI

Lorsque Mme de Chaverny quitta le château de
Mme Lambert, la nuit était horriblement noire, l'atmos-
phère lourde et étouffante : de temps en temps des éclairs,

illuminant le paysage, dessinaient les [157] silhouettes noires
des arbres sur un fond d'un orangé livide. L'obscurité
semblait redoubler après chaque éclair, et le cocher ne
voyait pas la tête de ses chevaux. Un orage violent éclata
bientôt. La pluie, qui tombait d'abord en gouttes larges
et rares, se changea promptement en un véritable déluge [158]. De tous côtés le ciel était en feu, et l'artillerie
céleste commençait à devenir assourdissante. Les chevaux effrayés soufflaient fortement et se cabraient au lieu
d'avancer, mais le cocher avait parfaitement dîné : son
épais carrick, et surtout le vin qu'il avait bu, l'empêchaient de craindre l'eau et les mauvais chemins. Il
fouettait énergiquement les pauvres bêtes, non moins
intrépide [159] que César dans la tempête lorsqu'il disait à
son pilote : Tu portes César et sa fortune [160]!

Mme de Chaverny, n'ayant pas peur du tonnerre, ne
s'occupait guère de l'orage. Elle se répétait tout ce que
Darcy lui avait dit, et se repentait de ne lui avoir pas
dit cent choses [161] qu'elle aurait pu lui dire [162], lorsqu'elle fut tout à coup interrompue dans ses méditations
par un choc violent que reçut sa voiture : en même
temps les glaces volèrent en éclats, un craquement de
mauvais augure se fit entendre; la calèche était précipitée [163] dans un fossé. Julie en fut quitte pour la peur.
Mais la pluie ne cessait pas; une roue était brisée; les
lanternes s'étaient éteintes, et l'on [164] ne voyait pas aux
environs une seule maison pour se mettre à l'abri. Le
cocher jurait, le valet de pied maudissait le cocher [165], et
pestait contre sa maladresse. Julie restait dans sa voiture, demandant comment on pourrait revenir à P... ou
ce qu'il fallait faire; mais à chaque question qu'elle faisait elle recevait cette réponse désespérante : — C'est
impossible!

Cependant on entendit de loin le bruit sourd d'une
voiture qui s'approchait. Bientôt le cocher de Mme de
Chaverny reconnut [166], à sa grande satisfaction, un de
ses collègues avec lequel il avait jeté les fondements
d'une tendre amitié dans l'office de Mme Lambert; il
lui cria de s'arrêter.

La voiture [167] s'arrêta; et à peine le nom de Mme de
Chaverny fut-il prononcé, qu'un jeune homme qui se
trouvait dans le coupé ouvrit lui-même la portière, et
s'écriant : — Est-elle blessée ? s'élança d'un bond auprès
de la calèche de Julie. Elle avait reconnu Darcy, elle
l'attendait.

Leurs mains se rencontrèrent dans l'obscurité, et Darcy crut sentir que Mme de Chaverny pressait la sienne [168]; mais c'était probablement un effet de la peur. Après les premières questions, Darcy offrit naturellement sa voiture. Julie ne répondit pas d'abord, car elle était fort indécise sur le parti qu'elle devait prendre. D'un côté, elle pensait aux trois ou quatre lieues qu'elle aurait à faire en tête à tête avec un jeune homme, si elle voulait aller à Paris; d'un autre côté, si elle revenait au château pour y demander l'hospitalité à Mme Lambert, elle frémissait à l'idée de raconter le romanesque accident de la voiture versée et du secours qu'elle aurait reçu de [169] Darcy. Reparaître au salon au milieu de la partie de whist, sauvée par Darcy comme la femme turque... on ne pouvait y songer. Mais aussi trois [170] longues lieues jusqu'à Paris!... Pendant qu'elle flottait ainsi dans l'incertitude, et qu'elle balbutiait assez maladroitement quelques phrases banales sur l'embarras qu'elle allait causer, Darcy, qui semblait lire au fond de son cœur, lui dit froidement : — Prenez ma voiture, madame, je resterai dans la vôtre jusqu'à ce qu'il passe quelqu'un pour Paris. Julie, craignant de montrer trop [171] de pruderie, se hâta d'accepter la première offre, mais non la seconde. Et comme sa résolution fut toute soudaine, elle n'eut pas le temps de résoudre l'importante question de savoir si l'on irait à P... ou à Paris. Elle était déjà dans le coupé de Darcy, enveloppée de son manteau, qu'il s'empressa de lui donner, et les chevaux trottaient lestement vers Paris, avant qu'elle eût pensé à dire où elle voulait aller. Son domestique avait choisi pour elle, en donnant au cocher le nom et la rue [172] de sa maîtresse.

La conversation commença embarrassée de part et d'autre. Le son de voix de Darcy était bref, et paraissait annoncer un peu d'humeur. Julie s'imagina que son irrésolution l'avait choqué, et qu'il la prenait pour une prude ridicule. Déjà elle était tellement [173] sous l'influence de cet homme, qu'elle s'adressait intérieurement de vifs reproches, et ne songeait plus qu'à dissiper ce mouvement d'humeur dont elle s'accusait. L'habit [174] de Darcy était mouillé, elle s'en aperçut, et, se débarrassant aussitôt du manteau, elle exigea qu'il s'en couvrît. De là un combat de générosité, d'où il résulta que, le différend ayant été tranché par la moitié, chacun eut sa part du manteau. Imprudence énorme qu'elle n'aurait pas commise sans ce moment d'hésitation qu'elle voulait faire oublier!

Ils étaient si près l'un de l'autre, que la joue de Julie pouvait sentir la chaleur de l'haleine de Darcy. Les cahots de la voiture les rapprochaient même quelquefois davantage.

— Ce manteau qui nous enveloppe tous les deux, dit Darcy, me rappelle nos charades d'autrefois. Vous souvenez-vous d'avoir été ma Virginie, lorsque nous nous affublâmes tous deux du mantelet de votre grand-mère [175] ?

— Oui, et de la mercuriale qu'elle me fit à cette occasion.

— Ah! s'écria Darcy, quel heureux temps que celui-là! combien de fois j'ai pensé avec tristesse et bonheur à nos divines soirées [176] de la rue Bellechasse! Vous rappelez-vous les belles ailes de vautour qu'on vous avait attachées aux épaules avec des rubans roses, et le bec de papier doré que je vous avais fabriqué avec tant d'art ?

— Oui, répondit Julie, vous étiez Prométhée, et moi le vautour. Mais quelle mémoire vous avez! Comment avez-vous pu vous souvenir de toutes ces folies ? car il y a si longtemps que nous ne nous sommes vus!

— Est-ce un compliment que vous me demandez ? dit Darcy en souriant et s'avançant de manière à la regarder en face. Puis, d'un ton plus sérieux : En vérité, poursuivit-il, il n'est pas extraordinaire que j'aie conservé le souvenir des plus heureux moments de ma vie.

— Quel talent vous aviez pour les charades!... dit Julie qui craignait que la conversation ne prît un tour trop sentimental.

— Voulez-vous que je vous donne une autre preuve de ma mémoire ? interrompit Darcy. Vous rappelez-vous notre traité d'alliance chez Mme Lambert ? Nous nous étions promis de dire du mal de l'univers entier; en revanche, de nous [177] soutenir l'un l'autre envers et contre tous... Mais notre traité a eu le sort de la plupart des traités; il est resté sans exécution.

— Qu'en savez-vous ?

— Hélas! j'imagine que vous n'avez pas eu souvent occasion de me défendre; car, une fois éloigné de Paris, quel oisif s'est occupé de moi ?

— De vous défendre... non... mais de parler de vous à vos amis...

— Oh! mes amis! s'écria Darcy avec un sourire mêlé

de tristesse, je n'en avais guère à cette époque, que vous connussiez, du moins. Les jeunes gens que voyait Madame votre mère me haïssaient, je ne sais pourquoi; et, quant aux femmes, elles pensaient peu à monsieur l'attaché du ministère des Affaires étrangères.

— C'est que vous ne vous occupiez pas d'elles.

— Cela est vrai. Jamais je n'ai su faire l'aimable auprès des personnes que je n'aimais pas.

Si l'obscurité avait permis de distinguer la figure de Julie, Darcy aurait pu voir qu'une vive rougeur s'était répandue sur ses traits en entendant cette dernière phrase, à laquelle elle avait donné un sens auquel peut-être Darcy ne songeait pas.

Quoi qu'il en soit, laissant là des souvenirs trop bien conservés par l'un et par l'autre [178], Julie voulut le remettre un peu sur ses voyages, espérant que, par ce moyen, elle serait dispensée de parler. Le procédé réussit presque toujours avec les voyageurs, surtout avec ceux qui ont visité quelque pays lointain.

— Quel beau voyage que le vôtre! dit-elle, et combien je regrette de ne pouvoir jamais en faire un semblable!

Mais Darcy n'était plus en humeur conteuse. — Quel est ce jeune homme à moustaches, demanda-t-il brusquement, qui vous parlait tout à l'heure?

Cette fois, Julie rougit encore davantage. — C'est un ami de mon mari, répondit-elle, un officier de son régiment... On dit, poursuivit-elle sans vouloir abandonner son thème oriental, que les personnes qui ont vu ce beau ciel bleu de l'Orient ne peuvent plus vivre ailleurs.

— Il m'a déplu horriblement, je ne sais pourquoi... Je parle de l'ami de votre mari, non du ciel bleu... Quant à ce ciel bleu, madame, Dieu vous en préserve! On finit par le prendre tellement en guignon à force de le voir toujours le même, qu'on admirerait comme le plus beau de tous les spectacles un sale brouillard de Paris. Rien n'agace plus les nerfs, croyez-moi, que ce beau ciel bleu, qui était bleu hier et qui sera bleu demain. Si vous saviez avec quelle impatience, avec quel désappointement toujours renouvelé on attend, on espère un nuage!

— Et cependant vous êtes resté bien longtemps sous ce ciel bleu!

— Mais, madame, il m'était assez difficile de faire autrement. Si j'avais pu ne suivre que mon inclination, je serais revenu bien vite dans les environs de la rue de

Bellechasse, après avoir satisfait le petit mouvement de curiosité que doivent nécessairement exciter les étrangetés de l'Orient.

— Je crois que bien des voyageurs en diraient autant s'ils étaient aussi francs que vous... Comment passe-t-on son temps à Constantinople et dans les autres villes de l'Orient ?

— Là, comme partout, il y a plusieurs manières de tuer le temps. Les Anglais boivent, les Français jouent, les [179] Allemands fument, et quelques gens d'esprit, pour varier leurs plaisirs, se font tirer des coups de fusil en grimpant sur les toits pour lorgner les femmes du pays.

— C'est probablement à cette dernière occupation que vous donniez la préférence.

— Point du tout. Moi [180], j'étudiais le turc et le grec, ce qui me couvrait de ridicule. Quand j'avais terminé les dépêches de l'ambassade, je dessinais, je galopais aux Eaux-Douces [a], et [181] puis j'allais au bord de la mer voir s'il ne venait pas quelque figure humaine de France ou d'ailleurs.

— Ce devait être un grand plaisir pour vous de voir un Français à une si grande distance de la France ?

— Oui; mais pour un homme intelligent combien nous venait-il de marchands de quincaillerie ou [182] de cachemires; ou, ce qui est bien pis, de jeunes poètes, qui, du plus loin qu'ils voyaient quelqu'un de l'ambassade [183], lui criaient : Menez-moi voir les ruines, menez-moi à Sainte-Sophie [b], conduisez-moi aux montagnes, à la mer d'azur; je veux voir les lieux où soupirait Héro [c] ! Puis, quand ils ont attrapé un bon coup de soleil [184], ils s'enferment dans leur chambre, et ne veulent plus rien voir que les derniers numéros du *Constitutionnel*.

— Vous voyez tout en mal, suivant votre vieille habitude. Vous n'êtes pas corrigé, savez-vous ? car vous êtes toujours aussi moqueur.

— Dites-moi, madame, s'il n'est pas bien permis à un damné qui frit dans sa poêle de s'égayer un peu aux dépens de ses camarades de friture ? D'honneur ! vous

a. Belle promenade de Constantinople, le long d'une petite rivière qui se jette dans le Bosphore.

b. La basilique Sainte-Sophie (VIe siècle) est un des monuments des plus importants de l'art byzantin.

c. Selon la légende grecque, Léandre traversait l'Hellespont à la nage pour rejoindre Héro, et, une nuit de tempête, il se noya; Héro se jeta dans la mer du haut de la tour où elle avait l'habitude de l'attendre.

ne savez pas combien la vie que nous menons là-bas est
misérable. Nous autres secrétaires d'ambassade, nous
ressemblons aux hirondelles qui ne se posent jamais.
Pour nous, point de ces relations intimes qui font le
bonheur de la vie... ce me semble. (Il prononça ces derniers mots avec un accent singulier et en se rapprochant
de Julie.) Depuis six ans je n'ai trouvé personne avec
qui je pusse échanger mes pensées.

— Vous [185] n'aviez donc pas d'amis là-bas ?

— Je viens de vous dire qu'il est impossible d'en
avoir en pays étranger. J'en avais laissé deux en France.
L'un est mort ; l'autre est maintenant en Amérique, d'où
il ne reviendra que dans quelques années, si la fièvre
jaune ne le retient pas.

— Ainsi, vous êtes seul ?...

— Seul.

— Et la société des femmes, quelle est-elle dans
l'Orient ? Est-ce qu'elle ne vous offre pas quelques ressources ?

— Oh! pour cela, c'est le pire de tout. Quant aux
femmes turques, il n'y faut pas songer. Des Grecques et
des Arméniennes, ce qu'on peut dire de mieux à leur
louange, c'est qu'elles sont fort jolies. Pour les femmes
des consuls et des ambassadeurs, dispensez-moi de vous
en parler. C'est une question diplomatique; et si j'en
disais ce que j'en pense, je pourrais me faire tort [186] aux
Affaires étrangères.

— Vous ne paraissez pas aimer beaucoup votre carrière. Autrefois vous désiriez avec tant d'ardeur entrer
dans la diplomatie !

— Je ne connaissais pas encore le métier. Maintenant
je voudrais être inspecteur des boues de Paris !

— Ah Dieu! comment pouvez-vous dire cela ? Paris!
le séjour le plus maussade de la terre !

— Ne blasphémez pas. Je voudrais entendre votre
palinodie à Naples, après deux ans de séjour en Italie.

— Voir Naples, c'est ce que je désirerais le plus [187] au
monde, répondit-elle en soupirant,... pourvu que mes
amis fussent avec moi.

— Oh! à cette condition, je ferais le tour du monde.
Voyager avec ses amis! mais c'est comme si l'on restait
dans son salon tandis que le monde passerait devant vos
fenêtres comme un panorama qui se déroule.

— Eh bien [188]! si c'est trop demander, je voudrais
voyager avec un... avec deux amis seulement.

— Pour moi, je ne suis pas si ambitieux; je n'en voudrais qu'un seul, ou qu'une seule, ajouta-t-il en souriant.
Mais c'est un bonheur qui ne m'est jamais arrivé... et
qui ne m'arrivera pas, reprit-il avec un soupir. Puis, d'un
d'un ton plus gai : En vérité [189], j'ai toujours joué de
malheur. Je n'ai jamais désiré bien vivement que deux
choses, et je n'ai pu les obtenir.

— Qu'était-ce donc ?

— Oh! rien de bien extravagant. Par exemple, j'ai
désiré passionnément pouvoir valser avec quelqu'un...
J'ai fait des études approfondies sur la valse. Je me suis
exercé pendant des mois entiers, seul, avec une chaise,
pour surmonter l'étourdissement qui ne manquait jamais
d'arriver, et quand je suis parvenu à n'avoir plus de
vertiges...

— Et avec qui désiriez-vous valser ?

— Si je vous disais que c'était avec vous ?... Et quand
j'étais devenu, à force de peines, un valseur consommé,
votre grand-mère, qui venait de prendre un confesseur
janséniste, défendit la valse par un ordre du jour que
j'ai encore sur le cœur.

— Et votre second souhait ?... demanda Julie fort
troublée.

— Mon second souhait, je vous l'abandonne. J'aurais
voulu, c'est par trop ambitieux de ma part, j'aurais
voulu être aimé... mais aimé... C'est avant la valse que
je souhaitais ainsi, et je ne suis pas l'ordre chronologique...
J'aurais voulu, dis-je, être aimé par une femme qui
m'aurait préféré à un bal, — le plus dangereux de tous
les rivaux; — par une femme que j'aurais pu venir voir
avec des bottes crottées au moment où elle se disposerait
à monter en voiture pour aller au bal. Elle aurait été en
grande toilette, et elle m'aurait dit : *Restons.* Mais c'était
de la folie. On ne doit demander que des choses possibles.

— Que vous êtes méchant! Toujours vos remarques
ironiques! Rien ne trouve grâce devant vous. Vous êtes
toujours impitoyable pour les femmes [190].

— Moi! Dieu m'en préserve! C'est de moi plutôt que
je médis. Est-ce dire du mal des femmes que de soutenir
qu'elles préfèrent une soirée agréable... à un tête-à-tête
avec moi ?

— Un bal!... une toilette!... Ah! mon Dieu!... Qui
aime le bal maintenant ?...

Elle ne pensait guère à justifier tout son sexe mis en

cause; elle croyait entendre la pensée de Darcy, et la pauvre femme n'entendait que son propre cœur.

— A propos [191] de toilette et de bal, quel dommage que nous ne soyons plus en carnaval! J'ai rapporté un costume de femme grecque qui est charmant, et qui vous irait à ravir.

— Vous m'en ferez un dessin pour mon album.

— Très volontiers. Vous verrez quels progrès j'ai faits depuis le temps où je crayonnais des bonshommes sur la table à thé de madame votre mère. — A propos, madame, j'ai un compliment à vous faire; on m'a dit ce matin au ministère que M. de Chaverny allait être nommé gentilhomme de la chambre. Cela m'a fait grand plaisir.

Julie tressaillit involontairement.

Darcy poursuivit sans s'apercevoir de ce mouvement :

— Permettez-moi de vous demander votre protection dès à présent... Mais, au fond, je ne suis pas trop content de votre nouvelle dignité. Je crains que vous ne soyez obligée d'aller habiter Saint-Cloud pendant l'été [a], et alors j'aurai moins souvent l'honneur de vous voir.

— Jamais je n'irai à Saint-Cloud, dit Julie d'une voix fort émue.

— Oh! tant mieux, car Paris, voyez-vous, c'est le paradis, dont il ne faut jamais sortir que pour aller de temps en temps dîner à la campagne chez Mme Lambert, à condition de revenir le soir. Que vous êtes heureuse, madame, de vivre à Paris! Moi qui n'y suis peut-être que pour peu de temps, vous n'avez pas d'idée combien je me trouve heureux dans le petit appartement que ma tante m'a donné. Et vous, vous demeurez, m'a-t-on dit, dans le faubourg Saint-Honoré. On m'a indiqué votre maison. Vous [192] devez avoir un jardin délicieux, si [193] la manie de bâtir n'a pas changé déjà vos allées en boutiques.

— Non, mon jardin est encore intact, Dieu merci.

— Quel jour recevez-vous, madame ?

— Je suis chez moi à peu près tous les soirs. Je serai charmée que vous vouliez bien [194] me venir voir quelquefois.

— Vous voyez, madame, que je fais comme si notre ancienne *alliance* subsistait encore. Je m'invite moi-même sans cérémonie et sans présentation officielle. Vous me pardonnerez, n'est-ce pas ?... Je ne connais plus que

_____

a. L'été, la cour se transportait à Saint-Cloud.

vous à Paris et Mme Lambert. Tout le monde m'a
oublié, mais vos deux maisons sont les seules que j'aie
regrettées dans mon exil. Votre salon surtout doit être
charmant. Vous qui choisissez si bien vos amis!...
Vous [195] rappelez-vous les projets que vous faisiez autrefois pour le temps où vous seriez maîtresse de maison [196] ?
Un salon inaccessible aux ennuyeux; de la musique
quelquefois, toujours de la conversation, et bien tard;
point de gens à prétentions, un petit nombre de personnes se connaissant parfaitement et qui par conséquent [197] ne cherchent point à mentir ni à faire de l'effet...
Deux ou trois femmes spirituelles avec cela (et il est
impossible que vos amies ne le soient pas...), et votre
maison est la plus agréable de Paris. Oui, vous êtes la
plus heureuse des femmes, et [198] vous rendez heureux
tous ceux qui vous approchent [199].

Pendant que Darcy parlait, Julie pensait que ce
bonheur qu'il décrivait avec tant de vivacité, elle [200]
aurait pu l'obtenir si elle eût été mariée à un autre
homme..., à Darcy, par exemple. Au lieu de ce salon
imaginaire, si élégant et si agréable, elle pensait aux
ennuyeux que Chaverny lui avait attirés...; au lieu de
ces conversations si gaies, elle se rappelait les scènes
conjugales comme celle qui l'avait conduite à P... Elle
se voyait enfin malheureuse à jamais, attachée pour la
vie à la destinée d'un homme qu'elle haïssait et qu'elle
méprisait; tandis que celui qu'elle trouvait le plus
aimable du monde, celui qu'elle aurait voulu charger du
soin d'assurer son bonheur, devait demeurer toujours
un étranger pour elle. Il était de son devoir de l'éviter,
de s'en séparer..., et il était si près d'elle, que les manches
de sa robe étaient froissées par le revers de son habit!

Darcy continua quelque temps à peindre les plaisirs
de la vie de Paris avec toute l'éloquence que lui donnait
une longue privation. Julie cependant sentait ses larmes
couler le long de ses joues. Elle tremblait que Darcy ne
s'en aperçût, et la contrainte qu'elle s'imposait ajoutait
encore à la force de son émotion. Elle étouffait; elle
n'osait faire un mouvement. Enfin un sanglot lui échappa,
et tout fut perdu. Elle tomba la tête dans ses mains, à
moitié suffoquée par les larmes et la honte.

Darcy, qui ne pensait à rien moins, fut bien étonné.
Pendant un instant la surprise le rendit muet; mais, les
sanglots redoublant, il se crut obligé de parler et de
demander la cause de ces larmes si soudaines.

— Qu'avez-vous, madame ? Au nom de Dieu,
madame..., répondez-moi. Que vous arrive-t-il ?... Et
comme la pauvre Julie, à toutes ces questions, serrait
avec plus de force son mouchoir sur ses yeux, il lui prit
la main, et, écartant doucement le mouchoir : — Je
vous en conjure, madame, dit-il d'un ton de voix altéré
qui pénétra Julie jusqu'au fond du cœur, je vous en
conjure, qu'avez-vous ? Vous aurais-je offensée involontairement ?... Vous me désespérez par votre silence.

— Ah! s'écria Julie ne pouvant plus se contenir, je
suis bien malheureuse! et elle sanglota plus fort.

— Malheureuse! Comment ?... pourquoi ?... qui peut
vous rendre malheureuse ? répondez-moi. En parlant
ainsi, il lui serrait les mains, et sa tête touchait presque
celle de Julie, qui pleurait au lieu de répondre. Darcy [201]
ne savait que penser, mais il était touché de ses larmes.
Il se trouvait rajeuni de six ans, et il commençait [202] à
entrevoir dans un avenir qui ne s'était pas encore présenté à son imagination que du rôle de confident il pourrait bien passer à un autre plus élevé.

Comme [203] elle s'obstinait à ne pas répondre, Darcy,
craignant qu'elle ne se trouvât mal, baissa une des
glaces de la voiture, détacha les rubans du chapeau de
Julie, écarta son manteau et son châle. Les [204] hommes
sont gauches à rendre ces soins. Il voulait faire arrêter
la voiture auprès d'un village, et il appelait déjà le
cocher, lorsque Julie, lui saisissant le bras, le supplia de
ne pas faire arrêter, et l'assura qu'elle était beaucoup
mieux. Le cocher n'avait rien entendu, et continuait à
diriger ses chevaux vers Paris.

— Mais je vous en supplie, ma chère madame de
Chaverny, dit Darcy en reprenant une main qu'il avait
abandonnée un instant, je vous en conjure, dites-moi,
qu'avez-vous ? Je crains... Je ne puis comprendre [205]
comment j'ai été assez malheureux pour vous faire de la
peine.

— Ah! ce n'est pas vous! s'écria Julie; et elle lui
serra un peu la main.

— Eh bien! dites-moi, qui peut vous faire ainsi pleurer ? parlez-moi avec confiance. Ne sommes-nous pas
d'anciens amis ? ajouta-t-il en souriant et serrant à son
tour la main de Julie.

— Vous me parliez du bonheur dont vous me croyez
entourée..., et ce bonheur est si loin de moi!...

— Comment! n'avez-vous pas tous les éléments du

bonheur ?... Vous êtes jeune, riche, jolie... Votre mari
tient un rang distingué dans la société...

— Je le déteste! s'écria Julie hors d'elle-même; je le
méprise! Et elle cacha sa tête dans son mouchoir en
sanglotant [206] plus fort que jamais.

— Oh! oh! pensa Darcy, ceci devient fort grave. Et,
profitant avec adresse de tous les cahots de la voiture
pour se rapprocher davantage de la malheureuse Julie :
— Pourquoi [207], lui disait-il de la voix la plus douce et la
plus tendre du monde, pourquoi vous affliger ainsi ?
Faut-il qu'un être que vous méprisez ait autant d'influence [208] sur votre vie! Pourquoi lui permettez-vous
d'empoisonner lui seul votre bonheur ? Mais est-ce donc
à lui que vous devez demander ce bonheur ?... [209] Et il
lui baisa le bout des doigts; mais comme elle retira aussitôt sa main avec terreur, il craignit d'avoir été trop loin...
Mais, déterminé [210] à voir la fin de l'aventure, il dit en
soupirant d'une façon assez hypocrite :

— Que j'ai été trompé! Lorsque j'ai appris votre
mariage, j'ai cru que M. de Chaverny vous plaisait réellement.

— Ah! monsieur Darcy, vous ne m'avez jamais
connue! Le ton de sa voix disait clairement : Je vous ai
toujours aimé, et vous n'avez pas voulu vous en apercevoir. La pauvre femme croyait en ce moment, de la
meilleure foi du monde, qu'elle avait toujours aimé
Darcy, pendant les six années qui venaient de s'écouler,
avec autant d'amour qu'elle en sentait pour lui dans ce
moment.

— Et vous! s'écria Darcy en s'animant, vous, madame,
m'avez-vous [211] jamais connu ? Avez-vous jamais su
quels étaient mes sentiments ? Ah! si vous m'aviez
mieux connu, nous [212] serions sans doute heureux maintenant l'un et l'autre.

— Que je suis malheureuse! répéta Julie avec un
redoublement de larmes, et en lui serrant la main avec
force.

— Mais quand même vous m'auriez compris, madame,
continua [213] Darcy avec cette expression de mélancolie
ironique qui lui était habituelle, qu'en serait-il résulté ?
J'étais sans fortune; la vôtre était considérable; votre
mère m'eût repoussé avec mépris. — J'étais condamné
d'avance. — Vous-même, oui, vous, Julie, avant qu'une
fatale expérience ne vous eût montré où est le véritable
bonheur, vous auriez sans doute ri de ma présomption,

et une voiture bien vernie, avec une couronne de comte sur les panneaux, aurait été sans doute alors [214] le plus sûr moyen de vous plaire.

— Oh ciel! et vous aussi! Personne n'aura donc pitié de moi ?

— Pardonnez-moi, chère Julie! s'écria-t-il très ému lui-même; pardonnez-moi [215], je vous en supplie. Oubliez ces reproches; non, je n'ai pas le droit de vous en faire, moi. — Je suis plus coupable que vous... Je n'ai pas su vous apprécier. Je vous ai crue faible comme les femmes du monde où vous viviez; j'ai douté de votre courage, chère Julie, et j'en suis cruellement puni!... Il baisait [216] avec feu ses mains, qu'elle ne retirait plus; il allait la presser sur son sein..., mais [217] Julie le repoussa avec une vive expression de terreur, et s'éloigna de lui autant que la largeur de la voiture pouvait le lui permettre.

Sur quoi Darcy, d'une voix [218] dont la douceur même rendait l'expression plus poignante : — Excusez-moi, madame, j'avais oublié Paris. Je me rappelle maintenant qu'on s'y marie, mais qu'on n'y aime point.

— Oh! oui, je vous aime, murmura-t-elle en sanglotant; et elle laissa tomber sa tête sur l'épaule de Darcy. Darcy la serra dans ses bras avec transport, cherchant à arrêter [219] ses larmes par des baisers. Elle essaya encore de se débarrasser de son étreinte, mais cet effort fut le dernier qu'elle tenta.

XII

Darcy s'était trompé sur la nature de son émotion : il faut bien le dire, il n'était pas [220] amoureux. Il avait profité d'une bonne fortune qui semblait se jeter à sa tête, et qui méritait bien qu'on ne la laissât pas échapper. D'ailleurs, comme tous les hommes, il était beaucoup plus éloquent pour demander que pour remercier. Cependant il était poli, et la politesse tient lieu souvent de sentiments plus respectables. Le premier mouvement d'ivresse passé, il débitait [221] donc à Julie des phrases tendres qu'il composait sans trop de peine, et qu'il accompagnait de nombreux baisements de main qui lui épargnaient autant de paroles. Il voyait sans regret que la voiture était déjà aux barrières, et que dans peu de minutes il allait se séparer de sa conquête. Le silence de Mme de Chaverny au milieu de ses protestations, l'acca-

blement dans lequel elle paraissait plongée, rendaient
difficile, ennuyeuse même, si j'ose le dire, la position
de son nouvel amant.

Elle était immobile, dans un coin de la voiture, serrant
machinalement son châle contre [222] son sein. Elle ne pleurait plus ; ses yeux étaient fixes, et lorsque Darcy lui
prenait la main pour la baiser, cette main, dès qu'elle
était abandonnée, retombait sur ses genoux comme
morte. Elle ne parlait pas, entendait à peine ; mais une
foule de pensées déchirantes se présentaient à la fois à
son esprit, et, si elle voulait en exprimer une, une autre
à l'instant venait lui fermer la bouche.

Comment rendre le chaos de ces pensées, ou plutôt
de ces images qui se succédaient avec autant de rapidité
que les battements de son cœur ? Elle croyait entendre
à ses oreilles des mots sans liaison et sans suite, mais
tous avec un sens terrible. Le matin elle avait accusé
son mari, il était vil à ses yeux ; maintenant elle était
cent fois plus méprisable. Il lui semblait que sa honte
était publique. — La maîtresse du duc de H*** la repous-
serait à son tour. — Mme Lambert, tous ses amis ne
voudraient plus [223] la voir. — Et Darcy ? — L'aimait-il ?
— Il la connaissait à peine. — Il l'avait oubliée. — Il ne
l'avait pas reconnue tout de suite. — Peut-être l'avait-il
trouvée bien changée. — Il était froid pour elle : c'était
là le coup de grâce. Son entraînement pour un homme
qui la connaissait à peine, qui [224] ne lui avait pas montré
de l'amour... mais de la politesse seulement. — Il était
impossible qu'il l'aimât. — Elle-même, l'aimait-elle ? —
Non, puisqu'elle s'était mariée lorsque à peine il venait
de partir.

Quand la voiture entra dans Paris, les horloges son-
naient une heure. C'était à quatre heures qu'elle avait
vu Darcy pour la première fois. — Oui, *vu*, — elle ne
pouvait dire *revu*... Elle avait oublié ses traits, sa voix ;
c'était un étranger pour elle... Neuf heures après, elle
était devenue sa maîtresse !... Neuf heures avaient suffi
pour cette singulière fascination... avaient suffi pour
qu'elle fût déshonorée à ses propres yeux, aux yeux de
Darcy lui-même ; car que pouvait-il penser d'une femme
aussi faible ? Comment [225] ne pas la mépriser ?

Parfois la douceur de la voix de Darcy, les paroles
tendres qu'il lui adressait, la ranimaient un peu. Alors
elle s'efforçait de croire qu'il sentait réellement l'amour
dont il parlait. Elle ne s'était pas rendue si facilement.

— Leur amour durait depuis longtemps lorsque Darcy
l'avait quittée. — Darcy devait savoir qu'elle [226] ne s'était
mariée que par suite du dépit que son départ lui avait
fait éprouver. — Les torts étaient du côté de Darcy. —
Pourtant, il l'avait toujours aimée pendant sa longue
absence. — Et, à son retour, il avait été heureux de la
retrouver aussi constante que lui. — La franchise de son
aveu, — sa faiblesse même [227], devaient plaire à Darcy,
qui détestait la dissimulation. — Mais l'absurdité de ces
raisonnements lui apparaissait bientôt. — Les [228] idées
consolantes s'évanouissaient, et elle restait en proie à la
honte et au désespoir.

Un moment elle voulut exprimer ce qu'elle sentait.
Elle venait de se représenter qu'elle était proscrite par
le monde, abandonnée par sa famille. Après avoir si
grièvement offensé son mari, sa fierté ne lui permettait
pas de le revoir jamais. Je suis aimée de Darcy, se
dit-elle ; je ne puis aimer que lui. — Sans lui je ne puis
être heureuse. — Je serai heureuse partout avec lui.
Allons ensemble dans quelque lieu où jamais je ne puisse
voir une figure qui me fasse rougir. Qu'il m'emmène
avec lui à Constantinople...

Darcy était à cent lieues de deviner ce qui se passait
dans le cœur de Julie. Il venait de remarquer qu'ils
entraient dans la rue habitée par Mme de Chaverny, et
remettait ses gants glacés avec beaucoup de sang-froid.

— A propos, dit-il, il faut que je sois présenté offi-
ciellement à M. de Chaverny... Je suppose que nous
serons bientôt bons amis. — Présenté par Mme Lambert,
je serai sur un bon pied dans votre maison. En attendant,
puisqu'il est à la campagne, je puis vous voir ?

La parole expira sur les lèvres de Julie. Chaque mot
de Darcy était un coup de poignard. Comment parler
de fuite, d'enlèvement à cet homme si calme, si froid,
qui ne pensait qu'à arranger sa liaison pour l'été de la
manière la plus commode ? Elle brisa avec rage la chaîne
d'or qu'elle portait à son cou, et tordit les chaînons
entre ses doigts. La voiture s'arrêta à la porte de la
maison qu'elle occupait. Darcy fut fort empressé à lui
arranger son châle sur les épaules, à rajuster son chapeau
convenablement. Lorsque [229] la portière s'ouvrit, il lui
présenta la main de l'air le plus respectueux, mais Julie
s'élança à terre sans vouloir s'appuyer sur lui. — Je
vous demanderai la permission, madame, dit-il en s'incli-
nant profondément, de venir savoir de vos nouvelles.

— Adieu! dit Julie d'une voix étouffée. Darcy remonta dans son coupé, et se fit ramener chez lui en sifflant de l'air d'un homme très satisfait de sa journée.

XIII

Aussitôt qu'il se retrouva dans son appartement de garçon, Darcy passa une robe de chambre turque, mit des pantoufles, et, ayant chargé de tabac de Latakié une longue pipe dont le tuyau était de merisier de Bosnie et le bouquin d'ambre blanc [230], il se mit en devoir de la savourer en se renversant dans une grande bergère garnie de maroquin et dûment rembourrée. Aux personnes qui s'étonneraient de le voir dans cette vulgaire occupation au moment où peut-être il aurait dû rêver plus poétiquement, je répondrai qu'une bonne pipe est utile, sinon nécessaire, à la rêverie, et que le véritable moyen de bien jouir d'un bonheur, c'est de l'associer à un autre bonheur. Un de mes amis, homme fort sensuel, n'ouvrait jamais une lettre de sa maîtresse avant d'avoir ôté sa cravate, attisé le feu si l'on était en hiver, et s'être couché sur un canapé commode.

— En vérité, se dit Darcy, j'aurais été un grand sot si j'avais suivi le conseil de Tyrrel [231], et si j'avais acheté une esclave grecque pour l'amener à Paris. Parbleu! c'eût été, comme disait mon ami Haleb-Effendi, c'eût été porter des figues à Damas. Dieu merci! la civilisation a marché grand train pendant mon absence, et il ne paraît pas que la rigidité soit portée à l'excès... Ce pauvre Chaverny!... Ah! ah! Si pourtant j'avais été assez riche il y a quelques années, j'aurais épousé Julie, et ce serait peut-être Chaverny qui l'aurait reconduite ce soir. Si je me marie jamais, je ferai visiter souvent la voiture de ma femme, pour qu'elle n'ait pas besoin de chevaliers errants qui la tirent des fossés... Voyons, recordons-nous. A tout prendre, c'est une très jolie femme, elle a de l'esprit, et, si je n'étais pas aussi vieux que je le suis, il ne tiendrait qu'à moi de croire que c'est à mon prodigieux mérite!... Ah! mon prodigieux mérite!... Hélas! hélas! dans un mois peut-être mon mérite sera au niveau de celui de ce monsieur à moustaches... Morbleu! j'aurais bien voulu que cette petite Nastasia, que j'ai tant aimée, sût lire et écrire, et pût parler des choses avec les hon-

nêtes gens, car je crois que c'est la seule femme qui
m'ait aimé... Pauvre enfant!... Sa pipe s'éteignit, et il
s'endormit bientôt.

XIV

En rentrant dans son appartement, Mme de Chaverny
rassembla toutes ses forces pour dire d'un air naturel
à sa femme de chambre qu'elle n'avait pas besoin d'elle,
et qu'elle la laissât seule. Aussitôt que cette fille fut
sortie, elle se jeta sur son lit, et [232] là elle se mit à pleurer
plus amèrement, maintenant qu'elle se trouvait seule, que
lorsque la présence de Darcy l'obligeait à se contraindre.

La nuit a certainement une influence très grande sur
les peines morales comme sur les douleurs physiques.
Elle donne à tout une teinte lugubre, et les images qui,
le jour, seraient indifférentes ou même riantes, nous
inquiètent et nous tourmentent la nuit, comme des
spectres qui n'ont de puissance que pendant les ténèbres.
Il semble que pendant la nuit la pensée redouble d'activité, et que la raison perd son empire. Une espèce de
fantasmagorie intérieure nous trouble et nous effraye
sans que nous ayons la force d'écarter la cause de nos
terreurs ou d'en examiner froidement la réalité.

Qu'on se représente la pauvre Julie étendue sur son
lit à demi habillée, s'agitant sans cesse [233], tantôt dévorée
d'une chaleur brûlante, tantôt glacée par un frisson pénétrant, tressaillant au moindre craquement de la boiserie,
et entendant distinctement les battements de son cœur.
Elle ne conservait de sa position qu'une angoisse vague
dont elle cherchait en vain la cause. Puis, tout d'un coup,
le souvenir de cette fatale soirée passait dans son esprit
aussi rapide qu'un éclair, et avec lui se réveillait une
douleur vive et aiguë comme celle que produirait un
fer rouge dans une blessure cicatrisée.

Tantôt elle regardait sa lampe, observant avec une
attention stupide toutes les vacillations de la flamme,
jusqu'à ce que les larmes qui s'amassaient dans ses yeux,
elle ne savait pourquoi, l'empêchassent de voir la lumière.
— Pourquoi ces larmes ? se disait-elle. Ah! je suis
déshonorée!

Tantôt elle comptait les glands des rideaux de son lit,
mais elle n'en pouvait jamais retenir le nombre. — Quelle
est donc cette folie ? pensait-elle. Folie ? Oui, car il y a

une heure je me suis donnée comme une misérable courtisane à [234] un homme que je ne connais pas.

Puis elle suivait d'un œil hébété l'aiguille de sa pendule avec l'anxiété d'un condamné qui voit approcher l'heure de son supplice. Tout à coup la pendule sonnait : Il y a trois heures, disait-elle, tressaillant en sursaut, j'étais avec lui, et je suis déshonorée!

Elle passa toute la nuit dans cette agitation fébrile. Quand le jour parut, elle ouvrit sa fenêtre, et l'air frais et piquant du matin lui apporta quelque soulagement. Penchée sur la balustrade de sa fenêtre qui donnait sur le jardin, elle respirait l'air froid avec une espèce de volupté. Le désordre de ses idées se dissipa peu à peu. Aux vagues tourments, au délire qui l'agitaient, succéda un désespoir concentré qui était un repos en comparaison.

Il fallait prendre un parti. Elle s'occupa de chercher alors ce qu'elle avait à faire. Elle ne s'arrêta pas un moment à l'idée de revoir Darcy. Cela lui paraissait impossible; elle serait morte de honte en l'apercevant. Elle devait quitter Paris, où dans deux jours tout le monde la montrerait au doigt. Sa mère était à Nice; elle irait la rejoindre, lui avouerait tout; puis, après s'être épanchée dans son sein, elle n'avait plus qu'une chose à faire, c'était de chercher quelque endroit désert en Italie, inconnu aux voyageurs, où elle irait vivre seule, et mourir bientôt.

Cette résolution une fois prise, elle se trouva plus tranquille [235]. Elle s'assit devant une petite table en face de la fenêtre, et, la tête dans ses mains, elle pleura, mais cette fois sans amertume. La fatigue et l'abattement l'emportèrent enfin, et elle s'endormit, ou plutôt elle cessa de penser pendant une heure à peu près.

Elle se réveilla avec le frisson de la fièvre. Le temps avait changé, le ciel était gris, et une pluie fine et glacée annonçait du froid et de l'humidité pour tout le reste du jour. Julie sonna sa femme de chambre. — Ma mère est malade, lui dit-elle, il faut que je parte sur-le-champ pour Nice. Faites une malle, je veux partir dans une heure.

— Mais, madame, qu'avez-vous ? N'êtes-vous pas malade ?... Madame ne s'est pas couchée! s'écria la femme de chambre, surprise et alarmée du changement qu'elle observa sur les traits de sa maîtresse.

— Je veux partir, dit Julie d'un ton d'impatience, il faut absolument que je parte. Préparez-moi une malle.

Dans notre civilisation moderne, il ne suffit pas d'un simple acte de la volonté pour aller d'un lieu à un autre. Il faut un passeport, il faut faire des paquets, emporter des cartons, s'occuper de cent préparatifs ennuyeux qui suffiraient pour ôter l'envie de voyager. Mais l'impatience de Julie abrégea beaucoup toutes ces lenteurs nécessaires. Elle allait et venait de chambre en chambre, aidait elle-même à faire les malles, entassant sans ordre des bonnets et des robes accoutumés à être traités avec plus d'égards. Pourtant [236] les mouvements qu'elle se donnait contribuaient plutôt à retarder ses domestiques qu'à les hâter.

— Madame a sans doute prévenu monsieur ? demanda timidement la femme de chambre.

Julie [237], sans lui répondre, prit du papier ; elle écrivit : « Ma mère est malade à Nice. Je vais auprès d'elle. » Elle plia le papier en quatre, mais ne put [238] se résoudre à y mettre une adresse.

Au milieu des préparatifs de départ, un domestique entra : — M. de Châteaufort, dit-il, demande si madame est visible ; il y a aussi un autre monsieur qui est venu en même temps, que je ne connais pas : mais voici sa carte.

Elle lut : « E. DARCY, *secrétaire d'ambassade.* »

Elle put à peine retenir un cri. — Je n'y suis pour personne ! s'écria-t-elle ; dites que je suis malade. Ne dites pas que je vais partir. — Elle ne pouvait s'expliquer comment Châteaufort et Darcy venaient la voir en même temps, et, dans son trouble, elle ne douta pas que Darcy n'eût déjà choisi Châteaufort pour son confident. Rien n'était plus simple cependant que leur présence simultanée. Amenés par le même motif, ils s'étaient rencontrés à la porte ; et, après avoir échangé un salut très froid, ils s'étaient tout bas donnés au diable l'un l'autre de grand cœur.

Sur la réponse du domestique, ils descendirent ensemble l'escalier, se saluèrent de nouveau encore plus froidement, et s'éloignèrent chacun dans une direction opposée.

Châteaufort avait remarqué l'attention particulière que Mme de Chaverny avait montrée pour Darcy, et, dès ce moment, il l'avait pris en haine. De son côté, Darcy, qui se piquait d'être physionomiste, n'avait pu observer l'air d'embarras et de contrariété de Châteaufort sans en conclure qu'il aimait Julie ; et comme, en sa qualité de diplomate, il était porté à supposer le mal *a priori*, il avait conclu fort légèrement que Julie n'était pas cruelle pour Châteaufort.

— Cette étrange coquette, se disait-il à lui-même en sortant, n'aura pas voulu nous recevoir ensemble, de peur d'une scène d'explication comme celle du *Misanthrope* [a]... Mais j'ai été bien sot de ne pas trouver quelque prétexte pour rester et laisser partir ce jeune fat. Assurément [239], si j'avais attendu seulement qu'il eût le dos tourné, j'aurais été admis, car j'ai sur lui l'incontestable avantage de la nouveauté.

Tout en faisant ses réflexions, il s'était arrêté, puis il s'était retourné, puis il rentrait dans l'hôtel de Mme de Chaverny. Châteaufort, qui s'était aussi retourné plusieurs fois pour l'observer, revint sur ses pas et s'établit en croisière à quelque distance pour le surveiller.

Darcy dit au domestique, surpris de le revoir, qu'il avait oublié de lui donner un mot pour sa maîtresse, qu'il s'agissait d'une affaire pressée et d'une commission dont une dame l'avait chargé pour Mme de Chaverny. Se souvenant que Julie entendait l'anglais, il écrivit sur sa carte au crayon : *Begs leave to ask when he can show to madame de Chaverny his turkish Album* [b]. Il remit la carte au domestique, et dit qu'il attendrait la réponse.

Cette réponse tarda longtemps. Enfin le domestique revint fort troublé. — Madame, dit-il, s'est trouvée mal tout à l'heure, et elle est trop souffrante maintenant pour pouvoir vous répondre. — Tout cela avait duré un quart d'heure. Darcy ne croyait guère à l'évanouissement, mais il était bien évident qu'on ne voulait pas le voir. Il prit son parti philosophiquement; et, se rappelant qu'il avait des visites à faire dans le quartier, il sortit sans se mettre autrement en peine de ce contretemps.

Châteaufort [240] l'attendait dans une anxiété furieuse. En le voyant passer, il ne douta pas qu'il ne fût son rival heureux, et il se promit bien de saisir aux cheveux la première occasion de se venger de l'infidèle et de son complice. Le commandant Perrin, qu'il rencontra fort à propos, reçut sa confidence et le consola du mieux qu'il put, non sans lui remontrer le peu d'apparence de ses soupçons.

---

a. Cf. Molière, *Misanthrope*, V, II, scène où Célimène se trouve en présence de quatre hommes qui croient être aimés d'elle.
b. « Se permet de demander quand il peut montrer à Mme de Chaverny son album turc. »

XV

Julie s'était bien réellement évanouie en recevant la
seconde carte de Darcy. Son évanouissement fut suivi
d'un crachement de sang qui l'affaiblit beaucoup. Sa
femme de chambre avait envoyé chercher son médecin;
mais Julie refusa obstinément de le voir. Vers
quatre heures les chevaux de poste étaient arrivés, les
malles attachées : tout était prêt pour le départ. Julie
monta en voiture, toussant horriblement et dans un état
à faire pitié. Pendant la soirée et toute la nuit, elle ne
parla qu'au valet de chambre assis sur le siège de la
calèche, et seulement pour qu'il dît aux postillons de se
hâter. Elle toussait toujours, et paraissait souffrir beaucoup de [241] la poitrine; mais elle ne fit pas entendre une
plainte. Le matin elle était si faible, qu'elle s'évanouit
lorsqu'on ouvrit la portière. On la descendit dans une
mauvaise auberge, où on la coucha. Un médecin de village fut appelé : il la trouva avec une fièvre violente, et
lui défendit de continuer son voyage. Pourtant elle voulait toujours partir. Dans la soirée le délire vint, et tous
les symptômes augmentèrent de gravité. Elle parlait
continuellement et avec une volubilité si grande, qu'il
était très difficile de la comprendre. Dans ses phrases
incohérentes, les noms de Darcy, de Châteaufort et de
Mme Lambert revenaient souvent. La femme de chambre
écrivit à M. de Chaverny pour lui annoncer la maladie
de sa femme; mais elle était à près de trente lieues [242] de
Paris, Chaverny chassait chez le duc de H***, et la
maladie faisait tant de progrès, qu'il était douteux qu'il
pût arriver à temps.

Le valet de chambre cependant avait été à cheval à la
ville voisine et en avait amené un médecin. Celui-ci
blâma les prescriptions de son confrère, déclara qu'on
l'appelait bien tard, et que la maladie était grave.

Le délire cessa au lever du jour, et Julie s'endormit
alors profondément. Lorsqu'elle s'éveilla, deux ou trois
heures après, elle parut avoir de la peine à se rappeler par
quelle suite d'accidents elle se trouvait couchée dans une
sale chambre d'auberge. Pourtant la mémoire lui revint
bientôt. Elle dit qu'elle se sentait mieux, et parla même
de repartir le lendemain. Puis, après avoir paru méditer
longtemps en tenant la main [243] sur son front, elle
demanda de l'encre et du papier, et voulut écrire. Sa

femme de chambre la vit commencer des lettres qu'elle déchirait toujours après avoir écrit les premiers mots. En même temps elle recommandait qu'on brûlât les fragments de papier. La femme de chambre remarqua sur plusieurs morceaux ce mot : *Monsieur;* ce qui lui parut extraordinaire, dit-elle, car elle croyait que madame écrivait à sa mère ou à son mari. Sur un autre fragment elle lut : — « *Vous devez bien me mépriser...* »

Pendant près d'une demi-heure elle essaya inutilement d'écrire cette lettre, qui paraissait la préoccuper vivement. Enfin l'épuisement de ses forces ne lui permit pas de continuer : elle repoussa le pupitre qu'on avait placé sur son lit, et dit d'un air égaré à sa femme de chambre :
— Ecrivez vous-même à M. Darcy.
— Que faut-il écrire, madame ? demanda la femme de chambre, persuadée que le délire allait recommencer.
— Ecrivez-lui qu'il ne me connaît pas... que je ne le connais pas... Et elle retomba accablée sur son oreiller.

Ce furent les dernières paroles suivies qu'elle prononça. Le délire la reprit et ne la quitta plus. Elle mourut le lendemain sans grandes souffrances apparentes.

XVI

Chaverny arriva trois jours après son enterrement. Sa douleur sembla véritable, et tous les habitants du village pleurèrent en le voyant debout dans le cimetière contemplant la terre fraîchement remuée qui couvrait le cercueil de sa femme. Il voulait d'abord la faire exhumer et la transporter à Paris; mais le maire s'y étant opposé, et le notaire lui ayant parlé de formalités sans fin, il se contenta de commander une pierre de liais et de donner des ordres pour l'érection d'un tombeau simple, mais convenable.

Châteaufort fut très sensible à cette mort si soudaine. Il refusa plusieurs invitations de bal, et pendant quelque temps on ne le vit que [244] vêtu de noir.

XVII

Dans le monde on fit plusieurs récits de la mort de Mme de Chaverny. Suivant les uns, elle avait eu un rêve, ou, si l'on veut, un pressentiment qui lui annonçait que sa mère était malade. Elle en avait été tellement frappée, qu'elle s'était mise en route pour Nice sur-le-champ, malgré un gros rhume, qu'elle avait gagné en revenant de chez Mme Lambert; et ce rhume était devenu une fluxion de poitrine.

D'autres, plus clairvoyants, assuraient d'un air mystérieux que Mme de Chaverny, ne pouvant se dissimuler l'amour qu'elle ressentait pour M. de Châteaufort, avait voulu chercher auprès de sa mère la force d'y résister. Le rhume et la fluxion de poitrine étaient la conséquence de la précipitation de son départ. Sur ce point on était d'accord.

Darcy ne parlait jamais d'elle. Trois ou quatre mois après sa mort, il fit un mariage avantageux. Lorsqu'il annonça son mariage à Mme Lambert, elle lui dit en le félicitant : — En vérité, votre femme est charmante, et il n'y a que ma pauvre Julie qui aurait pu vous convenir autant. Quel [245] dommage que vous fussiez trop pauvre pour elle quand elle s'est mariée!

Darcy sourit de ce sourire ironique qui lui était habituel, mais il ne répondit rien.

Ces deux cœurs qui se méconnurent étaient peut-être faits l'un pour l'autre [246].

Notes

Abréviations : *RP* : *Revue de Paris*; *1833* : *La Double Méprise*, Fournier; *1842* : *Chronique du règne de Charles IX...*, Charpentier; *1847* : réimpression de la *Chronique du règne de Charles IX...*, Charpentier.

1. *Canción* publiée dans le *Cancionero general que contiene muchas obras de diversos autores antiguos, con algunas cosas nuevas de modernos...*, Anvers, Martin Nucio, s.d.

2. *1833* : reconnu qu'il lui était non seulement impossible d'aimer
   1842 : reconnu non seulement qu'il lui était impossible d'aimer

3. *1833* : mais encore qu'il lui était bien difficile d'avoir quelque estime pour lui. / Ce

4. *Début du récit dans RP* : Le romancier nous introduit d'abord dans le ménage de Julie de Chaverny, mariée depuis six ans environ, et qui depuis à peu près cinq ans et six mois, a reconnu qu'il lui était non seulement impossible d'aimer son mari, mais encore qu'il lui était bien difficile d'avoir quelque estime pour lui. / Ce mari n'était

5. *RP, 1833* : point un fripon, ce n'était pas une bête, encore moins un sot. En interrogeant ses souvenirs,

6. *RP, 1833, 1842, 1847* : Tout en lui était repoussant à ses yeux. Sa

7. *RP, 1833* : entretenir l'espèce de haine de Julie.

8. *RP, 1833* : sanguin, et qui,

9. Molière, *L'Avare*, II, v.
« Je crois, si je me l'étais mis en tête, que je marierais le Grand Turc avec la République de Venise », dit Frosine.

10. Tout ce passage rappelle le mariage d'Aurore Dupin et de Casimir Dudevant, préparé par des amis communs et fondé sur une camaraderie gaie et superficielle.

11. *RP, 1833* : de rester tard au bal, d'aller

12. *RP, 1833* : qu'il devait construire sur

13. *RP, 1833, 1842* : consenti à unir son sort au sien. / Au

14. *RP, 1833* : fois. Il disait que les bals maintenant se prolongeaient

15. *RP, 1833, 1842, 1847* : mais la moindre gêne

16. *RP, 1833, 1842, 1847* : vers huit heures

17. Portrait de Casimir Dudevant qui ne pouvait pas se défaire de ses habitudes de garçon, contractées au temps de son service.

18. *RP, 1833* : femme fort prudente,

19. *RP, 1833, 1842* : son défaut capital, l'avait

20. *RP, 1833* : résignation. Elle se trouvait même heureuse,

21. *RP, 1833* : entièrement maîtresse de

22. *RP* : elle aimait à prouver

23. *RP, 1833* : d'un enfant. Elle s'alliait

24. *RP* : Enfin Julie savait

25. *Fin du premier extrait publié dans la* Revue de Paris.

26. *1833* : Elle lui parut plus jolie ce soir-là que de coutume :

27. *1833* : L'un et l'autre fut embarrassé. Pour

28. *1833* : mais il ne lui venait rien à l'esprit.

29. *1833* : se sentait en humeur

30. *1833, 1842, 1847* : calèche, fort mortifié

31. *1833* : qui vous va à ravir

32. *1833* : se rapprochant davantage et ôtant ses pieds du coussin de devant. En même temps

33. *1833* : à la manier un peu

34. Cf. Molière, *Tartuffe*, III, III. « Je tâte votre habit, l'étoffe en est moelleuse », dit Tartuffe à Elmire.

35. *1833, 1842* : enfin à leur hôtel, et

36. *1833* : se couvrit les épaules précipitamment avec un mouchoir. — Pardon,

37. *Quentin Durward* parut en 1823.

38. *1833* : de ses expressions

39. *1833* : de plus odieux et de plus dégoûtant pour

40. *1833* : occupations attachaient tellement

41. *1833* : une clef qui ouvrait une

42. *1833, 1842, 1847* : l'avait vu déjà cent

43. *Ourika*, roman de Mme de Duras, parut en 1823.

44. *1833, 1842, 1847* : êtes bien heureux

45. *1833* : avait le premier

46. *1833* : à lui qu'il s'adressait

47. *1833, 1842* : il était de garde ou

48. si vous l'amenez.

49. *1833* : de copier vous-même. Elle

50. *1833, 1842, 1847* : si obligation y a.

51. Refrain d'une ballade, affectionnée par l'oncle Toby, personnage de *Vie et opinions de Tristram Shandy* (1760-1767) de Laurence Sterne. « [...] c'était le canal habituel par où ses passions s'évaporaient quand quelque chose le choquait ou le surprenait ; mais surtout quand on avait dit quelque chose qu'il jugeait absurde. » (Traduction de Léon de Wailly, Paris, Charpentier, 1848, t. I, p. 85.)

52. *1833* : invitées à dîner chez

53. *1833* : renchérit beaucoup, louant surtout sa grâce, sa tournure et son air décent.

54. *1833* : s'il les avait faites. Qu'en

55. Cf. Shakespeare, *Hamlet*, III, II. « Tenez, regardez comme ma mère a l'air joyeux, et il n'y a que deux heures que mon père est mort », dit Hamlet à Ophélie. (Traduction de François-Victor Hugo.)

56. *1833* : se peignait le

57. *Maometto secondo*, opéra de Rossini, créé à Naples en 1820, puis remanié et représenté à Paris sous le titre *Le Siège de Corinthe* en 1826.

58. *1833, 1842, 1847* : La personne dont je parle, continua

59. *1833* : un peu embarrassé : Julie,

60. *1833, 1842, 1847* : sur sa loge.

61. *1833* : son bonheur et peut-être le supposaient

62. *1833, 1842* : que le costume

63. *1833* : parut, introduisant une femme

64. *1833* : Le duc et la dame se confondaient

65. *1833* : plusieurs dames dirigeaient

66. *1833* : la dame inconnue parla musique à tort et à travers.
1842 : la dame aux plumes se dandinait à contre mesure et parlait musique à tort et à travers.

67. *1833, 1842* : dit la dame aux plumes roses après

68. *1833* : j'aurai terminé celle

69. *1833* : Quelques dames passèrent

70. *1833* : sa complaisance. Chaverny voulant reconduire la dame inconnue jusqu'à la voiture du duc, Julie et Châteaufort

71. *1833* : cette dame ? demanda

72. *1833, 1842* : l'aurais pas cru.

73. *1833* : cette dame ? / Chaverney

74. *1833* : répondit froidement : — La

75. *1833* : Il faut des soins, des égards. Quarante mille francs ne seraient rien. / « Chère amie,

76. *Ici commence le second extrait de la* Revue de Paris.

77. *RP, 1833* : semblait devoir exiger

78. *RP, 1833, 1842, 1847* : manière aussi cruelle.

79. *RP, 1833* : qu'elle lui refuserait l'indulgence

80. Les relations des époux Dudevant étaient réglées par un accord semblable.

81. *RP, 1833* : une dame de

82. *RP, 1833, 1842, 1847* : certain plaisir, qu'elle se reprochait toutefois,

83. *RP, 1833* : Châteaufort, encore plus respectueux que de coutume,

84. *RP, 1833* : entraînent malgré

85. *RP, 1833* : pouvait bien devenir

86. *RP, 1833* : éloignée que jamais d'une

87. La confidente de Jenny Dacquin, qui révéla à Mérimée l'identité de « l'Inconnue » en décembre 1832, s'appelait aussi Mme Lambert.

88. *RP, 1833, 1842* : avant son mariage, et

89. *RP, 1833* : beaucoup voyagé. / Elle

90. *RP, 1833* : sur sa petite table

91. *RP, 1833* : votre politesse d'hier

92. *RP, 1833* : et aux daims qu'il

93. *Les extraits publiés dans la* Revue de Paris *ne se divisent pas en chapitres.*

94. *RP, 1833* : assez frivole. Il

95. *RP, 1833* : sait, quatre

96. La situation de Darcy ressemble, sur beaucoup de points, à celle de Mérimée : n'ayant pas de fortune, celui-ci ne peut pas épouser Mélanie Double, et, pour oublier, il part en voyage en Espagne; il pense, à un moment, entrer dans la carrière diplomatique, puis, ayant été nommé en février 1831 chef de bureau au ministère de la Marine, il obtient, comme son héros, un avancement rapide.

97. *RP, 1833* : filles. Sa figure, quoique distinguée, n'était pas assez belle pour leur faire tourner la tête. D'ailleurs

98. *RP, 1833, 1842* : Darcy. Ils avaient fait après quelques escarmouches un traité

99. *RP, 1833* : savait. Elle s'approcha du piano et regarda

100. *RP, 1833* : éclatant. La pauvre Julie quitta le piano tout effarée, et,

101. *RP, 1833* : lever. La première figure amie qu'elle aperçut lorsqu'elle releva la tête fut

102. *RP, 1833* : qu'elle connaissait.

103. *RP, 1833* : mal; même, s'il

104. *RP, 1833* : conserver alors pour elle. Tout

105. *RP, 1833* : une dame que

106. *RP, 1833* : Elle eut peine à cacher

107. *RP, 1833* : chère belle, qu'avez-vous

108. Achate était le compagnon d'Enée.

109. L'adjectif « attentif » n'est guère employé substantivement.

110. Mérimée aura trente ans le 28 septembre 1833.

111. *RP, 1833* : laissé une fortune indépendante. Il

112. *RP, 1833* : à mes dames,

113. *RP, 1833* : Mme Dumanoir, cette dame qui conseillait le Kalydor.

114. *RP, 1833* : C'étaient des eunuques noirs qui

115. *RP, 1833* : comme s'il y avait eu quelque chose de vivant dedans ... / — Ah!

116. Dans *Le Giaour*, poème de Byron (1813), une esclave soupçonnée d'infidélité est jetée à la mer.

117. *RP* : demande aux eunuques noirs ce
    1833 : demande aux eunuques ce

118. *RP* : les eunuques noirs tirent
    1833 : les eunuques tirent

119. *RP, 1833* : changeant tout à coup son ton de voix et en prenant un fort dévot,
L'expression « ton de nez fort dévot » est employée par Saint-Evremond. (*Conversation du maréchal d'Hocquincourt avec le père Canaye.*)

120. *RP, 1833* : chasser de son esprit. / — Ah!

121. *RP, 1833* : d'ailleurs Darcy

122. *RP, 1833, 1842, 1847* : il n'a jamais vu

123. *RP, 1833* : jalouse. Nouveau venu et arrivant

124. *RP, 1833, 1842* : Il parla de la route, de la poussière, peu importe;

125. *RP, 1833, 1842* : qui avait été cachée

126. *RP, 1833* : indique en même temps les habitudes

127. Proverbe espagnol : « *El perro del hortelano que ni come las berzas ni las deja comer.* » (« Le chien du jardinier qui ne mange pas les choux ni ne les laisse manger. »)

128. *RP, 1833* : ôter tous ses moyens

129. Mahmoud II (1785-1839), sultan de l'empire ottoman.

130. Nom burlesque qui désigne chez Molière (*Le Bourgeois gentilhomme*, V, 1) une dignité turque imaginaire.

131. *RP, 1833* : moulins à vent pour don Quichotte.

132. *RP, 1833* : je sois encore victime à Paris de la seule tentative que j'aie faite pour renouveler la chevalerie errante. / — Comment!

133. *RP, 1833* : Contez-nous toute l'histoire! s'écrièrent

134. *RP, 1833* : vous connaissez peut-être déjà,

135. *RP, 1833* : se moquait de mon goût pour les arts en

136. *RP, 1833* : un domestique turc,

137. *RP, 1833, 1842* : avec un sourire singulier : « Ce

138. *RP, 1833* : ces coups d'œil méprisants

139. *RP, 1833* : à terre, saisit

140. *RP, 1833* : me fit voir mille étoiles. Je ripostai

141. *RP, 1833* : Notre interprète observait

142. *RP, 1833* : du chien du pistolet, lorsque nous bandâmes la détente, produisit un

143. *RP, 1833* : Elle sauta lestement

144. *RP, 1833* : embarrassée, elle nous

145. *RP, 1833* : notre interprète s'arracher

146. *RP, 1833* : recouvré tout son sang-froid britannique,

147. *RP, 1833, 1842* : vice-consul
Par la suite, dans toutes ces éditions on trouve le plus souvent vice-consul *à la place de* consul.

148. *RP, 1833* : respecter les usages des pays où

149. *RP, 1833* : et flammes. C'était

150. *RP, 1833* : De grâce, levez donc

151. *RP, 1833* : de notre équipée chevaleresque à Tyrrel et à moi. / — Etait-elle

152. *RP, 1833* : m'aimait bien mieux

153. *RP, 1833* : le pilau. Ce

154. *Fin du second extrait publié dans la* Revue de Paris.

155. *1833* : elle ne pensait pas à

156. *1833* : oublié, servait-il à lui faire excuser à ses propres yeux le sentiment

157. *1833* : paysage, faisaient apercevoir les

158. *1833* : en un vrai déluge.

159. *1833* : bêtes, aussi intrépide

160. Plutarque, *César*, XXXVIII.

161. *1833, 1842, 1847* : pas dit bien des choses

162. *1833* : qu'elle avait à lui dire,

163. *1833* : entendre et la calèche fut précipitée

164. *1833, 1842* : et on

165. *1833* : le valet de pied injuriait le cocher,

166. *1833* : s'approchait. Les gens de Mme de Chaverny lui crièrent de s'arrêter, et son cocher reconnut,

167. *1833* : l'office de madame Lambert. / La voiture

168. *1833* : pressait doucement la sienne;

169. *1833, 1842* : et des secours qu'elle aurait reçus de

170. *1833* : comme la femme turque, subir ensuite toutes les questions impertinentes et les compliments de condoléance... on ne pourrait y songer. Mais trois

171. *1833* : craignant d'avoir montré trop

172. *1833, 1842* : le nom de la rue

173. *1833* : ridicule. Elle était déjà tellement

174. *1833, 1842* : reproches, et qu'elle ne songea plus qu'à lui ôter l'humeur qu'il montrait. L'habit

175. Cf. Bernardin de Saint-Pierre, *Paul et Virginie* : Virginie « tenait Paul par le bras, enveloppé presque en entier de la même couverture, riant l'un et l'autre d'être ensemble à l'abri sous un parapluie de leur invention. » (*Romanciers du XVIIIe siècle*, Paris, Gallimard, Bibliothèque de la Pléiade, 1965, t. II, p. 1237.)

176. *1833* : combien de fois je me suis rappelé avec tristesse et bonheur nos divines soirées

177. *1833* : l'univers entier, mais de nous

178. *1833* : des souvenirs qu'ils se rappelaient trop bien l'un et l'autre,

179. *1833* : Les attachés anglais boivent, les Français jouent à l'écarté, les

180. *1833* : C'est probablement cette dernière occupation que vous préfériez. / — Point. Moi,

181. *1833* : je galopais dans l'hippodrome, et

182. *1833* : de marchands d'huile ou

183. *1833* : voyaient un secrétaire d'ambassade,

184. *1833* : un coup de soleil,

185. *1833* : mes pensées intimes. / — Vous

186. *1833, 1842* : faire du tort

187. *1833* : je désire le plus

188. *1833* : qui se déroulerait. / — Eh bien!

189. *1833* : qui ne m'est jamais arrivé. En vérité,

190. *1833* : Vous êtes toujours à dire du mal des femmes.

191. *1833* : à un tête-à-tête avec moi ? / — Allez, vous êtes bien injuste. / — A propos

    1842 : à un tête-à-tête avec moi ? / « Un bal ... une toilette! — Ah! mon Dieu!... qui aime le bal maintenant ? » Ce n'était point aux paroles de Darcy qu'elle répondait; elle croyait entendre sa pensée, et la pauvre femme n'entendait que son propre cœur. / — A propos

192. *1833, 1842* : votre hôtel. Vous

193. *1833, 1842, 1847* : un jardin magnifique, si

194. *1833, 1842* : que vous veuillez bien

195. *1833* : vos connaissances!... Vous

196. *1833* : où vous tiendriez maison ?

197. *1833* : parfaitement, qui par conséquent

198. *1833* : la plus heureuse femme de Paris, et

199. Henri Martineau a rappelé à propos de ce passage cette phrase de Stendhal : « Un salon de huit à dix personnes dont toutes les femmes ont eu des amants, où la conversation est gaie, anecdotique, où l'on prend du punch léger à minuit et demi, est l'endroit du monde où je me trouve le mieux. »

200. *1833* : avec tant de chaleur, elle

201. *1833* : qui pleurait toujours au lieu de répondre à ses questions. Darcy

    1842, 1847 : qui pleurait toujours au lieu de répondre. Darcy

202. *1833* : touché de ses larmes, touché de sa position, et il commençait

203. *1833* : à son imagination que Julie pourrait bien être un jour à lui. / Comme

204. *1833* : son schall. Les

205. *1833* : Je crains, et je ne puis comprendre

206. *1833* : méprise! Et elle laissa tomber sa tête sur l'épaule de Darcy en sanglotant

207. *1833* : de la voiture, il attirait la malheureuse Julie encore plus près de lui : « Pourquoi,

208. *1833, 1842* : ait tant d'influence

209. *1833* : demander votre bonheur ?... »

210. *1833* : loin... Il poursuivit, et, déterminé

211. *1833* : vous, Julie, m'avez-vous

212. *1833* : Ah! si vous m'aviez connu, Julie, nous

213. *1833* : de larmes. / — Mais quand même vous m'auriez compris, Julie, continua

214. *1833* : aurait été alors

215. *1833* : Pardonnez-moi, chère Julie, pardonnez-moi,

216. *1833* : puni!... Et il baisait

217. *1833* : ne retirait plus. Alors Darcy passant un bras derrière elle l'attira tout à fait sur son sein, mais

218. *1833* : Sur quoi, Darcy avec son sourire diabolique et d'une voix

219. *1833* : poignante : « Vous êtes en toilette, Madame... Pardonnez-moi, j'oubliais votre belle robe. » Julie poussa un cri étouffé. Darcy la serra dans ses bras avec transport, et chercha à arrêter

220. *1833* : dire, Darcy n'était pas

221. *1833* : respectables. Il débitait

222. *1833* : son schall contre

223. *1833* : ne voulaient plus

224. *1833* : coup de grâce. S'être donnée à un homme qui ne la connaissait pas, qui

225. *1833* : aussi facile ? Comment

226. *1833* : Darcy savait bien qu'elle

227. *1833* : sa facilité même,

228. *1833* : Mais bientôt l'absurdité de ces raisonnements lui apparaissait tout à coup. — Les

229. *1833* : à arranger son schall sur ses épaules, à remettre son chapeau convenablement, enfin à réparer toutes les traces du désordre qui auraient pu le trahir. Lorsque

230. *1833* : merisier de Bosnie orné d'ambre blanc,

231. *1833* : de sir John Tyrrel,

232. *1833* : sur son lit, car une position commode est aussi nécessaire dans la douleur que dans la joie, et

233. *1833* : habillée, se tournant et se retournant sans cesse,

234. *1833* : comme une fille à

235. *1833, 1842, 1847* : elle se trouva tranquille.

236. *1833, 1842* : d'égards. Quelquefois pourtant

237. *1833* : demanda la femme de chambre d'un air timide. / Julie,

238. *1833, 1842* : mais elle ne put

239. *1833* : ce jeune fat à moustache. Assurément,

240. *1833* : de ce refus. / Depuis longtemps Châteaufort

241. *1833, 1842 :* paraissait beaucoup souffrir de
242. *1833 :* de quarante lieues
243. *1833, 1842 :* tenant sa main
244. *1833 :* on ne le vit jamais que
245. *1833 :* convenir mieux. Quel
246. *Cette dernière phrase a été ajoutée en 1842.*

BIBLIOGRAPHIE

ÉDITIONS

(Les éditions préoriginales sont indiquées dans les *Notices*.)

Mosaïque, recueil de contes et nouvelles, par l'auteur du *Théâtre de Clara Gazul* et de la *Chronique du règne de Charles IX*. Paris, H. Fournier jeune, 1833. (Ce recueil contient les nouvelles suivantes : *Mateo Falcone, Vision de Charles XI, L'Enlèvement de la redoute, Tamango, Federigo, La Partie de trictrac, Le Vase étrusque ;* outre ces nouvelles, s'y trouvent les *Lettres sur l'Espagne,* des ballades et une pièce de théâtre, *Les Mécontens.*)

La Double Méprise par l'auteur du *Théâtre de Clara Gazul*. Paris, H. Fournier, 1833.

Colomba par Prosper MÉRIMÉE. Paris, Magen et Comon, 1841. (Ce recueil contient *Colomba, Les Ames du purgatoire* et *La Vénus d'Ille.*)

Chronique du règne de Charles IX suivie de La Double Méprise et de La Guzla par Prosper MÉRIMÉE. Nouvelles éditions revues et corrigées. Paris, Charpentier, 1842. Réimpressions du vivant de l'auteur : 1847, 1853, 1856, 1858, 1860, 1865, 1869.

Colomba suivi [sic] *de La Mosaïque et autres Contes et Nouvelles* par Prosper MÉRIMÉE. Nouvelles éditions revues et corrigées. Paris, Charpentier, 1842. Réimpressions du vivant de l'auteur : 1845, 1846, 1850, 1852, 1854, 1857, 1858, 1860, 1861, 1862, 1865, 1867, 1868. (Ce volume contient les nouvelles suivantes : *Colomba, La Vénus d'Ille, Les Ames du purgatoire,*

Mateo Falcone, Vision de Charles XI, L'Enlèvement de la redoute, Tamango, La Partie de trictrac, Le Vase étrusque ; outre les nouvelles, s'y trouvent les *Lettres adressées d'Espagne au directeur de la Revue de Paris, La Perle de Tolède* et *Les Mécontents.*)

Dernières Nouvelles de Prosper Mérimée de l'Académie française. *Lokis, Il Viccolo di Madama Lucrezia, La Chambre bleue, Djoûmane, Le Coup de pistolet, Federigo, Les Sorcières espagnoles.* Paris, Michel Lévy frères, 1873.

Mérimée (Prosper) : *Mateo Falcone, Colomba, Vision de Charles XI, La Vénus d'Ille.* Introduction et notes par Maurice Levaillant. Paris, Larousse, 1927.

Mérimée (Prosper) : *Le Carrosse du Saint-Sacrement, Lettres d'Espagne, Carmen, L'Enlèvement de la redoute, Tamango, Le Vase étrusque, La Partie de trictrac.* Introduction et notes par Maurice Levaillant. Paris, Larousse, 1927.

Mérimée (Prosper) : *Mosaïque.* Texte établi et annoté avec une introduction par Maurice Levaillant. Paris, Champion, 1933. (T. X des *Œuvres complètes* de Mérimée.)

Mérimée (Prosper) : *Romans et nouvelles.* Texte établi et annoté par Henri Martineau. Paris, Gallimard, 1954.

Mérimée (Prosper) : *Nouvelles complètes.* Edition de Pierre Josserand. Paris, Le Livre de Poche, t. I, 1964 : *Colomba et autres nouvelles ;* t. II, 1965 : *Carmen et treize autres nouvelles.*

Mérimée (Prosper) : *Romans et nouvelles.* Introduction, chronologie, bibliographie, choix de variantes et notes par Maurice Parturier. 2 vol. Paris, Garnier frères, 1967.

Mérimée (Prosper) : *Théâtre de Clara Gazul. Romans et nouvelles.* Édition établie, présentée et annotée par Jean Mallion et Pierre Salomon. Paris, Gallimard (Pléiade), 1978.

OUVRAGES DE RÉFÉRENCE

Mérimée (Prosper) : *Correspondance générale.* Etablie et annotée par Maurice Parturier avec la collaboration pour les tomes I à VI de Pierre Josserand et Jean

Mallion. T. I à VI : Paris, Le Divan, 1941-1947. T. VII à XVII : Toulouse, Privat, 1953-1964.

TOURNEUX (Maurice) : *Prosper Mérimée, sa bibliographie,* ornée d'un portrait gravée à l'eau-forte. Paris, J. Baur, 1876.

TOURNEUX (Maurice) : *Prosper Mérimée, ses portraits, ses dessins, sa bibliothèque.* Paris, Charavay frères, 1879.

FILON (Augustin) : *Mérimée et ses amis.* Avec une bibliographie des œuvres complètes de Mérimée par le vicomte de Spoelberch de Lovenjoul. Paris, Hachette, 1894.

TRAHARD (Pierre) et JOSSERAND (Pierre) : *Bibliographie des œuvres de Prosper Mérimée.* Paris, Champion, 1929. (T. V des *Œuvres complètes* de Mérimée.)

ÉTUDES SUR MÉRIMÉE

DU BOS (Charles) : *Notes sur Mérimée.* Paris, A. Messein, 1921.

TRAHARD (Pierre) : *Prosper Mérimée et l'art de la nouvelle.* Paris, Presses universitaires, 1923.

TRAHARD (Pierre) : *La Jeunesse de Prosper Mérimée (1803-1834).* Paris, Champion, 1925.

TRAHARD (Pierre) : *Prosper Mérimée de 1834 à 1853.* Paris, Champion, 1928.

TRAHARD (Pierre) : *La Vieillesse de Prosper Mérimée (1854-1870).* Paris, Champion, 1930.

LUPPÉ (marquis Albert de) : *Mérimée.* Paris, Albin Michel, 1945.

CASTEX (Pierre-Georges) : *Le Conte fantastique en France de Nodier à Maupassant.* Paris, Corti, 1951.

ARAGON (Louis) : *La Lumière de Stendhal.* Paris, Denoël, 1954.

BASCHET (Robert) : *Du romantisme au second Empire. Mérimée.* Paris, Nouvelles Editions latines, 1959.

LÉON (Paul) : *Mérimée et son temps.* Paris, Presses universitaires, 1962.

BOWMAN (Frank Paul) : *Prosper Mérimée. Heroism, Pessimism and Irony.* University of California Press, Berkeley and Los Angeles, 1962.

DALE (Robert Charles) : *The Poetics of Mérimée*. La Haye, Paris, Mouton, 1966.

RAITT (A. W.) : *Prosper Mérimée*. Londres, Eyre and Spottiswoode, 1970.

Revue d'histoire littéraire de la France : numéro spécial consacré à Mérimée, janvier-mars 1971.

GANS (E.) : *Un pari contre l'histoire : Les premières nouvelles de Mérimée (Mosaïque)*. Paris, Minard, 1972.

Europe : numéro spécial consacré à Mérimée, septembre 1975.

BELLEMIN-NOËL (Jean) : *Vers l'inconscient du texte*. (« Entre rêver assis et écrire couché : les contes à dormir debout », pp. 117-190.) Paris, PUF, 1979.

ÉTUDES SUR LES NOUVELLES PUBLIÉES DANS CE VOLUME

Mateo Falcone

COURTILLIER (G.) : « L'Inspiration de *Mateo Falcone*. » *Revue d'histoire littéraire de la France*, avril-juin 1920.

CHARLIER (Gustave) : « La Source principale de *Mateo Falcone*. » *Revue d'histoire littéraire de la France*, juillet-décembre 1921.

KOSKO (Maria) : *Le Thème de Mateo Falcone*. Paris, Nizet, 1960.

NAAMAN (A.) : *Mateo Falcone de Mérimée*. Paris, Nizet, 1967.

Vision de Charles XI

PEYRE (Roger) : « A propos de la *Vision de Charles XI* de Mérimée. » *Revue d'histoire littéraire de la France*, janvier-mars 1914.

Tamango

VIGNOLS (Léon) : « Les Sources du *Tamango* de Mérimée et la littérature négrière à l'époque romantique. » *Mercure de France*, 15 décembre 1927.

ROCHE (A.-J.) : « La Source du *Tamango* de Mérimée. » *Revue de littérature comparée*, juillet-septembre 1934.

HOFFMANN (L.-F.) : *Le Nègre romantique, personnage littéraire et obsession collective*. Paris, Payot, 1973.

CZYBA (Lucette) : « Traite et esclavage dans *Tamango*. » *Europe*, septembre 1975.

Federigo

CHAMPFLEURY : *De la littérature populaire en France. Recherches sur les origines et les variations de la légende du bonhomme Misère*. Paris, Poulet-Malassis, 1861.

La Double Méprise

PARTURIER (Maurice) : *Une expérience de Lélia ou le Fiasco du comte Gazul*. Paris, Le Divan, 1934.

SALOMON (Pierre) : « De *La double Méprise* au *Compagnon du Tour de France* ou l'Amour en voiture. » *Revue de l'Académie du Centre*, n° 101 (Hommage à George Sand), 1976.

CHRONOLOGIE

établie par Pierre Salomon

1803 (28 septembre) : Naissance à Paris de Prosper Mérimée. Il est le fils unique de Léonor Mérimée, peintre, professeur de dessin à l'Ecole polytechnique, et de Anne-Louise Moreau. Son père a 46 ans, et sa mère 28.

1807 : Léonor Mérimée est nommé secrétaire de l'Ecole des Beaux-Arts.

1812 : Prosper Mérimée entre au lycée Napoléon (Henri-IV).

1819 (2 novembre) : Il prend sa première inscription de droit.

1820 : Tout en étudiant le droit, il se perfectionne en littérature anglaise et traduit Ossian avec J.-J. Ampère.

1822 : Chez Joseph Lingay, il fait la connaissance de Stendhal, qui le dépeint ainsi : « Un pauvre jeune homme en redingote grise et si laid avec son nez retroussé. Ce jeune homme avait quelque chose d'effronté et d'extrêmement déplaisant. Ses yeux petits et sans expression avaient un air toujours le même, et cet air était méchant. »
A la fin de l'année, il lit chez Viollet-le-Duc sa tragédie en prose *Cromwell*. L'œuvre est perdue.

1823 : Il passe ses examens de droit : baccalauréat, puis licence.

1825 (13 mars) : Il se rend pour la première fois chez Delécluze. Il y retourne le lendemain pour donner lecture d'une pièce faite « d'après les principes dits communément romantiques », *Les Espagnols en Danemarck*, et d'une autre pièce plus courte, *Une femme* *est un diable.* Le débit trop rapide du jeune écrivain empêche les auditeurs de bien suivre.

27 mars : J.-J. Ampère lit chez Delécluze, devant un auditoire plus nombreux que le 14 mars, *Les Espagnols en Danemarck, Le Ciel et l'Enfer, L'Amour africain.* D'autres lectures seront faites : le 3 avril, jour de Pâques, chez Delécluze *(Le Ciel et l'Enfer);* le 10 avril, chez Cerclet; le 29 mai, à Valenton, dans la maison de campagne de Delécluze *(L'Amour africain* et *Inès Mendo).*

4 juin : Le *Théâtre de Clara Gazul* est enregistré dans la *Bibliographie de la France.* Le volume est constitué de six pièces de longueur inégale : *Les Espagnols en Danemarck, Une femme est un diable, L'Amour africain, Inès Mendo ou le Préjugé vaincu, Inès Mendo ou le Triomphe du préjugé, Le Ciel et l'Enfer.*

1826 : Mérimée fait deux voyages en Angleterre.

1827 : Il fréquente des artistes et, comme dit son père, s'exerce à « barbouiller ».
Fin juillet : Il publie *La Guzla ou Choix de poésies illyriques recueillies dans la Dalmatie, la Bosnie, la Croatie et l'Herzégovine.* L'ouvrage n'est pas signé. Ce sont de fausses ballades illyriques. Un article de Goethe, en 1828, dévoilera la supercherie.

1828 (début janvier) : Duel de Mérimée avec Félix Lacoste, dont la femme est sa maîtresse. Il s'abstient de tirer. Il est atteint de trois balles au bras et à l'épaule gauche. Sa liaison avec Mme Lacoste se prolongera jusqu'en 1832. On a supposé qu'il était le père de l'écrivain Duranty, fils de Mme Lacoste, né le 7 juin 1833. Mais l'hypothèse est peu vraisemblable.
7 juin : *La Jaquerie, scènes féodales* suivies de *La Famille de Carvajal, drame.*

1829 (5 mars) : *Chronique du règne de Charles IX.*
La *Revue de Paris* publie *Mateo Falcone* (3 mai), *Le Carrosse du Saint-Sacrement* (14 juin) et *L'Occasion* (29 novembre). Les textes qui composent *Mosaïque* paraissent dans cette même revue de 1829 à 1832, à l'exception de *L'Enlèvement de la redoute* (*Revue française*, septembre 1829).
Le 10 juillet, Mérimée assiste chez Victor Hugo à la lecture d'*Un duel sous Richelieu (Marion Delorme),*

et le 24 décembre, chez Musset, à la lecture des *Contes d'Espagne et d'Italie.*

1830 (28 mars) : *Les Mécontens, 1810* paraissent dans la *Revue de Paris.*

Juin-décembre : Mérimée voyage en Espagne pour s'éloigner d'une femme aimée. (Il s'agit vraisemblablement de Mélanie Double, pour laquelle il se jugeait un trop médiocre parti.) Dans une diligence, il rencontre le comte de Teba, futur comte de Montijo. Le comte l'invite chez lui à Madrid.

Septembre : Seconde édition du *Théâtre de Clara Gazul.* Elle comprend, en plus des six pièces publiées en 1826, *L'Occasion* et *Le Carrosse du Saint-Sacrement.*

1831 : Mérimée est nommé, en février, chef de bureau du Secrétariat général de la Marine; en mars, chef de cabinet du comte d'Argout, ministre du Commerce; en mai, chevalier de la Légion d'honneur.

De 1831 à 1836, il entretient une liaison intermittente avec l'actrice Céline Cayot.

1832 (novembre) : Il est nommé maître des requêtes. 29 décembre : Il fait la connaissance à Boulogne-sur-Mer de Jenny Dacquin, avec laquelle il gardera toute sa vie de tendres et amicales relations. Sa correspondance avec Jenny Dacquin a été publiée sous le titre de *Lettres à une inconnue.*

1833 (avril) : Liaison éphémère avec George Sand. 4 juin : Publication de *Mosaïque.* Ce recueil contient *Les Mécontens.* 25 août : *La Double Méprise (Revue de Paris).*

1834 (27 mai) : Thiers signe l'arrêté nommant Mérimée inspecteur général des Monuments historiques. Juillet-décembre : Tournée d'inspection dans le Midi. 15 août : *Les Ames du purgatoire (Revue des Deux Mondes).*

1835 (10 janvier) : Création du Comité des monuments inédits de la littérature, de la philosophie, des sciences et des arts, dont Mérimée fera partie. Mai-juin : Séjour en Angleterre. Juillet : Fréquentes rencontres avec les Montijo, qui sont à Paris. 28 juillet : Départ pour une tournée dans l'Ouest. Cette tournée s'achèvera fin octobre.

1836 (16 février) : Mme Delessert, à laquelle il fait la cour depuis plusieurs années, devient sa maîtresse. Delessert, qui est à ce moment préfet d'Eure-et-Loir, sera nommé en septembre suivant préfet de police. (Mme Delessert a été dépeinte par Stendhal sous les traits de Mme Grandet dans *Lucien Leuwen,* et par Flaubert sous les traits peu flatteurs de Mme Dambreuse dans *L'Education sentimentale.*)
14 mai-10 août : Tournée en Alsace.
27 septembre : Mort de Léonor Mérimée.

1837 (15 mai) : *La Vénus d'Ille (Revue des Deux Mondes).*
Mai-août : Tournée en Auvergne. Stendhal l'accompagne au début de son voyage.
29 septembre : Création de la Commission des Monuments historiques, dont Mérimée fera partie.

1838 (20 juin-12 septembre) : Tournée dans l'Ouest et le Sud-Ouest.
Toujours en relations suivies avec Mme de Montijo, qui habite alors Versailles, il va la voir plusieurs fois, dès son retour, en compagnie de Stendhal et d'un ami anglais, Sutton Sharpe.

1839 (29 juin) : Il quitte Paris pour une tournée dans le Sud-Est et en Corse. Il séjourne en Corse du 16 août au 7 octobre, date à laquelle il s'embarque à Bastia pour Livourne. Il rejoint Stendhal à Civita-Vecchia, l'accompagne à Rome, puis à Naples et à Pæstum, prend congé de lui le 10 novembre, débarque à Marseille le 15 et rentre à Paris au début de décembre.

1840 (5 avril) : *Notes d'un voyage en Corse.*
1er juillet : *Colomba (Revue des Deux Mondes).*
5 juillet-23 octobre : Tournée en Poitou, Saintonge et Gascogne. Séjour en Espagne. Mérimée est reçu à Carabanchel par la comtesse de Montijo (veuve depuis le 15 mars 1839). Retour par Agen, Béziers, Toulon, Avignon.

1841 (15 mai) : *Essai sur la guerre sociale.*
Juin-juillet : Tournée en Normandie, en Bretagne et dans la Creuse.
25 août-7 janvier 1842 : Voyage en Grèce et en Turquie. Il a pour compagnons plusieurs archéologues. Il admire en Asie Mineure « les plus beaux monuments du monde et les plus beaux paysages possibles ».

1842 (juin-août) : Tournée en Basse-Bourgogne, dans le Sud-Est et dans le Midi.

Juillet : Publication chez Charpentier d'une édition revue et corrigée du *Théâtre de Clara Gazul*, suivi de *La Jaquerie* et de *La Famille Carvajal*. Cette édition doit être considérée comme définitive.

1843 (août) : Tournée en Bourgogne et dans le Jura en compagnie de Viollet-le-Duc.

17 novembre : Mérimée élu membre de l'Académie des inscriptions et belles-lettres.

1844 (14 mars) : Il est élu à l'Académie française, en même temps que Sainte-Beuve. *Arsène Guillot*, qui paraît dans la *Revue des Deux Mondes* le lendemain de son élection, choque certains de ses nouveaux confrères.

23 mars : *Études sur l'histoire romaine*. Seul le second tome de cet ouvrage *(Conjuration de Catilina)* est inédit. Le premier est une réimpression de l'*Essai sur la guerre sociale*.

Août-septembre : Tournée dans le Centre-Ouest.

1845 (6 février) : Il est reçu à l'Académie. Il y fait, à contrecœur, l'éloge de son prédécesseur, Charles Nodier, dont il pensait, au fond de lui-même, beaucoup de mal. « C'était un gaillard très taré qui faisait le bonhomme et avait toujours la larme à l'œil... C'était un infâme menteur. »

Août-septembre : Tournée en Dordogne, Languedoc et Provence.

1er octobre : *Carmen (Revue des Deux Mondes)*. L'œuvre était terminée depuis le 16 mai.

Novembre-décembre : Voyage en Espagne.

1846 (24 février) : *L'Abbé Aubain (Le Constitutionnel)*.

Juillet-août : Tournée dans l'Est, le Lyonnais, la Provence et l'Auvergne.

Novembre : Séjour à Barcelone.

1847 (septembre-octobre) : Tournée en Picardie et en Normandie.

1er décembre : La *Revue de Paris* commence la publication de l'*Histoire de Don Pèdre 1er*.

1848 (24 février) : Gabriel Delessert quitte la Préfecture de police et se réfugie chez Mérimée. Le lendemain, les Delessert partent pour l'Angleterre.

18 mai : Mérimée reçoit sous la Coupole son ami J.-J. Ampère.

23-27 juin : Garde national, il est le témoin des journées d'émeute. Le 28 juin, après la défaite des insurgés, il écrit à Mme de Montijo : « Nous l'avons échappé belle. » L'ancien libéral est en train de devenir conservateur.

26 septembre-14 octobre : Tournée en Alsace.

25 décembre : « J'ai éprouvé dans ces derniers mois, écrit-il à Mme de Montijo, toutes les misères du cœur qu'il est donné à un être humain de souffrir. » Allusion probable à Mme Delessert, dont la froideur envers lui s'accentue. Elle est depuis 1845 la maîtresse de Charles de Rémusat. Il cherche dans l'étude du russe un dérivatif à son ennui.

1849 (15 juillet) : *La Dame de pique*, nouvelle tirée de Pouchkine *(Revue des Deux Mondes)*.

Septembre-octobre : Tournée en Touraine, Poitou, Charente et Périgord.

1850 (13 mars) : Première représentation du *Carrosse du Saint-Sacrement* à la Comédie-Française. La pièce est sifflée.

Juin : Voyage en Angleterre.

1er juillet : *Les Deux Héritages (Revue des Deux Mondes)*.

Septembre-octobre : Tournée en Auvergne, Provence et Languedoc.

19 octobre : *H. B.*, brochure consacrée à Stendhal (Henry Beyle).

1851 : Mérimée ne fait cette année-là que de courts voyages (à Londres; dans l'Yonne, à Lyon et en Auvergne; en Belgique et en Hollande). Il dîne plusieurs fois chez la princesse Mathilde.

15 novembre : Il publie dans la *Revue des Deux Mondes* un article sur Gogol.

1852 (21 janvier) : Mérimée officier de la Légion d'honneur. C'est un signe de son ralliement au nouveau régime. Ce ralliement lui vaudra l'inimitié de Victor Hugo, qui déjà ne l'aimait pas beaucoup.

30 avril : Mort de Mme Léonor Mérimée. Désormais le ménage de l'écrivain sera tenu par deux Anglaises dont il est depuis longtemps l'ami : Fanny Lagden et sa sœur Emma. (Léonor Mérimée leur donnait des leçons de dessin vers 1820.) La question de savoir si Fanny Lagden (née vers 1796) fut sa maîtresse est fort discutée.

26 mai : Il est condamné à quinze jours de prison et mille francs d'amende pour outrage à la magistrature. Dans un article de la *Revue des Deux Mondes,* il avait pris la défense, avec une véhémence excessive, de Libri (le mari de Mélanie Double), condamné pour vol de livres et documents dans des bibliothèques publiques. Du 6 au 20 juillet, il purge sa peine à la Conciergerie.

Septembre : Tournée dans le Midi.

15 décembre : La *Revue des Deux Mondes* publie *Les Faux Démétrius, scènes dramatiques.*

25 décembre : Publication de l'essai historique intitulé *Épisode de l'histoire de Russie. Les Faux Démétrius.*

1853 (30 janvier) : Napoléon III épouse Eugénie de Montijo.

19 mars : Mérimée accompagne jusqu'à Poitiers Mme de Montijo, que l'Empereur a persuadée de retourner en Espagne.

23 juin : Il est nommé sénateur. Horace de Viel-Castel voit en lui une « ambitieuse taupe qui creuse son chemin sans bruit ». Plusieurs de ses anciens amis le boudent. Il conservera jusqu'en 1860 ses fonctions d'Inspecteur général des Monuments historiques, sans en toucher les appointements. Mais il renonce aux grandes tournées, se déchargeant de ce soin sur l'architecte Courmont.

Juillet : *Les Deux Héritages* suivis de *L'Inspecteur général* et des *Débuts d'un aventurier* paraissent en volume.

Septembre-décembre : Séjour en Espagne, où il est l'hôte de Mme de Montijo.

1854 (fin août-15 octobre) : Voyage en Europe centrale.

29 décembre : Mme Delessert, poussée par Maxime Du Camp, qui est devenu son amant, signifie à Mérimée une rupture dont il restera longtemps meurtri.

1856 (juillet-août) : Voyage en Angleterre et en Écosse. Novembre : Mérimée, devenu asthmatique, se rend sur la Côte d'Azur pour se soigner. Il est accompagné des sœurs Lagden. Son séjour à Nice, puis à Cannes, durera jusqu'en février suivant. Désormais, il passera tous ses hivers dans le Midi.

1857 : Voyages en Angleterre et en Suisse. Les invitations de Mérimée à la cour et les marques de confiance que lui témoigne la famille impériale se multiplient. Il fait la connaissance de Tourguéniev.

1858 (avril-mai) : Séjour à Londres.
Juin-octobre : Voyage en Suisse, en Bavière, en Autriche et en Italie.

1859 (fin septembre-20 novembre) : Voyage en Espagne. Napoléon III le charge de lui préparer des documents pour une *Histoire de Jules César*, à laquelle il travaille.

1860 (juillet-août) : Voyage à Londres, où il n'est pas allé depuis deux ans. Jusqu'en 1868, il y retournera chaque année. C'est à Londres qu'il se fait habiller. Il y mène une vie très mondaine.
11 août : Mérimée commandeur de la Légion d'honneur.

1861 : Il accompagne l'Empereur à Alise-Sainte-Reine (juin), puis dans les Landes (septembre). Il est, à Biarritz, l'hôte du couple impérial, et le sera encore en 1862, 1863, 1865, 1866.

1864 : Il commence à publier dans *Le Journal des savants* une série d'articles sur l'*Histoire du règne de Pierre le Grand (Procès du tsarévitch Alexis)*.

1866 (14 août) : Mérimée grand officier de la Légion d'honneur.
Septembre : Il écrit pour l'Impératrice une nouvelle, *La Chambre bleue*. Cette reprise de son activité de conteur coïncide avec son retour en faveur auprès de Mme Delessert.

1867 : Nouvelle série d'articles sur l'*Histoire du règne de Pierre le Grand (La Jeunesse de Pierre le Grand)*.

1868 : Il compose une nouvelle, *Lokis*, dont il donne le manuscrit à Mme Delessert le 25 septembre. Une lecture de cette nouvelle devant l'Impératrice et ses dames, au château de Saint-Cloud, le 22 juillet 1869, ne rencontrera qu'indifférence polie. *Lokis* paraîtra dans la *Revue des Deux Mondes* le 15 septembre 1869.

1869 (10 mars) : Mérimée vient d'être gravement malade. Plusieurs journaux annoncent la nouvelle de sa mort.

1870 (janvier-mars) : Il compose *Djoûmane*, sa dernière nouvelle.
1er juin : Après avoir passé tout l'hiver et le printemps à Cannes, il rentre à Paris.

Le 18 et le 20 août, il tente vainement d'amener Thiers à prendre position pour le maintien du régime impérial. Le 4 septembre, il assiste à la séance du Sénat. Il est malade. Il a les jambes très enflées. Il quitte Paris le 10 septembre, sans avoir pu faire ses adieux à l'Impératrice. Il s'éteint à Cannes le 23 septembre. Cet athée avait voulu qu'un pasteur protestant célébrât ses obsèques. Ce vœu fut exaucé. Son corps repose dans le cimetière anglais de Cannes, sous la même pierre que celui de Fanny Lagden.

1871 (23 mai) : Pendant les troubles de la Commune, la maison qu'habitait Mérimée, 52, rue de Lille, est incendiée. Tous ses papiers et ses livres sont détruits.

TABLE DES MATIÈRES

GF — TEXTE INTÉGRAL — GF

9489-1983. — Mame, Tours.
No d'édition 9756. — Avril 1983. — Printed in France.